Lignes de fuite

Val MCDERMID

Lignes de fuite

Traduit de l'anglais par Perrine Chambon
et Arnaud Baignot

Flammarion

Titre original : *The Vanishing Point*
Éditeur original : Little, Brown
© Val McDermid, 2012
Pour la traduction française :
© Flammarion, 2015
ISBN : 978-2-0813-1158-9

Pour ceux qui ont disparu pendant que j'écrivais ce livre : Davina McDermid, Sue Carroll et Reginald Hill. C'est grâce à vous tous que je suis allée aussi loin. Votre absence est constamment présente.

« Si vous devenez célèbre sans savoir qui vous êtes, la célébrité vous définira. »

Oprah Winfrey

Partie 1

LE DÉPART

Aéroport O'Hare, Chicago

Stephanie Harker se rappelait l'époque où c'était amusant de prendre l'avion. Elle baissa les yeux vers le garçon de cinq ans qui jouait avec le ruban tendu entre deux poteaux mobiles délimitant la file d'attente devant les portiques de sécurité. Jimmy, lui, ne connaîtrait jamais ça. Quand il serait plus grand, les voyages en avion deviendraient synonymes d'ennui et d'agacement, sentiments que l'on ressentait à force d'avoir affaire à des gens tour à tour fatigués, désagréables ou carrément impolis. Comme s'il avait senti qu'elle le regardait, Jimmy leva les yeux vers elle d'un air las :

— Est-ce qu'on pourra se baigner dans la piscine ce soir ? demanda-t-il comme s'il s'attendait d'avance à un refus.

— Bien sûr que oui, répondit Stephanie.

— Même si l'avion a du retard ?

Apparemment, sa réponse ne l'avait pas convaincu.

— Oui, même s'il a du retard. Il y a une piscine juste devant la maison. Quelle que soit notre heure d'arrivée, tu pourras aller te baigner.

Il fronça les sourcils en réfléchissant à sa réponse puis hocha la tête.

— D'accord.

Ils avancèrent de quelques pas. Stephanie détestait les correspondances dans les aéroports américains. Quand on arrivait dans le pays en avion, on avait déjà passé les contrôles de sécurité au moins une fois. Parfois deux. Dans la majorité des pays, quand on prenait une correspondance, on n'avait pas besoin de repasser le contrôle ; on se trouvait déjà dans la zone d'embarquement. Les autorités considéraient que ces passagers-là ne présentaient pas de risque. Pas besoin de recommencer tout le cirque une deuxième fois.

Mais aux États-Unis, c'était différent. Là-bas, c'était toujours différent. Manifestement, ils ne se fiaient pas aux contrôles de sécurité des autres pays. Quand on transitait sur le sol américain, il fallait sortir de la zone d'embarquement pour refaire la queue et repasser les contrôles qu'on avait déjà subis avant d'embarquer dans le premier avion. Parfois, il vous arrivait d'acheter une bouteille de vodka mandarine au duty free sans penser qu'elle vous serait confisquée lors du deuxième contrôle puisque les liquides n'étaient pas autorisés. Y compris les liquides achetés dans l'enceinte même de l'aéroport. Salauds.

Comme si ce n'était pas suffisamment énervant, la conception américaine de la fouille au corps frisait le harcèlement sexuel, aux yeux de Stephanie. Elle était devenue experte en la matière à cause de la plaque de métal et des vis qui soutenaient sa jambe gauche depuis une dizaine d'années. Suivant les pays, l'attitude des agents de sécurité féminins qui venaient la fouiller une fois qu'elle avait déclenché l'alarme variait : à Madrid, on ne l'avait ni palpée ni soumise au détecteur, à Rome le contrôle avait été superficiel, à Berlin, efficace. Mais aux États-Unis, la fouille était quasiment une agression ; les agents lui écrasaient les seins et les fesses comme un adolescent maladroit. C'était désagréable et humiliant.

Ils avancèrent de nouveau de quelques pas. La file devant eux progressait désormais à un rythme régulier. Lent mais régulier. Arrivé à un virage, Jimmy passa sous le ruban pour ressurgir devant elle.

— Je t'ai doublée !

— Eh oui !

Stephanie lâcha sa valise pour ébouriffer l'épaisse tignasse noire de l'enfant. Au moins, les complications du voyage l'empêchaient de s'inquiéter au sujet des vacances qu'elle allait

passer avec son fils. Elle se répéta mentalement cette phrase :
« Passer des vacances avec son fils. » Combien de temps allait-
il lui falloir pour ne plus trouver ces mots bizarres, étrangers,
impossibles ? En Californie, ils seraient entourés de familles
normales. Jimmy et elle étaient tout sauf une famille normale.
Elle ne se doutait pas qu'elle ferait un jour ce genre de voyages.
Je vous en prie, faites que tout se passe bien.

— Est-ce que je pourrai encore m'asseoir à côté du hublot,
Steph ? demanda-t-il en lui tirant le bras.

— Tant que tu promets de ne pas l'ouvrir en plein vol.

Il lui lança un regard méfiant avant de sourire.

— Si je faisais ça, est-ce que je serais projeté dans l'espace ?

— Oui, tu atterrirais sur la lune.

Elle lui fit signe d'avancer. La file s'était réduite et ils
allaient bientôt devoir charger leurs valises et vider leurs
poches dans des bacs en plastique afin qu'ils passent aux
rayons X. En apercevant la grande cabine en Plexiglas située
au-delà du détecteur de métaux, Stephanie se pinça les lèvres.

— Tu te souviens de ce que je t'ai dit, Jimmy, lui rappela-
t-elle avec fermeté. Tu sais que je vais déclencher l'alarme et
que je vais devoir me mettre dans la cabine pour qu'on me
fouille. Tu n'as pas le droit de venir avec moi.

— Pourquoi ? demanda-t-il en boudant.

— C'est le règlement. Ne t'en fais pas. Il ne va rien m'arriver de mal. Tu vas m'attendre à côté du tapis roulant avec
les bagages, d'accord ? Tu ne bouges pas, tu attends que je
ressorte de l'autre côté. Tu as compris ?

Il évita son regard. Peut-être lui en voulait-il de lui parler sur
ce ton. C'était tellement difficile de trouver les mots justes.

— Je surveillerai les valises, dit-il. Pour que personne les
vole.

— Super !

L'homme qui se tenait dans la file devant eux ôta sa veste
de costume avant de la plier et de la poser dans un bac en
plastique. Il fit de même avec ses chaussures puis sa ceinture.
Il ouvrit sa sacoche d'où il sortit un ordinateur portable qu'il
déposa dans un deuxième bac. Il esquissa un signe de tête pour
indiquer qu'il avait fini.

— Plus aucune dignité dans les aéroports, de nos jours, marmonna-t-il avec un sourire désabusé.

— Tu es prêt, Jimmy ? demanda Stephanie avant d'avancer pour saisir un bac en plastique. Ta mission, c'est de garder les bagages et c'est important.

Elle déposa leurs affaires, vérifia les poches de Jimmy puis lui fit passer le portique de sécurité devant elle. Le garçon se retourna quand l'alarme se déclencha et que les lumières rouges se mirent à clignoter. Un employé costaud de l'Agence de sécurité du transport indiqua à Stephanie la cabine en Plexiglas.

— Un agent féminin, s'il vous plaît ! hurla-t-il à la cantonade. Madame, attendez là-dedans.

Elle entra dans la cabine qui mesurait un mètre sur deux. Deux empreintes de pieds étaient dessinées sur le sol. Une chaise en plastique était posée contre un mur. Un socle en bois contenait un détecteur de métaux portable. Jimmy écarquilla les yeux quand Stephanie pénétra dans la cabine. Elle lui fit un signe de la main pour qu'il reste près du tapis roulant, où leurs bagages étaient en train de ressortir après avoir passé le contrôle.

— Attends-moi, articula-t-elle silencieusement tout en levant le pouce.

Jimmy se retourna pour se diriger au bout du tapis roulant où il saisit les bacs en plastique. Impatiente, Stephanie regarda autour d'elle. Il y avait trois ou quatre agents féminins de l'AST mais apparemment, aucune n'avait envie de venir s'occuper d'elle. Heureusement qu'elle et Jimmy n'avaient pas de correspondance à prendre en urgence. Sachant ce qu'était le transit dans les aéroports américains aujourd'hui, elle avait volontairement laissé beaucoup de temps entre leurs vols.

Elle tourna la tête vers Jimmy. Un agent de la sécurité avait entamé une conversation avec lui. Un homme de grande taille vêtu de l'uniforme de l'AST, pantalon noir et chemise bleue. Mais il y avait quelque chose qui clochait chez lui. Stephanie fronça les sourcils. Il portait une casquette, voilà ce qui n'allait pas. Les autres agents avaient la tête nue. Elle vit l'homme prendre la main de Jimmy.

L'espace d'une seconde, elle ne parvint pas à en croire ses yeux. Jimmy suivit docilement cet homme qui le mena hors de la zone de contrôle, en direction du hall où des dizaines de personnes allaient et venaient. Ils ne jetèrent pas un seul coup d'œil derrière eux.

— Jimmy ! cria-t-elle. Jimmy, reviens ici !

Ses cris furent étouffés par la cabine en Plexiglas. L'homme et l'enfant continuèrent de s'éloigner. Inquiète à présent, elle tambourina sur la paroi en indiquant le hall.

— Mon fils ! Quelqu'un a pris mon fils !

Ses paroles n'eurent pas le moindre effet, mais ses gestes brusques attirèrent l'attention de deux des agents. Ils s'approchèrent d'elle, tournant le dos à Jimmy. Désespérée, Stephanie décida de tenter le tout pour le tout et de se lancer à la poursuite de son fils.

Elle avait à peine mis un pied hors de la cabine qu'un des agents lui attrapa le bras en disant quelque chose qu'elle ne comprit pas. Ce geste la ralentit mais ne l'arrêta pas. L'idée de perdre Jimmy la poussa à dépasser ses limites. L'agent la coinça avec son autre main et, sans réfléchir, Stephanie pivota pour lui écraser son poing dans la figure.

— On kidnappe mon fils ! hurla-t-elle.

Le gardien commença à saigner du nez mais ne lâcha pas prise. À présent, Stephanie ne distinguait plus que la casquette de l'inconnu. Jimmy était perdu dans la foule. Avec l'énergie du désespoir, elle avança en traînant le gardien derrière elle. Elle prit conscience que d'autres agents armés s'étaient attroupés, mais elle n'avait qu'un seul objectif.

— Jimmy ! cria-t-elle.

Un autre agent l'agrippa à la taille pour tenter de la neutraliser.

— À terre ! ordonna-t-il. À terre, maintenant !

Elle se débattit et lui envoya un coup de talon sous le tibia.

Le brouhaha des voix devint de plus en plus indistinct. Un troisième agent se mêla à la bagarre et se jeta sur elle par-derrière. Stephanie sentit ses genoux lâcher et elle s'écroula par terre.

— Mon fils, marmonna-t-elle en tâtant sa poche à la recherche de leurs cartes d'embarcation.

Tout à coup, les agents qui la maintenaient au sol disparurent et elle se retrouva libre. Étonnée mais soulagée qu'on prête enfin attention à ses paroles, elle se mit à genoux.

C'est à ce moment-là qu'ils actionnèrent le taser.

2

Tout se déroula en un instant : une douleur atroce lui parcourut le corps, tétanisant ses muscles. Stephanie fut immédiatement neutralisée, son organisme lâcha prise aussi vite que si on avait appuyé sur un interrupteur. Elle ne comprit pas ce qui lui arrivait, ni d'où venait cette douleur, ni pourquoi elle avait perdu le contrôle de son corps. Elle parvint simplement à répéter à voix haute qu'on avait enlevé son fils.

En s'écroulant par terre, elle voulut crier le nom de Jimmy, mais elle n'émit qu'un bredouillement indistinct semblable à ceux que certaines personnes marmonnent parfois dans leur sommeil quand ils font un cauchemar.

La douleur disparut aussi vite qu'elle était apparue. Stephanie leva la tête, perplexe. Elle ne prêta aucune attention aux employés de l'AST qui l'encerclaient en gardant leurs distances, ni aux passagers effarés qui poussaient des exclamations de surprise ou sortaient leurs téléphones portables équipés de caméras. Elle chercha Jimmy des yeux et aperçut sa chemise Arsenal rouge vif à côté d'un uniforme noir et bleu de l'AST. Ils s'apprêtaient à bifurquer dans le hall et allaient disparaître de son champ de vision. Indifférente à la douleur persistant dans ses muscles, Stephanie se leva et s'élança dans cette direction en poussant un grognement rauque et bestial.

Elle n'eut même pas le temps de faire un pas. Cette fois, l'attaque du taser dura plus longtemps et ses effets aussi : une fois passée la neutralisation initiale, Stephanie resta désorientée et affaiblie. Deux agents la remirent debout pour l'entraîner dans un couloir à l'opposé de celui où s'était dirigé Jimmy. Rassemblant ses dernières forces, elle tenta de se libérer.

— Arrêtez ! hurla l'un des agents qui la maintenait.

— Passez-lui les menottes, ordonna un autre d'une voix plus ferme.

On lui tira les bras en arrière et elle sentit le métal froid des menottes sur ses poignets. Ils pressèrent le pas dans le couloir et franchirent ensuite une porte. Ils la firent asseoir sur une chaise en plastique dans une position inconfortable en lui passant les bras derrière le dossier. Les questions fusaient dans sa tête sans qu'elle parvienne à réfléchir correctement.

Une femme imposante d'origine hispanique vêtue de l'uniforme de l'AST surgit devant elle. Malgré un visage fermé et froid, son regard paraissait compatissant.

— Vous allez vous sentir déboussolée pendant un moment, ça va passer. Vous n'êtes pas en train de mourir. Vous n'êtes même pas blessée. Contrairement à mon collègue qui a le nez cassé. N'essayez pas de quitter cette pièce. On vous en empêchera.

— Quelqu'un a kidnappé mon fils.

Elle prononça ces mots lentement, incapable d'articuler correctement. Comme si elle avait bu et parlait de façon inintelligible. Elle ne parvenait pas à se concentrer suffisamment pour déchiffrer le nom écrit sur le badge de son interlocutrice.

— Je vais revenir bientôt pour vous interroger, annonça cette dernière en se dirigeant vers la porte à la suite de ses collègues.

— Attendez ! Mon fils. On a enlevé mon fils.

La femme ne prit même pas la peine de ralentir le pas et sortit.

À présent, tout ce que ressentait Stephanie, c'était une peur oppressante. Peu importaient les dommages physiques et psychologiques infligés par le taser ; à ce moment-là, elle était en proie à la terreur. La panique initiale avait disparu et avec elle la volonté de se battre. Dorénavant, l'appréhension lui pesait sur la poitrine à tel point qu'elle avait du mal à respirer.

Malgré le flot de pensées et d'émotions qui la submergeaient, Stephanie se força à se concentrer sur une seule information tangible : quelqu'un avait emmené Jimmy hors de la zone de contrôle. Un inconnu l'avait enlevé sans que personne n'intervienne. Comment est-ce que ça avait pu se passer ? Et pourquoi tout le monde refusait de l'écouter ?

Il fallait qu'elle sorte de là. Les autorités devaient être averties qu'un événement terrible s'était produit, continuait de se produire à l'instant même. Stephanie se débattit contre le dossier de la chaise dans l'espoir de libérer ses bras. Mais plus elle luttait, plus elle se sentait prisonnière. Elle finit par s'apercevoir que la forme de la chaise l'empêchait d'étendre les bras suffisamment loin derrière elle pour se dégager du dossier ; par ailleurs, comme celle-ci était vissée au sol, elle ne pouvait pas non plus envisager de se traîner jusqu'à la porte en emportant le siège avec elle.

À ce moment-là, la femme qui lui avait parlé un peu plus tôt revint dans la pièce. Elle était accompagnée d'un homme grand et maigre, d'âge moyen, vêtu de la tenue désormais familière de l'AST. Il prit place en face de Stephanie sans la saluer. Son visage était tout en angles et en creux et il avait des cheveux grisonnants coupés court, parfaitement rasés sur les côtés. Son regard était froid, sa bouche et son menton pas assez dessinés pour lui donner l'air dur qu'il cherchait à imposer. Son badge indiquait qu'il s'appelait Randall Parton et il portait deux bandes dorées sur l'épaulette de sa chemise bleue. Stephanie fut soulagée de constater qu'elle parvenait enfin à distinguer les éléments qui l'entouraient.

— Quelqu'un a kidnappé mon fils, dit-elle immédiatement. Il faut faire quelque chose ! Avertir la police. Lancer la procédure habituelle dans ce genre de situation.

Le regard de Parton ne s'adoucit pas.

— Votre nom ? demanda-t-il.

Stephanie perçut une pointe d'accent de la Nouvelle-Angleterre.

— Mon nom ? Peu importe. Il faut que…

— C'est nous qui décidons de ce qui est important ou non, l'interrompit Parton en carrant les épaules dans sa chemise

21

parfaitement repassée. Et ce qui est important pour le moment, c'est le risque que vous représentez pour la sécurité de cet aéroport.

— C'est ridicule ! Je suis une victime, ici.

— C'est plutôt mon agent qui est la victime. Celui que vous avez agressé en tentant de fuir la zone de contrôle avant que nous puissions vous fouiller. Alors que vous aviez déclenché le détecteur à métaux.

Derrière lui, la femme se dandinait d'un pied sur l'autre, comme si elle était mal à l'aise.

— J'ai déclenché le détecteur parce que j'ai une plaque de métal et trois vis dans la jambe gauche. J'ai eu un grave accident de voiture il y a dix ans. Je déclenche toujours l'alarme.

— Dans l'immédiat, nous n'avons aucun moyen de vérifier vos dires. Avant de poursuivre, nous devons établir si vous représentez un risque pour mon pays ou mon équipe. Vous devez vous soumettre à une fouille approfondie.

Stephanie sentit la tension monter en elle, comme si une veine était sur le point d'éclater dans son crâne.

— Quoi ?! J'ai des droits, non ?

— Ce n'est pas à moi de vous informer de vos droits. Mon rôle est de veiller à la sécurité de l'aéroport.

— Alors pourquoi vous n'êtes pas en train de chercher le type qui a enlevé mon fils ?

— Inutile de parler sur ce ton. Rien ne prouve que vous n'avez pas inventé cette histoire de kidnapping. J'attends que vous acceptiez de vous soumettre à une fouille approfondie.

— Je n'accepterai rien du tout tant que vous ne vous lancerez pas à la recherche de Jimmy, imbécile. Où est votre chef ? Je veux parler à un supérieur. Enlevez-moi ces menottes. Je veux un avocat.

Les lèvres de Parton esquissèrent un sourire pincé qui n'avait rien d'amusé.

— Les ressortissants étrangers que l'on interroge ici n'ont généralement pas droit à un avocat.

Il avait quelque chose de triomphal dans la voix.

La femme se racla la gorge avant d'avancer d'un pas. Elle s'appelait Lia Lopez, si l'on en croyait son badge.

— Randall, elle parle de kidnapping. Elle a droit à un avocat si nous l'interrogeons sur un sujet qui ne concerne ni son statut d'immigration ni la sécurité.

Parton tourna lentement la tête, comme si elle pesait aussi lourd qu'une boule de bowling.

— Ce qui n'est pas le cas pour l'instant, Lopez, rétorqua-t-il en soutenant le regard assassin qu'elle lui lançait avant de considérer de nouveau Stephanie. Vous devez donner votre accord.

— Est-ce que la loi m'oblige à me soumettre à cette fouille ?

Elle avait compris que si cet idiot refusait de l'entendre, il allait falloir s'adresser à quelqu'un de mieux disposé. Et rapidement.

— Est-ce que vous refusez ?

— Non, j'aimerais clarifier un point. Est-ce que la loi m'oblige à me soumettre à cette fouille ? Ou ai-je le droit de refuser ?

— Vous n'arrangez pas votre cas.

Les joues de Parton étaient légèrement rosies, comme s'il revenait d'une promenade dans le froid.

— Je ne connais pas la loi ici. Comme vous l'avez fait remarquer, je ne suis pas citoyenne américaine. J'essaie simplement de comprendre quels sont mes droits.

Parton avança la tête, agressif comme un coq de basse-cour.

— Vous refusez de vous soumettre à cette fouille ? C'est bien ça ?

— Est-ce que vous connaissez la loi, au moins ? Est-ce que vous savez quels sont mes droits ou pas ? Je veux parler à un supérieur, quelqu'un qui puisse me renseigner.

— Écoutez-moi, madame. Vous voulez jouer au plus malin ? Je ne vais pas entrer dans ce petit jeu. Si vous ne me donnez pas les réponses que j'attends, la prochaine personne à qui vous parlerez sera un agent du FBI. Et ce ne sera plus du tout la même histoire.

Il s'éloigna de la table pour se tourner vers Lopez.

— Est-ce qu'on connaît son identité ?

Lopez marmonna quelques mots dans son talkie-walkie et s'éloigna. Parton reprit la parole, couvrant la conversation de sa collègue.

— Comme je vous l'ai dit, vous n'arrangez pas votre cas. Vous avez agressé l'un de mes agents. C'est tout ce que nous savons. Personne n'a remarqué d'autre incident et encore moins un enlèvement d'enfant. Tout ce que je sais, madame, c'est que vous vous en êtes prise à nous. Pourquoi est-ce que vous êtes sortie de la cabine ? Pourquoi avez-vous agressé un agent ?

Elle avait déjà répondu à cette question, en vain. Elle savait bien que ça n'avancerait à rien de répéter la même chose. Si elle avait pu croiser les bras, c'est ce qu'elle aurait fait. Elle n'avait aucun moyen de lui faire comprendre qu'elle en avait assez. Elle inspira profondément, pencha la tête et le regarda dans les yeux :

— Est-ce que la loi m'oblige à répondre à cette question ?

Exaspéré, Parton frappa de la main sur la table. Lopez avança et annonça :

— Elle est entrée aux États-Unis il y a une demi-heure, ici, à Chicago. À bord d'un vol en provenance de Londres, Heathrow, dit-elle avant de se racler la gorge. Elle était accompagnée par un mineur.

Le silence devint presque palpable. D'une voix pleine de rage, Stephanie demanda :

— Maintenant est-ce que je peux parler à de vrais officiers de police ?

L'arrogance de Parton ne survécut pas à l'annonce que venait de faire Lopez. Il ordonna qu'on ôte les menottes de Stephanie mais ne put s'empêcher de lui dire sur un ton agressif :

— Vous n'avez pas le droit de mettre les mains dans vos poches. Ni d'utiliser votre téléphone.

— Je n'ai pas mon téléphone sur moi. Il est dans un bac en plastique, avec toutes mes affaires qui ont été passées au scanner. Et avec le sac à dos de Jimmy, je suppose. Il vous suffisait d'examiner les affaires que j'ai déposées sur le tapis roulant pour vérifier mes dires.

Elle n'essaya même pas de dissimuler son dédain.

Parton sortit sans ajouter un mot. Lopez adressa à Stephanie un sourire contrit.

— Est-ce qu'il va avertir quelqu'un que mon fils a été kidnappé ? demanda-t-elle en se frottant les poignets.

La porte s'ouvrit et Lopez tourna la tête. Un agent de l'AST entra avec deux bacs en plastique gris qu'il posa par terre. Stephanie remarqua que le premier contenait son sac à main et le second sa veste, ses chaussures, ses accessoires de toilette dans un plastique transparent et le contenu de ses poches déposé en vrac.

— Attendez, il devrait y en avoir un troisième. Avec le sac à dos de Jimmy et son pull.

— Il n'y avait rien d'autre, répondit l'agent en haussant les épaules.

Il sortit et ferma la porte derrière lui.

En constatant que les affaires de Jimmy avaient disparu, Stephanie ressentit une nouvelle montée de panique. D'une certaine façon, cela signifiait qu'il y avait préméditation, qu'il s'agissait d'un enlèvement ciblé et non d'un kidnapping au hasard. Elle n'avait jamais senti les minutes s'écouler aussi lentement.

— Personne ne comprend que quelque chose de grave est en train de se passer ? demanda-t-elle. Est-ce que vous avez des enfants ? Vous ne deviendriez pas folle si on kidnappait votre enfant sans que personne ne lève le petit doigt ?

Lopez eut l'air mal à l'aise.

— Il faut être patiente. Nous faisons notre travail et nous devons suivre certaines procédures. Notre capacité d'action est limitée. Je ne devrais même pas vous adresser la parole.

Stephanie se prit la tête entre les mains.

— Les minutes passent et Jimmy est en danger. J'avais promis... J'avais promis...

Sa voix s'évanouit. L'angoisse et la colère qui avaient jusque-là dominé en elle cédèrent la place à un sentiment d'échec. Elle avait fait une promesse. Et apparemment, elle n'avait pas été capable de la tenir.

*

Quand l'agent du FBI Vivian McKuras avait été nommée au poste de Chicago, elle avait considéré cela comme une promotion. Toutefois, quand on l'avait détachée au poste d'agent permanent au service de l'aéroport, elle avait compris qu'en réalité elle payait pour les erreurs de son ancien chef. Jeff croupissait désormais dans une prison fédérale pour avoir financé son addiction au jeu de façon très originale. Elle avait toujours su que quelque chose ne tournait pas rond chez lui mais elle avait attribué ça à sa vie conjugale, pas au fait qu'il magouille avec la mafia locale. Pas très perspicace pour une policière.

Aux yeux de l'observateur extérieur, ce poste à l'aéroport pouvait sembler être un job en or : elle était en première ligne pour combattre les terroristes qui cherchaient à nuire à l'Amérique. C'était le lieu idéal pour un agent qui voulait se racheter et prouver de quoi elle était capable. La réalité était tout sauf glamour. La plupart des gens que l'AST arrêtait étaient aussi terroristes que sa grand-mère. Non, à bien y réfléchir, ce n'était pas une très bonne analogie, parce que ces derniers temps sa grand-mère pouvait se montrer très virulente quand on évoquait l'indépendance de l'Écosse. Quand bien même elle avait quitté Rutherglen à l'âge de cinq mois.

Le problème de Vivian McKuras, c'était qu'elle s'ennuyait. Chaque interrogatoire qu'elle avait mené avec un passager intercepté par un agent de l'AST s'était avéré complètement inutile. Dans la plupart des cas, elle savait au bout de trois minutes que les hommes, les femmes et les enfants arrêtés ne constituaient pas la moindre menace pour la sécurité de l'État. Les vétérans handicapés, les vieillards incontinents et le Sikh transportant une réplique en plastique d'un poignard de cérémonie ne risquaient pas de détourner un avion ou de réduire l'aéroport en cendres. Et les rares fois où une enquête avait été nécessaire, le service de Chicago était intervenu. On lui avait retiré son suspect afin qu'il soit interrogé par des agents aux états de service plus irréprochables qu'elle.

Elle s'ennuyait donc à mourir. Ces dernières semaines, elle avait souvent rédigé mentalement sa lettre de démission pendant qu'elle prenait sa douche. Mais les questions pratiques revenaient toujours : quel métier exercerait-elle ? C'était la crise. Personne n'embauchait. Elle n'avait pas de formation. Après cinq ans passés au FBI, elle n'était pas qualifiée pour autre chose que le FBI. Or c'était précisément ce dont elle ne voulait plus.

Et voilà que, pour couronner la journée, Randall Parton venait de franchir la porte de son bureau. Même si Vivian l'avait détesté au premier regard, elle avait essayé de ne pas laisser ce sentiment empiéter sur leur relation professionnelle. Ce n'était pas facile cependant, vu le degré d'arrogance et de bêtise dont il avait fait preuve à chaque fois qu'elle l'avait croisé.

— Agent McKuras, annonça-t-il avec un bref hochement de tête.

Il avait toujours réussi à lui faire comprendre qu'entre eux, l'absence de respect était réciproque.

— Que puis-je faire pour vous aujourd'hui, Parton ? demanda-t-elle en souriant.

Il ne supportait pas qu'elle ait un tout petit peu plus de pouvoir que lui.

Parton baissa les yeux vers la chaise destinée aux visiteurs. Comme toujours, il était partagé entre le désir de s'asseoir sans y être invité et le besoin de la surplomber.

— On est tombés sur une dingue. Elle a déclenché le détecteur et un agent l'a fait patienter dans la cabine le temps qu'une collègue se libère. On était en sous-effectif, vous savez ce que c'est à cette heure de la journée…

— Je sais.

Elle aurait préféré l'ignorer. Elle aurait préféré ne pas connaître cet aéroport ni son fonctionnement interne.

— D'un coup, elle a bondi de la cabine, reprit Parton sur la défensive.

Il parlait comme un homme qui sait qu'il va devoir, tôt ou tard, reconnaître ses torts.

— Des agents ont essayé de l'intercepter mais elle ne s'est pas laissée faire. Elle a cassé le nez d'un collègue, ça pissait le sang. Et elle a continué à vouloir s'enfuir en hurlant des trucs que personne n'a compris.

— Elle ne parle pas anglais ?

Parton a esquissé un petit sourire en coin pour signifier son dégoût.

— Oh si, elle est même anglaise, mais personne n'a compris ce qu'elle criait. Alors ils ont utilisé leur taser, puisque c'est leur droit quand on leur résiste avec violence. Elle s'est calmée, mais ensuite elle est repartie de plus belle. Comme une folle. Alors ils ont de nouveau sorti le taser, un peu plus longtemps cette fois et ils ont réussi à la menotter. Lopez l'a emmenée dans la salle d'interrogatoire.

Vivian fut soulagée. Lia Lopez avait beau être moins expérimentée que Parton, elle avait plus de jugeote que tous les membres de l'équipe réunis.

— Bonne idée, commenta-t-elle.

— C'est à ce moment-là qu'on m'a appelé. Et c'est là que ça se complique.

— Comment ça ?

— Pour tout dire, c'est une petite maligne. Dès que je lui ai posé des questions, elle m'a demandé si la loi l'obligeait à répondre. Elle m'a fait tourner en rond. Et puis elle a fini par me dire que son fils avait été kidnappé. Mais personne n'a lancé d'alerte à ce sujet. Personne n'a vu de gamin se faire enlever. La seule chose inhabituelle qui s'est passée dans mon secteur cet après-midi, c'est cette bonne femme complètement dingue qui a essayé de s'échapper de la cabine. Alors je ne me suis pas senti très disposé à la prendre au sérieux. J'ai pensé qu'elle cherchait à détourner notre attention pour éviter de se faire fouiller.

Il avait le menton levé comme pour tenter de prouver qu'il était dans son bon droit.

— Je comprends que vous puissiez réagir de cette façon. *Puisque vous êtes un idiot.*

— Alors où en est-on ? reprit-elle. Est-ce que vous voulez que je lui parle ? Que je la persuade de se laisser fouiller ?

Parton croisa les bras.

— C'est un peu plus compliqué. Lopez a relevé son nom sur son passeport et a vérifié auprès du service d'immigration. Il s'avère qu'elle était bien accompagnée d'un enfant quand elle a franchi la frontière un peu plus tôt dans l'après-midi.

— Et l'enfant a disparu ?

Vivian lui donnait à présent toute son attention. Quelle que soit cette affaire, elle était bien différente du tout-venant qui l'ennuyait à mourir.

— On dirait bien, répondit Parton en faisant une moue. Il y a autre chose : ce n'est pas sa mère. Elle a obtenu une autorisation d'un tribunal britannique pour voyager avec lui. C'est pas clair, comme situation.

Vivian sentit une montée d'adrénaline qui la stimula comme rien ne l'avait fait ces derniers mois.

— Merde, Parton. On va devoir lancer la procédure Adam.

Elle tendit la main vers le téléphone en se demandant quelle était la personne à prévenir en priorité quand il s'agissait de fermer l'aéroport le plus fréquenté du monde.

Honteux, Parton détourna le regard.

— Il est trop tard pour fermer toutes les issues. On n'a pas réagi assez vite. Ils sont partis depuis longtemps. Vérifiez les bandes vidéo si vous voulez. On ne peut pas lancer la procédure Adam si on n'est pas certains qu'ils se trouvent encore sur les lieux.

Vivian était d'accord avec lui. Ce serait le meilleur moyen de mettre un terme à sa carrière. Après avoir poussé un bref soupir, elle composa le numéro du centre de contrôle vidéo de l'aéroport, un service auquel elle n'avait que rarement recours. Vexé, Parton tenta de protester, mais elle leva un doigt pour le faire taire.

— Bonjour, dit-elle quand son interlocuteur décrocha. Ici l'agent Vivian McKuras, du bureau du FBI. J'aurais besoin que vous me transmettiez les enregistrements les plus récents de…

— La zone de contrôle 2, terminal 3, intervint Parton.

Maintenant qu'il sentait que Vivian pouvait le tirer d'un mauvais pas, il était prêt à l'aider.

Elle répéta les informations dans le combiné en y ajoutant son code personnel d'accès informatique. Après avoir raccroché, elle tapa d'une main experte sur le clavier de son ordinateur. Théoriquement, elle aurait dû appeler l'un de ses collègues du FBI pour visionner les vidéos avec elle. Mais les deux hommes avec qui elle partageait ce poste occupaient un minuscule bureau situé dans le terminal international. Elle n'avait pas envie d'attendre que l'un d'eux se déplace jusqu'à elle. S'il y avait eu kidnapping, ils n'avaient pas une minute à perdre, d'autant plus qu'ils avaient été longs à la détente. En plus, elle avait déjà un collègue sous la main, malgré tout le mal qu'elle pensait de lui. Elle leva les yeux vers Parton.

— On va y voir un peu plus clair avec les vidéos. Pourquoi vous ne vous asseyez pas à côté de moi ? Deux paires d'yeux valent mieux qu'une.

Parton attrapa la chaise pour la poser à l'angle du bureau afin de voir l'écran. Il s'assit puis étira ses longues jambes avant de croiser les bras. Elle sentit les effluves de lessive et de friture mélangés et, sans réfléchir, détourna la tête. Il vit son mouvement puis, en grognant, replia les jambes afin de prendre moins de place.

— C'est un supersystème, commenta-t-il. Quand ça marche.

— Espérons que ça va marcher aujourd'hui, murmura-t-elle en cliquant sur sa souris pour ouvrir une nouvelle fenêtre.

Elle avait le choix entre trois caméras couvrant la zone de contrôle.

— Laquelle ? lui demanda-t-elle.

Parton se pencha en avant en tendant un de ses doigts osseux.

— Celle-là. Celle du milieu.

Vivian consulta sa montre.

— Quand est-ce que ça s'est passé ?

— Il y a une vingtaine de minutes.

Elle rembobina la vidéo vingt-cinq minutes plus tôt avant de lancer la lecture. Ils scrutèrent l'écran en silence pendant quelques instants. Puis une femme et un enfant entrèrent dans le cadre. Ils les virent déposer leurs affaires dans les bacs en plastique avant le détecteur de métaux.

— C'est elle, annonça Parton.

— Et le garçon voyage avec elle, on ne peut pas en douter.

Vivian appuya sur « pause » pour les observer plus attentivement. La femme semblait plus grande que la moyenne, environ un mètre soixante-quinze. Cheveux châtain clair coupés en un carré décoiffé. Une belle femme, avec des pommettes hautes, un menton carré, une grande bouche que l'arrêt sur image avait figée en un sourire adressé au garçon. Elle avait un joli teint, la peau claire et les joues roses. Le garçon avait une épaisse tignasse noire, la peau olive et de bonnes joues. Avec ses bras et ses jambes maigrichons, il paraissait maladroit comme un poulain dans un de ces films animaliers sentimentaux. Il ne lui ressemblait pas. Et pourtant, il n'y avait aucun doute.

— Ils voyagent bel et bien ensemble, Parton.

— Merde.

Ils regardèrent le garçon traverser le portique de sécurité et attendre de l'autre côté le temps que leurs affaires réapparaissent sur le tapis roulant. Il jeta un œil derrière lui et la femme lui sourit en tendant le pouce tandis qu'elle pénétrait dans la cabine pour se faire fouiller. Jusqu'ici, tout allait bien. Vivian se rendit compte qu'elle retenait son souffle comme si elle observait un tueur en série.

Quelques secondes s'écoulèrent. Le garçon se dandinait d'un pied sur l'autre ; la femme jeta un coup d'œil vers lui. Et puis un homme, vêtu du pantalon noir et de la chemise bleue caractéristique des agents de l'AST, apparut et s'approcha de lui. Vivian appuya sur pause.

— Qu'est-ce qui vous choque dans cette image ?

— Il porte une casquette, répondit Parton sans hésiter. Ça ne fait pas partie de l'uniforme. On ne porte rien sur la tête.

— Il porte précisément le genre de chapeau qui masque à coup sûr votre visage quand vous avez des caméras juste au-dessus de la tête.

Vivian relança la vidéo.

— Il ne fait pas partie de mon équipe. J'en suis sûr et certain, déclara Parton en décroisant les bras et en serrant les poings.

L'homme se dirigea tout droit vers le garçon et lui posa la main sur le dos. Le garçon leva la tête en faisant un signe affirmatif. L'homme en uniforme saisit le sac à dos du petit dans le bac en plastique puis il l'éloigna de la zone en l'entraînant vers le hall. Cela eut un effet électrisant sur la femme. Dès que le type posa une main sur le garçon, elle se mit à gesticuler. Ils s'étaient à peine éloignés du tapis roulant qu'elle était déjà sortie de la cabine.

Sans prêter attention à l'action qui se déroulait au premier plan, Vivian se concentra sur l'homme et le petit garçon. Elle les vit avancer de quelques mètres puis, alors que le couloir faisait un coude vers la droite, ils bifurquèrent brusquement sur la gauche.

— Merde, répéta Parton.

— Il y a une sortie de ce côté, non ?

— Ça mène vers l'extérieur, confirma Parton. En un clin d'œil, ils sont dans la rue. Ils doivent être loin, maintenant.

Vivian mit la vidéo sur pause une fois de plus.

— Apparemment, cette femme dit la vérité, commenta-t-elle faiblement.

Un enfant avait été kidnappé et les services de sécurité de l'aéroport avaient laissé filer le ravisseur.

— Bon Dieu, Parton, comment se fait-il que personne ne l'ait écoutée ?

Elle avait déjà la main sur le combiné du téléphone.

— Personne n'a compris ce qu'elle racontait au début, je vous assure.

— Je suis sûre que cet argument vous sauvera la mise quand les assignations en justice vous tomberont dessus. Mais pour le moment, j'ai besoin d'une liste de tous les agents présents cet après-midi. Il va falloir tous les interroger. Savoir qui a vu quoi.

Parton resta immobile. Il semblait subjugué par cette main posée sur le combiné.

— Parton, répéta Vivian avec agacement. Donnez-moi cette liste.

Il croisa son regard. Il avait l'air hébété.

— Tout ira bien, non ? Le petit, on va le retrouver, n'est-ce pas ?

Il ne méritait même pas qu'on lui mente.

— Si on va le retrouver vivant ? Je ne pense pas. Maintenant allez me chercher cette liste.

Il se prit les pieds dans la chaise en sortant. Vivian inspira profondément pour se calmer. Elle composa le numéro de son supérieur. La sonnerie retentit ; elle savait qu'on allait bientôt lui retirer cette affaire d'enlèvement.

4

Stephanie avait un besoin irrépressible de se lever pour se dégourdir les jambes. Elle avait déjà essayé de le faire, mais Lopez lui avait ordonné de se rasseoir.

— Ne me forcez pas à vous remettre les menottes.

— Je n'ai pas le droit de passer un coup de téléphone ? Je croyais que vous les Américains vous vous vantiez de respecter le droit des individus à obtenir un avocat.

Lopez lâcha un petit rire sec.

— Vous n'avez pas entendu parler de Guantánamo Bay ? On défend un peu moins les droits de l'homme quand ils concernent des gens qui veulent nous rayer de la carte.

— Mais je ne suis pas une terroriste. Vous le voyez bien. Je suis une femme dont l'enfant a été enlevé sous ses yeux et vous me traitez comme une criminelle. Quand est-ce qu'on va commencer à me prendre au sérieux ?

Même si elle était décidée à garder son calme, Stephanie ne pouvait pas s'empêcher de hausser le ton. Elle se sentait nauséeuse et fiévreuse, torturée par la peur et l'inquiétude. Mais il fallait qu'elle tienne le coup. Pour Jimmy. Pour honorer les promesses qu'elle avait faites.

Ils n'auraient jamais dû partir en voyage. Elle s'était laissé tenter par la Californie. Les plages, le surf, Disneyland, Universal Studios, le soleil et le parc de Yosemite. Depuis le jour où elle avait entendu la chanson de Joni Mitchell, elle n'avait cessé de s'imaginer à Malibu ; elle voulait entendre le bruit des vagues là-bas. Emmener Jimmy en vacances avait été une excuse pour s'offrir ce petit plaisir.

C'était stupide.

Ils auraient dû aller en Espagne, plutôt. Embarquer la voiture sur un ferry jusqu'à Santander puis traverser la Costa Brava. Ou parcourir la côte atlantique française jusqu'en Bretagne. Choisir un coin où il n'y avait pas de détecteurs, où ils n'auraient pas eu à se séparer. Où elle n'aurait pas jeté Jimmy en pâture à quiconque voulait l'enlever.

Qui avait pu faire ça ? Qui pouvait être assez fou pour préméditer un kidnapping en plein milieu d'un aéroport bondé, cerné par les caméras de surveillance et doté d'un des services de sécurité les plus efficaces du monde ? C'était incroyable.

Difficile de croire aussi qu'il s'agissait d'un enlèvement impromptu, d'une impulsion. Quelqu'un avait tout manigancé. À l'évidence, celui qui était parti avec Jimmy n'était pas vraiment agent à l'AST, sans quoi Parton ou Lopez l'auraient su. C'était donc un imposteur. Mais on ne pouvait pas déambuler dans cet uniforme sans attirer l'attention des vrais agents de sécurité. Il était facile de conclure que Jimmy était la cible. Cela signifiait que son ravisseur connaissait sa tragique histoire. Et également leur lieu de vacances.

Elle priait pour que Jimmy soit sain et sauf. Elle ne pouvait pas supporter l'idée qu'il puisse souffrir davantage. Il avait déjà traversé des épreuves bien trop douloureuses pour un enfant de cinq ans. Parfois, quand il se blottissait contre elle le soir, elle s'imaginait lui ôter sa douleur, l'absorber en elle comme les ganglions lymphatiques le font avec les toxines, afin qu'au réveil il ne connaisse plus cette peine incommensurable. Quelle ordure voudrait ajouter l'angoisse et la souffrance à sa douleur ?

Stephanie s'efforça de ne plus y penser, refusant d'imaginer qu'elle pouvait connaître le ravisseur. Toutefois, elle ne parvint pas complètement à se sortir cette idée de l'esprit.

Elle avait besoin de se concentrer sur quelque chose.

— Il n'existe pas un genre de système pour lancer l'alerte quand un enfant a été kidnappé ? Je suis sûre d'avoir vu une émission de télé là-dessus. Vous le signalez aux automobilistes ou un truc comme ça, non ?

— Vous pensez à l'Amber Alert, répondit Lopez. Quand il y a un enlèvement d'enfant, ils affichent des annonces sur les panneaux de direction, sur l'autoroute. Mais ça va bien plus loin que ça. Ils diffusent une annonce à la radio et sur les chaînes d'information en continu. Beaucoup de gens choisissent également de recevoir les alertes par SMS. Ça s'est avéré très utile pour certaines affaires.

— Ils devraient faire ça pour Jimmy, dit Stephanie en agrippant ses cheveux. Ça devrait être le branle-bas de combat à l'heure qu'il est.

— Mon collègue s'en occupe, lui répondit Lopez sans grande conviction.

— Vous avez un talkie-walkie sur vous. Vous ne pouvez pas essayer d'en savoir un peu plus ? S'il vous plaît ?

Lopez parut embarrassée.

— Je ne peux rien faire de plus. Croyez-moi, les recherches sont lancées.

— Mais ça ne va pas assez vite, répliqua vivement Stephanie. Quelque part, il y a un petit garçon qui a peur parce qu'il est loin de moi. J'espère que vous pourrez vivre avec ça, agent Lopez. Parce que dès que je sortirai d'ici, votre nom fera partie de ceux qui s'étaleront en une des journaux. J'ai suffisamment de contacts dans les médias pour vous faire pleurer. Et je compte bien les utiliser.

— Je ne crois pas que les menaces soient la bonne stratégie pour le moment, madame.

— De mon point de vue, c'est la seule stratégie, puisqu'en appeler à votre humanité ne sert à rien. Peut-être qu'il vaut mieux miser sur votre égoïsme. Est-ce que vous voulez progresser dans votre carrière, agent Lopez ? Ou est-ce que vous voulez sortir de cette affaire la tête haute ?

Lopez fit un pas vers elle. Stephanie s'attendait à une réaction de colère ou de peur, mais il n'en fut rien. Elle lui posa une main sur l'épaule.

— Je vais faire comme si vous n'aviez rien dit. Vous avez peur. Je le comprends. Mais je vous conseille de garder vos menaces pour vous tant que vous ne pourrez pas les mettre à exécution. Ici, il ne leur faut pas grand-chose pour réduire les gens au silence.

En apparence, ce conseil semblait plein de bon sens. Pour Stephanie cependant, il constituait une menace plus dangereuse que toutes celles qu'elle avait pu proférer.

*

Vivian McKuras reposa le téléphone doucement comme si elle avait peur qu'il lui saute au visage. Elle s'était attendue à ce que son chef s'empare de cette affaire de kidnapping pour lui confier à la place des listes de passagers à vérifier, ou une tâche tout aussi rébarbative. En réalité, elle l'avait interrompu en pleine crise majeure. Il avait bafouillé – bafouillé ! – en expliquant qu'ils étaient sur la piste d'un kamikaze susceptible de s'en prendre à la famille présidentielle lors d'un meeting politique imminent. Tous les agents disponibles (sauf elle, bien entendu) étaient sur le coup pour tenter de contenir ce risque avant que la situation ne dégénère. En temps normal, elle aurait été déstabilisée par une telle panique chez un homme qui tenait à rester impassible en toutes circonstances, et ce depuis toujours. Toutefois, aujourd'hui, cette réaction était la bienvenue. Parce que ça signifiait qu'elle pouvait diriger sa première affaire. À vingt-sept ans, elle était en charge de sa première grosse enquête. Son chef lui avait demandé de collaborer avec ses collègues postés à l'aéroport, mais c'était un détail. Elle préférait considérer qu'il s'agissait d'une suggestion et non d'un ordre. C'était son enquête. Le moment pour elle de redorer son blason.

La première chose à faire était de lancer l'Amber Alert. Il lui fallait une description de l'enfant ainsi qu'une photo récente. Heureusement, tout cela était à portée de main. Littéralement. Elle ouvrit ses e-mails et envoya un message urgent à son homologue au Service d'enquêtes sur l'immigration, les douanes et la sécurité intérieure.

Bonjour Kevin,

*J'enquête sur un enfant que ton équipe a admis sur le terri-
toire cet après-midi. Aucun problème d'immigration, mais il
semblerait qu'il ait été enlevé peu de temps après. Il est arrivé
du Royaume-Uni accompagné par Stephanie Jane Harker,
citoyenne britannique. D'après mes infos, elle était en posses-
sion d'un document émanant d'un tribunal britannique l'autorisant à voyager avec lui. Nous devons mettre sur pied une
Amber Alert, et il me faudrait donc au plus vite une copie de
tout ce que tu as : nom de l'enfant, date de naissance, description. Si tu as une photo, provenant du passeport ou de notre
système informatique, c'est encore mieux. On a les images des
caméras de télésurveillance, mais la résolution n'est jamais
assez bonne pour pouvoir les utiliser. Si tu as d'autres infos,
n'hésite pas. Merci.*

Et parce qu'elle préférait être vraiment sûre de son coup,
elle envoya un SMS à Kevin pour l'avertir de son mail.

Elle inspira profondément.

Tant qu'elle n'avait pas obtenu les informations nécessaires,
elle ne pouvait pas lancer l'alerte. Il était temps d'aller parler à
Stephanie Harker.

Quand elle vit une femme entrer dans la pièce à la place de
Randall Parton, Stephanie se sentit soulagée. Des années à travailler dans un milieu où les femmes étaient aussi enclines que
les hommes à vous mettre des bâtons dans les roues auraient
dû la prémunir d'une telle réaction, mais elle ne pouvait pas
s'en empêcher. Elle s'attendait toujours à un peu de solidarité
féminine, en particulier quand un enfant était en jeu.

Celle-ci n'avait pas l'air de plaisanter. Elle jeta un œil à
Stephanie avant de prendre Lopez à part pour lui parler.
Comment est-ce que je la décrirais si j'écrivais sur elle ?
C'était son réflexe dès qu'elle rencontrait quelqu'un pour la
première fois. Ses vêtements étaient élégants mais passe-
partout : pantalon gris foncé, veste de tailleur bleu marine, chemise vert foncé avec le premier bouton défait. On entrevoyait
une chaîne en or autour de son cou et des boucles d'oreilles

toutes simples, en or elles aussi. Cheveux bruns coupés court encadrant un visage qui aurait pu être délicat sans cette mâchoire carrée. Un écrivain paresseux aurait décelé une ascendance irlandaise dans ces yeux verts et ces taches de rousseur qui parsemaient son nez et ses joues. Stephanie n'était pas un écrivain de génie, elle le savait, mais elle n'était pas pour autant paresseuse. Nous étions en Amérique, terre du melting-pot. Ce n'était pas le lieu où formuler des conclusions hâtives sur les origines de chacun.

La femme se tourna pour lui faire face en esquissant un sourire professionnel.

— Je suis l'agent Vivian McKuras, du FBI, annonça-t-elle en tirant une chaise avant de s'asseoir.

— Dieu merci. Enfin un véritable agent de police. Est-ce que je peux avoir un avocat ?

Elle vit avec plaisir la surprise passer dans les yeux de son interlocutrice.

— D'après mes informations, mademoiselle Harker, vous avez dénoncé un crime très grave. C'est la seule chose qui m'intéresse. Je ne vois pas pourquoi il vous faudrait un avocat pour ça. À un moment ou à un autre, mes collègues de l'AST voudront vous fouiller parce que vous avez déclenché le détecteur de métaux lors du contrôle de sécurité, mais je ne vois pas pourquoi il vous faudrait un avocat pour ça non plus, déclara-t-elle en tapotant sur une tablette qu'elle venait de sortir. À mes yeux, le plus urgent dorénavant est de retrouver la piste de l'enfant kidnappé.

Stephanie sentit ses épaules se détendre légèrement. Enfin, quelqu'un tenait des propos sensés.

— Merci d'avoir éclairci ce point. Alors vous avez lancé une alerte pour retrouver Jimmy ?

Vivian la regarda droit dans les yeux.

— Nous sommes en train de rassembler les informations afin de lancer la procédure. J'ai regardé la bande de télésurveillance couvrant la zone de contrôle mais malheureusement, on ne distingue pas le visage de l'homme qui a kidnappé votre enfant.

Stephanie déglutit avec difficulté.

— Ce n'est pas exactement mon enfant.

— Nous en sommes conscients. Et je vais vous poser quelques questions à ce sujet dans un moment. Pour l'heure, ma priorité est de donner l'alerte. Avant tout, comment s'appelle le garçon ?

— Jimmy Joshu Higgins, énonça-t-elle à Vivian qui tapota sur son clavier. Joshu, sans « a » à la fin. Comme son père. Il était DJ.

Stephanie avait prononcé ces mots avec un certain mépris.

— Vous n'estimez pas beaucoup le père, n'est-ce pas ?

— Non, en effet.

C'était une longue histoire, mais le moment n'était pas venu de la raconter.

— Très bien. Combien mesure Jimmy, approximativement ?

— Environ un mètre. Il est plutôt grand et maigre. Assez léger par rapport à sa taille. Il pèse environ dix-huit kilos.

— Merci. Il nous faut aussi une description pour accompagner sa photo.

— Il a des cheveux noirs, épais, un peu mal coupés. Vous avez déjà vu *Le Livre de la jungle* ?

Vivian la regarda sans comprendre.

— Non. C'est un film ?

— Un dessin animé. Le petit garçon s'appelle Mowgli. Jimmy lui ressemble un peu. Même coupe de cheveux, même genre de visage effronté. Je ne sais pas trop comment le décrire autrement. Cherchez Mowgli sur Google, vous verrez ce que je veux dire.

Frustrée par son incapacité à donner une meilleure description de lui, Stephanie réfléchit un instant.

— Vous devez avoir son passeport, non ? demanda-t-elle. Il était dans le même bac plastique que le mien.

Vivian se tourna vers Lopez.

— Est-ce que nous l'avons, Lia ?

Lopez secoua la tête.

— Non, madame. Seulement le passeport de Mlle Harker. Les affaires du garçon n'étaient pas dans le bac. Je vais revérifier, mais...

Elle s'accroupit pour fouiller dans les bacs en plastique.

— Et son sac à dos ? demanda Stephanie.

— L'homme avec qui il est parti a pris le sac à dos. Il a dû faire pareil avec le passeport.

— Il n'y a rien là-dedans, confirma Lopez.

— Merde, lâcha Stephanie avant d'avoir une idée. Mon téléphone ! J'ai pris quelques photos de lui dans le parc la semaine dernière. Est-ce que ça peut vous aider ? Mon téléphone est bien dans le bac, non ?

Lopez se releva, en brandissant le portable.

— Il est là, dit-elle avant de jeter un œil à Vivian pour avoir son accord. Je peux lui donner son portable ?

— Donnez-le-moi, répondit cette dernière.

Vivian ouvrit les photos et afficha la plus récente. Un homme vêtu d'une chemise en jean était assis sur un tabouret haut, penché au-dessus d'une guitare. Il avait le visage presque entièrement dissimulé derrière ses cheveux, mais manifestement, ce n'était pas Jimmy Higgins.

— C'est un ami, expliqua Stephanie. Essayez de revenir en arrière.

Un autre cliché montrant le guitariste, cette fois la tête penchée en arrière, les tendons de son cou et de ses bras saillants. Puis un petit garçon souriant devant l'objectif, les bras tendus en direction d'un groupe de canards visible un peu plus loin.

— C'est lui. On donnait à manger aux canards, dit-elle avec des sanglots dans la voix. Il est petit. Vous devez le retrouver avant qu'il ne lui arrive quelque chose. Je vous en prie.

5

Stephanie ne savait pas exactement comment fonctionnait la hiérarchie entre le FBI et l'AST, mais maintenant que Vivian McKuras avait pris l'affaire en main, les choses avançaient. Vivian avait quitté la pièce en promettant de revenir dès que l'Amber Alert aurait été lancée. En échange, Stephanie avait accepté de se laisser fouiller par Lopez selon la méthode de l'AST, qui s'apparentait bel et bien à une agression sexuelle mineure plutôt qu'à une procédure de sécurité. Lopez luttait pour garder un minimum de distance et de dignité.

— Ce n'est pas si facile quand on connaît un petit peu la personne qu'on fouille, n'est-ce pas ? demanda Stephanie en essayant de ne pas broncher tandis qu'une main passait dans son pantalon.

— C'est pour votre sécurité, répondit Lopez. Vous ne seriez pas très contente de mourir à cause d'une bombe sous prétexte que je n'ai pas bien fait mon travail.

— Vous me semblez bien trop intelligente pour tenir ce genre de discours.

— Vous voulez un café ? lui proposa Lopez en reculant et en ôtant ses gants en plastique bleu.

C'était ridicule d'avoir envie de pleurer au premier témoignage de gentillesse venu. Mais plus elle était séparée de Jimmy, plus Stephanie se sentait vulnérable. C'était la première fois qu'elle vivait avec un être complètement dépendant d'elle. Durant les neuf mois qui venaient de s'écouler, il y avait eu des moments où elle s'était sentie écrasée par cette responsabilité et d'autres où elle avait ressenti un bonheur inattendu et bouleversant. Le bonheur était d'autant plus grand que le devoir était lourd à assumer. C'était une sensation presque physique. Maintenant que le sort de Jimmy était incertain, elle se sentait perdue. Et cela devait être bien pire pour lui.

C'était ironique, pour une femme qui n'avait jamais désiré être mère. Toutefois, la vie avec lui l'avait tellement séduite, en dépit des complications et des difficultés qu'elle engendrait, qu'elle avait du mal à se rappeler comment c'était avant. Elle n'arrivait même pas à comprendre qu'elle ait pu, au départ, rechigner à veiller sur lui. Elle s'était donné pour mission de le rendre heureux de nouveau, après tout ce qu'il avait perdu, et chaque étape de ce parcours lui avait apporté de la joie. Tout cela était menacé à présent.

— Un café, avec plaisir, répondit-elle. Mais vous n'avez pas peur que je m'enfuie ?

Lopez lui jeta un drôle de regard.

— Pourquoi est-ce que vous feriez ça ? À moins que vous ne nous cachiez des choses au sujet de l'homme qui a enlevé l'enfant.

Elle posa la main sur la poignée de la porte avant de se retourner pour regarder Stephanie avec pitié.

— Sans compter qu'il y a un agent de sécurité dans le couloir, reprit-elle. Celui qui vous a visée avec son taser, si vous voulez tout savoir.

L'attitude de Lopez était contradictoire. Elle endossait à la fois les rôles du gentil flic et du méchant flic. Les deux en un. Stephanie se demanda si cela déteignait sur sa vie privée. Elle frissonna. Elle avait connu beaucoup d'hommes qui dissimulaient leur vraie nature derrière un masque de bienveillance. En pensant à l'homme à la guitare, elle s'autorisa un moment de soulagement. Avec lui, c'était autre chose, elle en était convaincue.

Cependant, ça ne signifiait pas qu'elle avait totalement tourné le dos à son passé, elle en était consciente. Et à ce moment-là, sa plus grande crainte était que Jimmy en soit la dernière victime en date.

*

Le temps que Vivian revienne, son fond de café avait complètement refroidi et Stephanie était de nouveau en proie à l'angoisse.

— Que se passe-t-il ? demanda-t-elle à l'agent du FBI quand elle entra. Vous vous êtes absentée au moins une heure.

— J'ai dû réunir toutes les informations disponibles puis contacter les responsables du système d'alerte. Je suis désolée d'avoir été un peu longue, mais j'avais besoin des informations détenues par le service de l'immigration. Nous avons également réclamé tous les enregistrements des caméras de surveillance qui couvrent le terminal. Nous devons retracer le parcours du ravisseur avant l'enlèvement afin de déterminer d'où il est venu, s'il est arrivé en voiture ou en transports en commun.

— Et les empreintes ? Il doit bien avoir laissé des empreintes, des traces d'ADN, quelque chose comme ça, non ?

Vivian secoua la tête.

— Nous n'avons pas détecté d'élément déterminant sur les enregistrements vidéo couvrant la zone de contrôle. C'est une zone trop fréquentée. Et comme nous n'avons pas compris tout de suite ce qui se passait, d'autres gens sont passés par là après le ravisseur. Je suis désolée, mais il n'y a rien à chercher de ce côté-là.

Elle s'est assise avant de placer entre elles un petit dictaphone numérique.

— Maintenant que l'alerte est lancée, il est temps que vous me mettiez un peu au courant de la situation. D'après les documents que vous avez présentés au service de l'immigration, Jimmy n'est pas votre fils, c'est ça ? Mais vous en avez la garde ?

— Oui, c'est ça.

— Est-ce que vous pouvez m'expliquer ça un peu plus en détail ?

Stephanie passa la main dans ses cheveux, les laissant tout ébouriffés, et rétorqua :

— Vous avez du temps ?

Vivian se recula sur son siège.

— Nous avons tout le temps nécessaire. Il faut qu'on essaie de trouver qui est derrière tout ça. À moins qu'il ne s'agisse d'un enlèvement au hasard, ce crime est sans doute lié à l'histoire de ce garçon. Et vous êtes la seule capable de me renseigner là-dessus. Alors si vous n'avez aucune idée de l'identité du ravisseur, commencez donc par le début.

L'air conditionné se mit subitement en route. Stephanie sursauta. Toutefois, le frisson qui la parcourut n'avait rien à voir avec le courant d'air frais de la climatisation. Elle ne pouvait pas formuler à voix haute les soupçons qui avaient pris forme dans son esprit ; cela leur donnerait trop de réalité. C'était déjà assez fou de sa part d'avoir de telles pensées. Elle serra ses bras minces autour d'elle et cligna des yeux.

— Pour commencer, vous devez savoir qui est Jimmy. Et pour le comprendre, vous devez savoir qui était sa mère.

Partie 2

L'ÉCRIVAIN FANTÔME

1

Londres. Cinq ans et cinq mois plus tôt

Parfois, l'enchaînement aléatoire des morceaux de musique sur mon ordinateur semblait conspirer contre moi. Depuis le début de la matinée, j'avais eu droit à la tristesse de Janis Ian, celle d'Elvis Costello et celle de The Blue Nile. À présent, Mathilde Santing chantait *Blue Monday*, morceau qui résumait bien mon état d'esprit. Mon dernier projet s'était avéré épuisant, mais je l'avais terminé trois semaines plus tôt. Je m'étais réjouie de pouvoir passer plus de temps avec Pete (Pete Matthews, l'homme avec qui je sortais depuis sept mois). Mais alors que je terminais mon engagement, lui en commençait un nouveau, si bien qu'il passait tout son temps en studio. J'avais découvert depuis peu qu'être ingénieur du son, ça n'avait rien de glamour. Ce n'était rien que des horaires imprévisibles et des soirées de travail en compagnie de starlettes moins douées qu'elles (ou leurs fans) ne le croyaient.

Je vais être honnête. Une petite aventure passagère m'aurait parfaitement convenu, à ce moment-là. Je me sens toujours stressée quand je suis entre deux boulots. Dès que je me suis remise de l'épuisement qu'accompagne la fin d'un projet, je commence à me demander de façon obsessionnelle quand tombera le prochain contrat. Et s'il n'arrivait jamais ? Et si je ne décrochais plus de boulot ? Comment est-ce que je rembourserais mon emprunt ? Est-ce que je serais obligée de vendre, quitter Londres pour retourner vivre chez mes parents, dans leur petite maison mitoyenne de Lincoln ? Pendant quelques jours, je passe mon temps à bouquiner et faire du shopping, je vais déjeuner avec des copines, voir un film ou deux au cinéma le matin. Mais très vite, je trépigne, en espérant un nouveau challenge.

Pete se moquait toujours de moi, quand je lui parlais de mes peurs.

— Écoute-toi, me disait-il. Tu t'inquiètes pour rien. Regarde plutôt ton CV. Ils savent qu'en t'embauchant, ils obtiendront un investissement total de ta part. À partir du moment où tu signes le contrat jusqu'à ce que tu délivres la marchandise, tu es à fond dans ton travail.

Ce n'est pas exactement l'idée que je me fais de moi-même, mais je comprends son point de vue. Je ne prends jamais mes projets à la légère et dans ce métier, le bouche-à-oreille va bon train. Je veux croire que j'ai bonne réputation, mais parfois, il est difficile de s'accrocher à ça. Pete, lui, peut montrer son nom sur les CD. Il y a quelque chose de concret qui valide son travail. Mon métier à moi consiste précisément à rester invisible. Je suis parfois citée sur la page de titre ou dans les remerciements, mais la plupart de mes clients veulent faire croire qu'ils sont capables d'organiser des phrases sur une page. C'est pourquoi, quand Pete et moi sortions avec des amis, je n'avais quasiment rien à dire au sujet de mon travail. C'était comme appartenir à la mafia. Sauf que les membres de la mafia ont une famille qui les entoure et les soutient. Moi, j'étais insignifiante, je restais dans l'ombre.

J'ai coupé Mathilde Santig en plein refrain et me suis dirigée vers la cuisine. Je venais de mettre en marche la bouilloire quand le téléphone a sonné. Avant que j'aie le temps de dire un mot, la voix à l'autre bout du fil s'est lancée dans une tirade.

— Stephie, ma chérie, j'ai un projet *fabuleux* pour toi, je vais te raconter. Mais *comment* vas-tu, ma chérie ?

Mon agent, Maggie Silver. Incontrôlable, irrésistible et irremplaçable. Très adepte des italiques. Personne ne travaille comme elle. Et personne ne parle aussi fort. Rien que d'entendre sa voix, ça m'a remonté le moral.

— Je suis partante pour un projet fabuleux, ai-je dit.

Même moi j'arrivais à déceler de l'amusement dans ma propre voix.

— Parfait. Parce que j'ai *exactement* ce qu'il te faut. Ils te veulent, toi. Pas de temps à perdre avec d'autres candidats. L'éditeur est *persuadé* que tu es la mieux placée.

— Qui est-ce ? Une pop star ? Un acteur ? Un homme politique ? Un sportif ?

Je les ai tous faits. Quand les gens découvrent mon métier, ils me demandent toujours quelle est ma catégorie préférée. La vérité, c'est que je n'ai pas de préférence. Ceux qui sont touchés par la célébrité se ressemblent tous. Dès qu'on gratte le vernis qui les distingue les uns des autres, en dessous ils sont tous les mêmes. Mais ce n'est pas à moi de révéler cela au public. Mon rôle est de rendre l'existence de mes sujets intéressante, attirante, enviable. J'œuvre peut-être dans l'ombre, mais je me vois comme une bonne fée agitant une baguette magique au-dessus de leur vie afin de produire un récit haut en couleur et ponctué de réussites.

— Tu connais l'émission *L'Aquarium* ?

Je n'ai pas pu m'empêcher de maugréer. La téléréalité. Est-ce que j'étais tombée si bas ? Je venais juste de transformer un ancien ministre conservateur en héros remarquable et intellectuellement respectable. Et voilà ma récompense : un quidam qui avait grandi dans une ville de province et allait avoir son quart d'heure de célébrité. Le livre serait en tête des ventes pendant un mois avant de finir au placard.

— Bon sang, Maggie, ai-je fini par lâcher.

— Non, *écoute*, ma chérie, ce n'est pas ce que tu crois. Il y a *vraiment* une histoire à raconter. C'est Scarlett Higgins, tu as *forcément* entendu parler d'elle.

Bien sûr que j'avais entendu parler de Scarlett Higgins. Même les juges de la Haute cour et les SDF avaient entendu parler d'elle. Je dois admettre que j'aime bien rester dans l'air du temps. C'est l'une des raisons de mon succès. Je comprends très bien la culture populaire et je sais surfer sur les attentes des gens vis-à-vis des célébrités. C'est pourquoi je connaissais le personnage public qu'était Scarlett Higgins. Scarlett la pétasse, comme l'avaient surnommée les tabloïds. Pas parce qu'elle était de mœurs trop légères à leurs yeux, mais simplement parce que ça sonnait bien et qu'ils étaient paresseux.

— Qu'est-ce qu'elle a à raconter ? Elle n'a pas déjà tout dit aux tabloïds et aux journaux à scandale ?

— Elle attend un *bébé*, ma chérie.

— Ce n'est pas un scoop, Maggie. C'est sa grossesse qui lui a évité d'être lynchée en public après cette deuxième saison catastrophique.

— Son agent a eu l'idée de faire une autobiographie sous forme de *lettre* destinée à son bébé. Où Scarlett révélerait les drames de sa propre enfance et les erreurs qu'elle a commises. Elle en a parlé à Stella Books et ils *adorent* l'idée. Et bien entendu, ils veulent que ce soit toi qui écrives. Biba a *adoré* le livre de Maya Gorecka que tu as fait pour eux et elle est *absolument persuadée* que tu plairas à Scarlett.

Parfois, écouter Maggie parler, c'est comme se noyer dans un océan d'italiques.

— Je ne sais pas, ai-je répondu. Je n'arrive pas à m'enthousiasmer pour un projet sur quelqu'un qui a déjà fait beaucoup de bruit pour rien.

— Ma chérie, ils paient *bien*. Et franchement, il n'y a pas grand-chose d'autre en ce moment. Il y a une pénurie de footballeurs et d'épouses de footballeurs, ces affreux rappeurs ou les nominés au Mercury Prize n'ont *aucun* potentiel commercial et *personne* ne s'intéresse aux ministres que Tony Blair a limogés. Je me suis mise en quatre pour te trouver quelque chose et *tout* ce qu'on a, c'est Scarlett Higgins. Si tu préfères attendre, je suis sûre qu'un autre projet pointera son nez dans quelques mois, mais je n'aime pas te savoir assise à te tourner les pouces. Tu *sais* dans quel état ça te met, ma chérie.

Malheureusement, elle avait raison. Je ne pouvais pas rester inactive. Si Pete avait été disponible, on aurait pu partir, prendre des vacances. Mais ça ne lui plaisait pas que je parte sans lui. Et pour être honnête, ça ne me plairait pas non plus. Il m'avait fallu des années pour rencontrer un homme avec qui je veuille m'engager et, à présent que je l'avais trouvé, je n'appréciais plus autant qu'avant de voyager seule. Je me demandais même si j'avais réellement aimé ça à l'époque.

— Quand même…, ai-je faiblement protesté.

Je n'avais pas envie de céder aussi facilement.

— Ça ne peut pas te nuire de *parler* avec cette fille, a répondu Maggie sur un ton ferme.

Maggie n'est pas du genre à prendre des pincettes. Elle préfère annoncer directement la couleur.

— Qui sait ? Peut-être qu'elle te *plaira*. On a vu des choses plus étranges que ça, Stephie. On a *vu* des choses plus étranges.

2

Maggie a raccroché après m'avoir fait promettre de rencontrer Scarlett Higgins. Elle disait toujours que l'un des secrets de sa réussite en tant qu'agent littéraire était de sortir de la pièce avant que son interlocuteur ait le temps de changer d'avis.

— En général, les gens *n'osent* pas revenir sur leur parole, m'avait-elle dit au début de notre collaboration. N'oublie pas ça, dans ton métier de nègre. Chaque fois qu'un client te fait une révélation qu'il est *susceptible* de regretter par la suite, éclipse-toi. Agis normalement et prétends qu'il est simplement l'heure pour toi de rentrer. C'est *beaucoup* plus facile comme ça.

Le conseil de Maggie s'est avéré incroyablement efficace. Ça ne m'a toutefois pas protégée contre ses manigances à elle. « Sacrée Maggie », ai-je maugréé en raccrochant. J'ai attendu que le café finisse de couler avant de m'installer au bar avec mon iPad. Si je devais m'entretenir avec Scarlett Higgins, il fallait que je me rafraîchisse la mémoire. Et comme dans le monde du show-biz toutes les célébrités d'un jour avaient tendance à se ressembler, il fallait que je sois capable de distinguer ses tristes exploits de ceux des autres. Si je me trompais de petit ami et que j'évoquais le mauvais chanteur de boys band ou acteur de série B (voire la mauvaise drogue de prédilection), j'allais subir les foudres de mon interlocutrice et le contrat me passerait sous le nez. Je me suis rappelé en souriant la célèbre interview de Whitney Houston avec Diane Sawyer. La star paraissait d'humeur à la confession jusqu'à ce que la journaliste mentionne le crack. À ce moment-là, la diva s'est emportée et a déclaré : « Avant tout, mettons une chose au clair : le crack, c'est bas de gamme. Je gagne beaucoup trop d'argent pour fumer du crack. Qu'on se comprenne bien : le crack, ce n'est pas pour les gens comme nous, ok ? » Elle s'était bien fait comprendre.

Avant tout, je voulais me remémorer le concept de *L'Aquarium*, l'émission de téléréalité qui avait sorti Scarlett du fin fond de son Yorkshire natal pour la catapulter dans les salons de tout le pays. Wikipédia allait m'y aider.

« *L'Aquarium* est une émission de téléréalité basée sur le principe de l'élimination, créée au Royaume-Uni et diffusée pour la première fois en 2005. Elle se déroule à Foutra, une petite île écossaise au large du Firth of Forth. L'île, qui mesure environ un kilomètre et demi sur huit cents mètres à son point le plus large, est déserte, à l'exception des candidats. Avant l'émission, le seul bâtiment qui s'y trouvait était une ancienne batterie de canons en ruines datant de la Deuxième Guerre mondiale. Il a été rénové et constitue le seul abri à la disposition des candidats. Pour les besoins de l'émission, des lapins et des vaches ont été introduits sur l'île. La production a également cultivé quelques champs où poussent des denrées comestibles, si les candidats parviennent à les trouver.

« Les douze candidats retenus doivent être citadins et dépourvus de sens pratique. Ils sont conduits sur l'île en bateau où ils doivent se mettre à l'abri et trouver de la nourriture. L'émission est divertissante en cela qu'elle montre des citadins désœuvrés sur une île déserte. »

J'ai soupiré en me remémorant ce premier épisode. La panique des candidats quand ils avaient compris que leurs connaissances étaient complètement inutiles une fois sortis de la ville. Leur dégoût face à la nature. Leur ébahissement de voir des aliments pousser à même la terre. C'était à la fois comique et tragique. Leur ignorance était embarrassante. Ils s'en seraient sans doute mieux sortis si on les avait abandonnés sur Mars.

Scarlett s'était distinguée lorsqu'elle était tombée sur l'une des trois vaches de l'île en s'exclamant « Putain de merde ! » dans un mélange d'horreur et d'admiration. « Je savais pas que les vaches étaient aussi grosses ! » avait-elle ajouté. C'est pourtant un fait assez connu, Scarlett...

En parcourant le reste de l'article, d'autres souvenirs me sont revenus en mémoire. Il n'y avait que six petits lits dans l'abri, si bien que le premier challenge avait consisté à organiser le couchage. Ça avait donné lieu aux premières disputes. Le type que j'avais personnellement surnommé Monsieur Futé avait suggéré un roulement ; puisqu'il n'y avait pas de fenêtre dans la pièce, ceux qui dormiraient pendant la journée ne seraient pas réveillés par la lumière. Les autres s'étaient immédiatement moqués de lui. Ils avaient préféré partager les lits, jusqu'à ce qu'ils s'aperçoivent que ceux-ci étaient tellement étroits que c'était impossible.

C'était Scarlett qui avait proposé une solution. Parmi le matériel qu'on leur avait fourni se trouvaient des bottes de paille destinées au bétail.

— On peut dormir sur la paille, avait-elle suggéré. Comme dans la chanson de Noël : « Le petit Jésus, qui dort sur la paille. » Ils font toujours ça dans les vieux films quand ils sont en fuite.

— Et qu'est-ce que vont manger les vaches ? avait demandé Monsieur Futé d'un air malin.

— Elles vont pas manger tout d'un coup de toute façon, avait répliqué Scarlett en agitant sa chevelure blonde. Et puis il y en a un de nous qui part chaque semaine. Quand on n'aura plus de paille, il y aura assez de lits pour tout le monde.

Pour quelqu'un qui avait semblé effroyablement bête, c'était un argument tout à fait convaincant.

Ça avait été l'une des rares illuminations de Scarlett. Ce qui m'avait le plus frappé à son sujet lors de cette première saison, c'était son empressement à accomplir les tâches dictées par Big Fish (la voix off représentant la production) aux candidats ainsi que sa capacité à repérer les faiblesses des autres. Elle se portait toujours volontaire pour aider les autres alors qu'en réalité, elle en profitait pour les écraser. Il était difficile de croire qu'il s'agissait d'une tactique délibérée tant elle paraissait stupide le reste du temps. La première fois qu'elle avait dû établir la liste de courses des candidats selon un budget déterminé, ses compétences en écriture et en calcul s'étaient avérées proches de celles d'un enfant de six ans. Sa connaissance du monde contemporain était affligeante : elle était convaincue que le Premier ministre Tony Blair était le fils du danseur Lionel Blair et que Bill Clinton était toujours président des États-Unis : « Alors pourquoi ils l'appellent tous président Clinton s'il est plus président ? » Elle faisait preuve d'une sentimentalité larmoyante dès qu'on parlait d'enfants, de chatons et de chiots tout en ignorant complètement comment s'occuper d'eux. Elle n'avait pas la cote auprès des autres candidats parce qu'elle avait tendance à dire ce qu'elle pensait. Le public s'était cependant entiché d'elle parce qu'elle avait le chic pour mettre le doigt sur les problèmes et exprimer à voix haute ce que les téléspectateurs pensaient tout bas. Ils admiraient son culot. Et elle les faisait rire, ce qui est toujours un atout majeur dans ce genre d'émissions.

Elle avait des kilos en trop et on ne pouvait pas dire qu'elle était belle, mais elle essayait de tirer le meilleur parti de ses atouts. Elle se coiffait et se maquillait aussi soigneusement pour aller arracher les carottes que pour s'adresser à Big Fish dans le Bocal, la salle vitrée située au centre du complexe où les candidats étaient convoqués pour qu'on évalue leurs progrès et qu'on leur donne leurs instructions.

Peu à peu, les téléspectateurs ont commencé à admirer sa ténacité. Quand les candidats n'avaient plus de provisions, elle y voyait l'occasion de commencer un régime. Quand Monsieur Futé a fait tomber dans l'eau leur unique canne à pêche pendant le challenge « Pêche à la ligne », elle a passé la plage au peigne fin jusqu'à ce qu'elle trouve quelque chose qui puisse remplacer la canne. Malgré ses réflexions qui la faisaient souvent passer pour une fille intolérante à la langue bien pendue, le public l'appréciait. Les autres candidats l'ont proposée pour l'élimination à six reprises, un record. Chaque fois, le public a voté pour la garder et virer l'autre candidat en lice.

Mais ça n'a pas suffi. Lors du vote final de la saison, elle a perdu contre Darrell O'Donohue, une sympathique armoire à glace originaire de Belfast. J'imagine qu'il a gagné parce qu'on ne pouvait absolument rien lui reprocher. Il était beau, gentil et travailleur. Il n'avait d'avis sur aucun sujet. Et il s'était bien débrouillé lors du challenge karaoké en reprenant *Man ! I feel like a woman* de Shania Twain. Cela dit, je l'aurais tué au bout d'une heure si j'avais été forcée de passer une soirée en sa compagnie. Après la fin de l'émission, il a eu son petit quart d'heure de gloire avant de retourner dans son Irlande du Nord, heureux d'être brièvement sorti de l'anonymat.

Même si Scarlett avait perdu en finale, c'est elle qui a eu le plus de succès par la suite. Comme je voulais retracer la trajectoire de ce succès, je suis passée à la page Wikipédia consacrée à Scarlett. Tout en lisant, je me suis rappelé qu'elle n'avait pas eu froid aux yeux. Elle avait quitté les quartiers pauvres de Leeds pour s'engager directement sur le chemin de la célébrité. Quelques jours après avoir pris un agent, elle était devenue une habituée de la presse people qui aimait montrer des femmes ivres tombant de limousines à trois heures du matin. Amincie et relookée, Scarlett paraissait presque belle et, en peu de temps, elle a dégoté un petit ami qui avait un pied dans le show-biz.

Elle n'était tout de même pas assez connue pour tomber sur un footballeur de première division, mais elle a pris ce qu'elle a trouvé de mieux. Reno Jacuba était buteur pour une équipe en milieu de classement. Il avait été accusé plusieurs fois d'agression sexuelle, il avait le même agent que Scarlett et tous les deux avaient quelque chose à gagner en sortant ensemble. Alors ils sont sortis ensemble. Le temps que les magazines en parlent. Après ça, il a été réhabilité, sa cote à elle est légèrement remontée et il l'a quittée. Ou bien c'était elle qui l'avait quitté, selon les points de vue.

Ensuite, elle a jeté son dévolu sur un rappeur de seconde zone célèbre pour avoir montré son cul lors de la cérémonie des MOBO Awards. L'amourette a pris fin quelques mois plus tard lors d'une violente engueulade. Les tabloïds en ont fait leur une et il est tombé aux oubliettes.

C'est à ce moment-là que Joshu est apparu. C'était un DJ anglais d'origine indo-pakistanaise, un as des platines, un type fier et fanfaron persuadé que chacune de ses paroles valait de l'or. Le roi des clubs, du moins c'est ce qu'il croyait. Il ne se lassait pas de rappeler publiquement à Scarlett la chance qu'elle avait de l'avoir trouvé. Il prétendait qu'il pouvait avoir toutes les femmes qu'il voulait, théorie dont il testait régulièrement la validité. Ils se disputaient à ce sujet dans les boîtes, dans les bars et les restaurants. Sur les plateaux télé, dans la presse, dans la rue. Le problème, c'est que cette petite sotte de Scarlett paraissait vraiment amoureuse de cet abruti. Elle revenait toujours. En lisant ça, j'avais envie de lui dire d'ouvrir les yeux.

Scarlett n'était pas seulement douée pour étaler au grand jour ses histoires d'amour. Un producteur de télévision malin a compris qu'elle savait parler à une certaine catégorie de la population. Les classes supérieures la méprisaient et les journaux plus respectables que le *Daily Mail* s'en moquaient, mais quand il s'agissait de s'adresser à des jeunes femmes sans intelligence susceptibles d'acheter ce qu'elles voyaient dans les publicités, Scarlett savait s'y prendre. Elle savait quand se montrer aguicheuse, vulnérable, sexy, voire carrément grossière. Et puisque la presse la montrait ivre au moins deux fois par semaine, le public pouvait complètement s'identifier à elle.

Scarlett incarnait le rêve de ces jeunes femmes. Elle validait leurs piètres ambitions. Elles la voyaient mener la grande vie en dépit de son enfance malheureuse, son manque d'éducation, sa beauté relative et elles s'imaginaient que ça pouvait leur arriver à elles aussi. Les mauvais jours, c'est ça qui les faisait tenir.

Elles suivaient donc assidûment son émission diffusée tard le soir par une chaîne du satellite. Dans cette émission, Scarlett parlait de ce qu'elle aimait : elle donnait des astuces beauté, des conseils de mode et ses opinions sur le monde, entrecoupées par des présentations de produits. Il a été question de lancer un parfum à son nom, une ligne de vêtements pour une chaîne de magasins bon marché et une chronique mensuelle dans un magazine. Heureusement, ce dernier projet n'a jamais vu le jour. J'aurais plaint le pauvre secrétaire de rédaction forcé de donner aux réflexions simplistes mais complètement tordues de Scarlett une forme susceptible de plaire aux lecteurs et de satisfaire les avocats.

Néanmoins, Scarlett s'était pas mal débrouillée, je devais le reconnaître. Enfin, d'après ses critères, bien entendu. Elle vivait aux abords d'Edging Forest dans une affreuse villa style hacienda bâtie à l'origine pour un petit gangster de l'East End, si l'on en croyait le magazine *Yes !*. C'était une maison dénuée de bon goût avec un mélange mal assorti de styles et du mobilier acheté en gros. Elle avait aussi acheté une maison pour sa mère et sa sœur, mais avait eu le bon sens de les tenir à distance en les laissant dans le nord du pays, à Leeds. On savait à peu près tout au sujet de sa famille. De la racaille, d'après moi. Ce qui n'était pas une mauvaise chose en ce qui me concernait : cela promettait d'être excitant, au moins. Le livre serait probablement plein de ragots et de scandales.

Scarlett avançait donc dans la vie, confortablement installée dans la semi-célébrité. Quand les producteurs ont lancé le casting pour la deuxième saison de *L'Aquarium*, ils ont eu l'idée lumineuse de faire revenir deux participants de l'année précédente. Ils ont prétexté que ça donnerait aux nouveaux candidats plus de chances de réussir, puisqu'ils auraient à leurs côtés des gens qui avaient déjà vécu cette expérience et savaient traire une vache ou dépouiller un lapin. D'après moi, c'était plutôt une mesure de précaution : comme les téléspectateurs les avaient adorés la première fois, ils seraient plus enclins à suivre la nouvelle saison.

Bien entendu, leur premier choix s'est porté sur Scarlett. Pour tout dire, je n'ai pas vraiment prêté attention à tout cela à l'époque. J'étais en train d'écrire les dernières pages de l'histoire de mon ministre conservateur et j'essayais de montrer sous un jour positif ses exploits les moins illustres (et ils étaient légion).

L'émission s'est bien déroulée au début, mais les participants ont rapidement pris conscience que la présence de deux anciens candidats n'était peut-être pas une si bonne idée. Ils se sont sentis lésés et le mécontentement a commencé à poindre.

Quand ils ont découvert que Scarlett et Darrell n'étaient pas très fiables (et qu'ils ignoraient l'emplacement des sources d'alimentation, par exemple), ils se sont ouvertement moqués d'eux.

Pas besoin d'être psychologue pour savoir que Scarlett ne supportait pas qu'on se moque d'elle. Elle savait qu'on la considérait comme quelqu'un d'imbécile et d'inculte, elle en avait fait les frais. Après tout, même une imbécile et une inculte pouvait lire les unes des tabloïds. Mais elle détestait qu'on la prenne de haut et ceux qui s'y risquaient s'exposaient à des représailles. Des représailles dont elle n'hésitait pas à se charger elle-même.

La situation a rapidement tourné au vinaigre. Elle a atteint son paroxysme un soir de la deuxième semaine. Les candidats avaient gagné une caisse de vin, notamment grâce à Scarlett qui avait accepté de plonger dans les eaux glacées du Firth of Forth pour récupérer des paniers de crabes cachés au fond de la mer. Ils ont débouché le vin joyeusement au dîner et tout le monde s'est peu à peu désinhibé. Danny Williams, qui se prétendait jardinier paysagiste mais était en réalité employé dans une entreprise de paysagisme, a commencé à attaquer Scarlett au sujet des champs de légumes qu'elle n'avait pas réussi à localiser. Il était suffisamment intelligent pour savoir comment la blesser et elle n'était pas d'humeur à se laisser faire.

— Retourne manger des bananes dans ton pays, espèce de pédé ! lui avait-elle crié.

Difficile d'imaginer réplique plus insultante dans une émission de prime time. Les médias se sont tous jetés dessus et ils ont touché le jackpot. Évidemment, un parlementaire bien élevé a pris la parole à la Chambre des communes pour faire un petit laïus et dire que le pays était scandalisé. Scarlett s'était mise dans un beau pétrin.

La production de l'émission a prétendu être aussi outrée que les gardiens de la morale du pays et, ce soir-là, Scarlett a été convoquée dans le Bocal. Big Fish lui a sorti la rengaine habituelle selon laquelle il ressentait davantage de tristesse que de colère, après quoi il l'a forcée à présenter ses excuses à Danny, au reste de l'équipe, au pays dans son ensemble et à tout le système solaire. Il lui a laissé croire qu'elle pouvait se racheter en faisant amende honorable, mais le public savait bien qu'il s'agissait simplement de l'humilier. Scarlett allait être éliminée et tout le monde l'avait compris sauf elle.

Je me souviens encore de son expression incrédule et choquée quand, après avoir versé des larmes et s'être publiquement excusée, Big Fish lui a ordonné de faire ses valises et de se diriger vers le port. Il y a eu un long moment de silence. Puis Scarlett a bondi sur ses pieds et s'est adressée directement à la caméra.

— Espèces de connards, vous aviez pas l'intention de me garder, hein ? Hé ben je vais vous dire la vérité : je ne suis pas désolée, putain. Pas du tout. Mes excuses, vous pouvez vous torcher avec.

Je dois bien le dire, c'était difficile de ne pas ressentir de l'admiration pour elle à ce moment-là.

3

C'en était fini de sa carrière télévisuelle. Scarlett a été virée de Foutra dans la honte. La presse massée devant son hacienda a été déçue de ne pas la voir rentrer chez elle le lendemain. Personne ne savait où elle était passée. « Où est la garce ? » ont hurlé les titres des journaux pendant deux jours avant de passer à autre chose.

Mais Scarlett n'était pas destinée à vivre dans l'ombre très longtemps. Une semaine après cet épisode honteux, les lecteurs du *Sun* ont eu le privilège de découvrir un scoop en exclusivité mondiale : « Je suis enceinte, révèle Scarlett. » Sous l'influence des hormones, la star déchue de la téléréalité avait prononcé des paroles qu'elle n'aurait jamais pu dire en temps normal.

Le journaliste avait bien fait son travail et retranscrit les propos de Scarlett avec plein de bons sentiments. Elle était apparemment bouleversée par la douleur et la honte qu'elle avait causées à Danny, aux créateurs de *L'Aquarium*, à son compagnon Joshu (« qui est lui aussi une personne de couleur »), à l'enfant qu'elle portait et à tous les citoyens du pays issus de l'immigration. Ce qu'elle avait dit était en contradiction complète avec ses croyances. Elle adorait les homosexuels et les Noirs, en particulier les homosexuels noirs (même si elle ne pouvait pas en nommer un seul…) Son bébé allait être métisse. Elle avait honte que son enfant puisse un jour entendre parler de cet épisode désastreux.

Quant aux hormones, elles pouvaient rendre folles les femmes enceintes, c'était bien connu. Comme la pauvre Scarlett ignorait qu'elle était enceinte, elle avait été la première surprise par la violence de sa réaction. Si elle l'avait su, elle n'aurait pas bu la moindre goutte d'alcool. Et puis, l'autre chose bien connue, c'était qu'enceinte, on devenait saoul beaucoup plus vite. Alors ce n'était pas seulement la faute des hormones, mais aussi du vin.

Scarlett est subitement remontée dans l'estime des Britanniques. Les gens l'aimaient jusque dans ses défauts. Ce qui lui était arrivé aurait pu arriver à n'importe quelle femme. Les hommes comprenaient très bien parce qu'ils avaient connu des femmes qui avaient perdu la boule une fois enceintes. Les femmes comprenaient très bien : qui n'avait pas bu ou fumé comme un pompier avant de savoir qu'elle attendait un bébé ? Les tabloïds étaient ravis, ça leur donnait une excuse pour publier quantité de photos de femmes pétant les plombs à cause des hormones. Les magazines et les journaux se sont remplis d'articles glauques sur les envies bizarres et démesurées qu'elles provoquaient ou sur les crises de nerfs de femmes enceintes. Grossesse commençait à rimer avec psychose.

Et à présent, voilà qu'on faisait appel à moi pour l'étape ultime de la réhabilitation de Scarlett. La dernière pièce du puzzle serait cette lettre de trois cents pages adressée à son bébé, une version améliorée et enjolivée de son histoire destinée à renforcer ses liens avec son public pour que leur histoire d'amour dure longtemps. La tâche s'annonçait ardue. Mais je n'avais jamais reculé devant aucun challenge professionnel.

Et ça, Maggie le savait très bien.

*

Plus la célébrité d'un individu est douteuse, plus il a besoin de contrôler chaque étape du processus. Ceux qui ont réellement accompli quelque chose ou bravé l'adversité acceptent toujours volontiers mes suggestions concernant la façon de procéder. Ils comprennent que dans ce domaine, c'est moi l'experte, je sais comment m'y prendre. Mais quand j'ai affaire à des gens comme Scarlett, célèbres uniquement pour être célèbres, ils ont toujours des quantités d'exigences vaguement déguisées en suggestions.

Le premier (et certainement pas le dernier) désaccord a concerné le lieu de notre première rencontre, durant laquelle Scarlett déciderait si elle partageait l'avis de son agent et de son éditeur à mon sujet. Elle voulait que nous retenions une suite au Mayfair Hotel. Moi, je voulais aller chez elle. Nous avions toutes les deux nos raisons. Elle voulait montrer à quel point elle était importante. Je voulais voir où elle vivait. Et Maggie ne veut jamais dépenser plus que nécessaire parce que tous les cadeaux que fait le client avant la signature seront forcément facturés tôt ou tard. Un déjeuner offert par l'éditeur, ça n'existe pas.

Quand on est nègre, on n'arrive jamais à ses fins en tapant du pied et en exigeant que les autres se plient à notre volonté. Il faut réussir à gagner leur confiance et les laisser croire que tout s'est déroulé selon leurs désirs. Vous savez que vous avez réussi le jour où vous les voyez raconter dans une émission de télé qu'ils se sont levés deux heures avant leurs enfants tous les matins pour pouvoir écrire en paix. À ce stade, ils sont persuadés d'avoir rédigé le livre eux-mêmes et que vous avez simplement corrigé l'orthographe et la ponctuation.

Maggie a donc appelé George, l'agent de Scarlett, et ils ont exécuté leur petit numéro habituel. Maggie a soutenu que dans les hôtels, les murs avaient des oreilles. Dès que Scarlett pointerait son nez, l'un des employés avertirait la presse et l'hôtel grouillerait de journalistes. J'étais assise dans le canapé de son bureau et je l'observais déployer ses talents pour persuader le beau George, un homme qui avait la réputation d'être difficile à convaincre. Mais même lui n'était pas assez fort pour Maggie.

— Mon chéri, soyons *lucides*. Dès qu'ils découvriront que Stephie est sur le coup, elle sera la *proie* de tous les pires journalistes de la ville. Ils fouilleront dans ses *poubelles*, bavarderont avec sa femme de ménage, et mettront peut-être même son *téléphone* sur écoute. Ils sont prêts à *tout*.

Elle m'a tiré la langue puis a levé les yeux au ciel en tendant la main pour saisir la cigarette électronique qu'elle avait adoptée depuis qu'elle avait arrêté le tabac, juste avant l'interdiction de fumer dans les lieux publics. Elle a inspiré une bouffée en faisant la moue.

— Nouveau goût, a-t-elle murmuré en posant la main sur le combiné. C'est censé être des *Camel*. Ça a plutôt un goût de *bouse* de chameau.

Un rapide sourire forcé est passé sur son visage.

— Bien *sûr*, Georgie. J'ai *conscience* que la presse campe devant la maison de Scarlett. Mais maintenant que le *Sun* a fait son scoop, ils vont passer à autre chose. Dans un jour ou deux, tout redeviendra comme avant. Et *évidemment*, je m'assurerai que la voiture a des vitres teintées pour qu'aucun *parasite* qui traînerait encore dans le coin ne reconnaisse Stephie.

Elle a continué sur sa lancée. J'ai cessé d'écouter, persuadée qu'elle parviendrait à ses fins.

J'avais raison. Deux jours plus tard, nous avons dépassé deux paparazzis à bord d'une Mercedes aux vitres teintées. Ils s'ennuyaient tellement qu'ils ont à peine eu le temps de lever leurs appareils photo que nous avions déjà franchi le portail et que nous remontions l'allée de briques menant à l'hacienda. L'un des trois garages était ouvert à notre intention.

— C'était moins compliqué quand je faisais une des Spice Girls, ai-je commenté.

— Tout se passera bien, m'a dit Maggie tandis que la porte du garage se refermait derrière nous.

— Ce n'est pas pour moi que je m'inquiète.

C'était toujours comme ça avant le début d'un nouveau contrat. J'avais des nœuds à l'estomac, convaincue que cette fois on allait découvrir que je n'étais qu'un imposteur.

La veille au soir, Pete ne m'avait pas vraiment rassurée :

— Pourquoi est-ce que tu te mets dans cet état ? C'est juste une bimbo sans importance. J'ai eu des chiens qui avaient plus de personnalité qu'elle. Si quelqu'un comme ça est capable de te faire douter, tu devrais peut-être penser à changer de boulot.

— Changer de boulot ? Et pour faire quoi ?

Il avait levé les sourcils. Je les adorais. Ils étaient droits et fins, pas épais et touffus comme chez la plupart des hommes. Je les ai toujours trouvés incroyablement expressifs. J'avais l'impression qu'il me jaugeait du regard. Je me sentais mal à l'aise, comme s'il m'analysait et pensait que je n'étais pas à la hauteur.

— Tu pourrais m'attendre à la maison, le soir, avait-il fini par dire.

Je n'arrivais pas à savoir s'il parlait sérieusement ou non.

— Tu voudrais qu'on vive ensemble ?

Nous n'avions jamais abordé le sujet, pas de façon aussi explicite.

— J'aimerais bien que tu sois là quand je rentre du travail, avait-il répété prudemment sans rien laisser paraître.

— Quand tu bosses sur un projet, tu n'es jamais là, avais-je répliqué. Tes horaires sont bizarres, je ne sais jamais quand t'appeler. Si j'étais censée être là quand tu rentres du travail, je ne pourrais jamais quitter la maison.

J'avais essayé de parler sur un ton léger et moqueur, mais j'avais senti l'anxiété monter en moi. Il avait haussé les épaules.

— Au moins j'arrêterais de me demander ce que tu fabriques.

À ce moment-là, il s'était penché pour m'embrasser, puis on s'était adonnés à ce genre de distraction qui fait complètement oublier ce type de conversations. Mais voilà que j'y repensais à présent, alors que j'appréhendais ma première rencontre avec Scarlett. Rétrospectivement, je me rends compte que Pete pouvait être décourageant. Qu'il l'avait toujours été, en réalité. Mais à cette époque, je n'en avais pas conscience. J'en ressentais simplement les effets. Si bien que quand Maggie et moi sommes descendues de voiture, ma confiance en moi n'était pas au top.

Nous sommes entrées dans l'hacienda par la cuisine. Je m'attendais à y trouver de l'acier brossé et du granit pour coller avec le style et l'époque de la maison, mais, première surprise de la journée, la pièce était peinte de couleur crème avec des meubles en pin façon cuisine de campagne et pourvue d'une cuisinière à l'ancienne. Le réfrigérateur, le congélateur et le micro-ondes étaient dissimulés derrière des panneaux de bois. Impossible de distinguer lesquels. Tout était impeccable et bien ordonné comme dans un catalogue. La pièce embaumait le citron et les herbes, un parfum d'ambiance qui coûtait une petite fortune et qu'on trouvait dans South Molton Street.

— Elle ne cuisine pas, visiblement, a commenté Maggie sèchement.

Une jeune femme maigre portant un jean, des bottes à talons et un haut moulant est arrivée à l'autre bout de la pièce.

— Stephanie ? a-t-elle demandé en regardant Maggie.

— C'est moi, ai-je répondu. Voici Maggie, mon agent.

Elle a hoché la tête vigoureusement d'un air agacé.

— Je suis Carla. Je travaille pour l'agence de George.

— Ah, vous êtes nouvelle ? a fait Maggie. Vous apprendrez vite.

Carla a esquissé un sourire apeuré.

— Scarlett et George vous attendent dans le salon.

Elle nous a conduites dans une vaste entrée qui donnait sur une grande pièce carrée et blanche avec des canapés disposés autour d'une cheminée qui fonctionnait au gaz. L'odeur qui régnait dans cette pièce était plus florale mais tout aussi artificielle.

Scarlett et son agent étaient assis sur des canapés en cuir blancs recouverts de peaux de vache. Les murs étaient ornés de crânes de bovins et de tableaux représentant des paysages style Western signés par un ersatz de O'Keeffe. Un mauvais ersatz. Ça ressemblait davantage à l'Essex qu'au Texas. À la place de Scarlett, je les aurais tous enlevés. Ils ne servaient qu'à détourner l'attention d'elle, or ce n'est pas ce que souhaitait une pseudo-célébrité.

Toutefois, c'était pour elle que j'étais venue ici, alors j'ai arrêté d'admirer le décor pour reporter mon attention sur elle. Ses cheveux avaient été savamment colorés, les mèches soigneusement agencées de façon à donner l'illusion d'une chevelure blond foncé. À ma grande surprise, elle n'était pas tartinée de maquillage ; simplement un trait de rouge à lèvres et du mascara pour mettre en valeur ses yeux bleus. Son bronzage artificiel – qui devait la recouvrir de la tête aux pieds – faisait le reste. Elle portait un débardeur rouge qui moulait ses seins et son ventre, ainsi qu'un pantalon de jogging large de couleur grise. Elle était pieds nus et les ongles de ses orteils étaient vernis de la même couleur que son rouge à lèvres. Elle n'avait pas l'air d'une godiche de téléréalité. Scarlett avait déniché on ne sait où un tantinet de sophistication.

George s'est levé avec difficulté quand nous sommes entrées, mais Scarlett, elle, n'a pas bougé et a attendu qu'on s'approche. George a fait les présentations avec sa courtoisie habituelle. Scarlett m'a donné une poignée de main sèche avant de la retirer rapidement. Elle n'a rien dit et s'est contentée de hocher la tête en esquissant un sourire insignifiant. Je suis assez douée pour interpréter mes premières impressions, mais avec Scarlett, je n'ai rien obtenu de plus que ce que je savais déjà. Elle m'intriguait et ça a suffi à apaiser mon anxiété. La curiosité n'est pas toujours un vilain défaut.

— Nous sommes ici pour nous mettre d'accord sur les termes de notre contrat, a entamé George une fois qu'on a tous été installés dans les canapés confortables et que Carla était partie préparer le café.

— Pas exactement, mon petit Georgie, est intervenue Scarlett avec un accent de Leeds perceptible. Avant tout, nous sommes ici pour savoir si je veux travailler avec Stephanie. Parce que si on s'entend pas, il n'y aura pas de contrat.

Elle était bien plus directe que je ne l'aurais cru. George a esquissé à son tour un sourire insignifiant.

— Naturellement, ma chérie. Stephanie, tu pourrais peut-être exposer à Scarlett tes méthodes de travail ?

— J'ai une meilleure idée, a repris cette dernière. Steph et moi, on a besoin de faire connaissance sans que vous soyez là à nous surveiller. Georgie et Maggie, vous n'avez qu'à repartir à Londres et vous arranger là-bas. Je vais m'occuper de Steph.

Elle s'est levée et, de la main, a fait signe de les chasser.

— Allez, ouste, vous deux !

Elle s'est tournée vers moi et m'a indiqué d'un mouvement de tête le bout de la pièce.

— Viens, on va se déshabiller et apprendre à se connaître.

Sur ce, elle s'est levée, comme s'il n'y avait pas besoin de discuter davantage.

4

C'était moins effrayant que ce que je redoutais : Scarlett avait une piscine. Évidemment. Il y avait aussi un jacuzzi, un sauna et une salle de gym. Comme dans toute hacienda de l'Essex qui se respecte. Je l'ai suivie à l'arrière de la maison. Nous avons franchi une double porte qui servait à bloquer les odeurs de produits chimiques en provenance de la piscine. Dans un vestiaire à la forte odeur de cèdre et de vanille, Scarlett a ouvert un placard contenant une sélection de maillots de bain une pièce noirs, tous identiques, suspendus à des cintres.

— Il y a toutes les tailles, du 38 au 48. Sers-toi.

Avec l'absence de pudeur caractéristique de qui s'est affichée ivre et nue sur tous les écrans de télévision du pays, elle s'est déshabillée pour enfiler un maillot turquoise et bleu. Elle paraissait, à mon étonnement, musclée et en forme, ce qui faisait ressortir son ventre arrondi de quatre mois. J'ai constaté que ma supposition au sujet du bronzage artificiel était juste.

Comme j'étais plus gênée qu'elle de me déshabiller en public, je me suis enfermée dans une cabine. Quand j'en suis ressortie, elle parcourait les dix mètres de la piscine en crawl. Son mouvement était irrégulier mais efficace. Je me suis assise au bord du bassin et j'ai remué les jambes dans l'eau. Je me suis dit qu'il n'y avait rien de mal à laisser Scarlett prendre les initiatives pour l'instant et voir où ça allait nous mener. Il y aurait un moment où j'aurais besoin de poser les limites, de toute façon. Si elle n'était pas capable de les accepter, autant le savoir maintenant, pendant que je pouvais encore me retirer du projet.

Elle me jetait un œil à chaque longueur qui la ramenait vers moi. Je crois qu'elle attendait que je craque et me jette à l'eau. Que j'aille à la confrontation pour lui permettre de montrer que c'était elle qui décidait. Mais je n'avais pas l'intention de rentrer dans son jeu. Après une douzaine de longueurs, elle en a eu assez. Elle a nagé jusqu'à moi et s'est arrêtée en levant la tête. Elle avait les cheveux mouillés et plaqués en arrière, mais son mascara waterproof était toujours en place. Alors qu'elle ouvrait la bouche pour reprendre son souffle, j'ai aperçu ses dents, qu'elle avait fait refaire après la première saison de *L'Aquarium*. Parfois, la cosmétique dentaire va trop loin et donne aux gens un sourire qui brille dans la nuit, irréel. Son dentiste à elle, cependant, avait fait du bon travail. Ceux qui n'avaient jamais vu comment elle était avant ne pouvaient pas se douter qu'il s'agissait d'un « après ». C'était simplement le sourire de quelqu'un ayant eu la chance d'hériter de bons gènes dentaires.

— Tu nages pas ? m'a-t-elle demandé.

Curiosité ou agression, je n'arrivais pas à le dire. C'était le moment de m'ouvrir un peu à elle.

— J'aime bien nager, mais je n'aime pas trop les piscines. Je préfère la mer. Alors je ne nage pas très souvent parce qu'il fait beaucoup trop froid dans ce fichu pays.

Elle a croisé les bras sur le rebord du bassin et a levé les yeux vers moi en souriant.

— Je comprends. Qu'est-ce qui est arrivé à ta jambe ? Tu boites pas ni rien, mais j'ai remarqué ta cicatrice quand t'as enlevé ton pantalon.

J'ai regardé ma cicatrice, qui courait de mon genou gauche presque jusqu'à la cheville.

— J'ai eu un accident de voiture. Un ivrogne a embouti la voiture de mon ami. On est rentrés dans un arbre et ma jambe a été écrasée par la portière. Elle tient en place maintenant grâce à une plaque de métal et quelques vis. Ils m'ont bien soignée et j'ai suivi les instructions du kiné, c'est pour ça que je ne boite pas.

— Ça a dû faire super mal, a-t-elle commenté.

Elle est sortie de l'eau et s'est mise debout.

— Oui, mais je ne sens plus rien maintenant. Sauf quand je marche beaucoup, ça tire un peu.

J'ai sorti les jambes de l'eau pour me lever. J'avais sept bons centimètres de plus qu'elle. J'ai remarqué que les racines de ses cheveux allaient bientôt avoir besoin d'un soin.

— Est-ce que tu veux que je t'explique comment je fais pour aider les gens à me raconter leur histoire ?

Elle a dégagé ses cheveux de son visage avec un petit rire dédaigneux.

— Vous autres alors, vous appelez jamais un chat un chat !

— Nous autres ?

— Les journalistes. Les auteurs. Les interviewers. Vous êtes tous les mêmes, vous essayez de me faire dire des choses qui plaisent à vos lecteurs.

— Est-ce que tu penses que je suis là pour ça ? Si oui, ça ne sert à rien de poursuivre cette conversation.

J'ai avancé vers une table où étaient empilées des serviettes propres et j'en ai pris une.

— Alors pourquoi t'es là ? m'a demandé Scarlett par défi. Allez, viens me dire ça dans le jacuzzi.

Une fois de plus, elle n'a pas attendu que je réponde. Comme je n'étais pas encore prête à lâcher le morceau, je l'ai suivie.

Elle a appuyé sur des boutons et l'eau du bassin s'est mise à s'agiter et bouillonner. Je n'aime pas trop les jacuzzis. L'eau y est trop chaude à mon goût. Quand j'en ressors, j'ai toujours l'impression d'étouffer, je suis en sueur et j'ai envie de prendre une douche. Mais comme j'étais là pour des raisons professionnelles, je me suis contentée de m'installer à côté d'elle. Les gens se disputent moins ainsi que lorsqu'ils sont l'un en face de l'autre. Je lui ai lancé un sourire rassurant.

— Ce que tu as fait, ce n'est pas banal, ai-je commencé à dire.

C'est une réplique que j'ai peaufinée au fil des années.

— Cela signifie que tu n'es pas comme tout le monde, ai-je poursuivi. Les autres, les gens normaux, ils ont envie de connaître ton histoire. Ils veulent savoir comment tu as fait, découvrir ton secret. Mon travail, c'est de t'aider à le leur dire. C'est simple.

Elle a froncé les sourcils.

— En quoi c'est différent de tous ces journalistes qui ont écrit des conneries sur moi quand j'ai pété un câble dans *L'Aquarium* ? Ou de toutes les autres fois où on m'a fait dire des choses que j'avais jamais dites ?

— La différence, c'est que je ne travaille pas pour un journal ou un magazine. Je travaille pour toi et ton éditeur.

— Mais tu veux vendre des livres. Plus tu en vends, plus tu gagnes d'argent. Alors ça paraît logique que tu fasses tout ce qu'il faut pour en vendre un maximum.

Elle faisait une moue déterminée alors que ses yeux exprimaient l'incertitude. J'avais déjà vu ça chez des gens qui avaient appris à se méfier des autres.

— Si on s'engage là-dedans, on va passer un accord, Scarlett.

C'était la première fois que je prononçais son prénom et oui, c'était calculé. De la même façon qu'on caresse un chien inconnu dans l'espoir qu'il s'habitue à vous.

— En ce qui me concerne, la meilleure histoire n'est pas forcément celle qui comporte le plus de scoops. C'est celle qui parlera le plus aux lecteurs. Ce que je peux te promettre, c'est que je raconterai ton histoire comme tu souhaites qu'elle soit racontée. Si tu me dis quelque chose que, selon moi, tu risques de regretter, je le laisserai de côté et je t'expliquerai pourquoi. Mais je n'en parlerai pas à ton éditeur. Parce que tu as raison : si je lui en parle, il voudra qu'on garde ce passage dans l'espoir de gagner un peu plus d'argent en vendant le scoop au *Daily Mail*.

— Mais pourquoi est-ce que tu ferais ça ? Je ne crois pas que tu as envie de me protéger de moi-même. Pourquoi est-ce que tu laisserais de côté les détails croustillants ? T'es bête ou quoi ?

C'était un autre de ces surprenants éclairs de lucidité. Ou alors c'était une sagacité rudement acquise à force d'avoir été trop souvent exploitée. J'ai secoué la tête en riant.

— Non, je ne suis pas bête, Scarlett. J'ai une excellente raison pour agir comme ça, c'est ce que j'appelle « l'effet rebond ». J'ai aidé beaucoup de gens extraordinaires à raconter leur histoire au public. Et d'après mon expérience, ces gens ne redeviennent pas de simples gens ordinaires aussitôt le livre sorti. Ils continuent à faire des choses exceptionnelles et à les raconter. Alors si j'écris ton histoire avec l'espoir de te soutirer un maximum de fric, ce n'est pas à moi que tu viendras te confier la prochaine fois, tu ne crois pas ?

Une semi-célébrité ne comprend rien mieux que les actions mues par l'intérêt personnel.

— Alors si tu cherches pas à me baiser, tu pourras rebosser pour moi quand je serai encore plus célèbre ?

— Exactement. Quand je te regarde, Scarlett, je ne vois pas seulement l'histoire que tu vas écrire pour que ton enfant la lise plus tard. Je vois que tu reviens de loin. Et je suis sûre que tu as encore beaucoup de chemin à parcourir. Et je veux être la personne qui racontera toutes les autres histoires à venir. En jouant franc jeu avec toi, j'investis dans mon avenir.

Elle a hoché la tête.

— C'est assez logique. Je ne comprenais pas comment tu pouvais être de mon côté, mais maintenant, j'ai pigé. Tu ne veux pas seulement raconter mon histoire pour qu'on se fasse tous du pognon tout de suite. Tu penses que je peux être une poule aux œufs d'or à la longue.

C'était sans détour, mais Maggie ne l'aurait pas formulé différemment.

— Je considère plutôt ça comme un partenariat à long terme.

— Je veux voir ce que tu écris avant que ça soit transformé en livre.

Elle a essuyé la sueur qui recouvrait sa lèvre supérieure d'un revers de main.

— Bien entendu. Comment est-ce que tu pourras savoir ce que je raconte, sinon ? Tu seras la première lectrice. Tu auras le texte avant mon agent, avant ton agent, avant l'éditeur. Une fois que tu l'as lu, on se réunit pour discuter de tout ce qui ne te convient pas. Mais il ne devrait pas y avoir de problème.

Parce que c'est ton histoire, après tout. Je sers juste à mettre les phrases en forme et à corriger l'orthographe.

Je m'étonne toujours que mes clients gobent ça. Ils acceptent volontiers l'idée que mon rôle ne requiert aucun talent. Ils croient sincèrement que je suis là pour ajouter les virgules au bon endroit. Comme je suis une excellente ventriloque, ce que je leur fais entendre, c'est leur propre voix. Ils n'ont pas la moindre idée du talent qu'il faut pour donner consistance à ce qui n'est généralement qu'un chaos informe.

Scarlett avait mordu à l'hameçon et c'était le principal.

— Ça me paraît réglo. Je t'aime bien, Steph. Tu racontes pas de conneries. Tu essaies pas de m'embrouiller avec des trucs scientifiques. Alors comment on procède ?

— Tu parles, j'enregistre, ai-je répondu. On m'a dit que tu voulais raconter ça sous la forme d'une lettre adressée à ton bébé ? C'est ce que tu aimerais faire ?

— Y a rien de mal à ça, non ? a-t-elle répondu sur la défensive.

J'ai remarqué que ce sont toujours les femmes sur qui j'écris qui décèlent une critique dans la plus anodine des questions. Les hommes (même ceux qui se font passer pour des héros qu'ils ne sont pas) sont rarement en proie au doute. Au fond d'eux, ils sont persuadés qu'ils ont le droit d'être entendus. Même quand ils ont été éclaboussés par un scandale sexuel ou politique (c'est le cas d'un homme politique avec qui j'ai travaillé il y a quelques années), ils sont convaincus que leur histoire doit être racontée comme ils le souhaitent.

— Bien au contraire. Je trouve que c'est une bonne idée. Ça aide d'avoir une trame qui rend l'ensemble cohérent. Tu l'imagines comment ?

— Je sais que ça paraît pas logique, mais je voudrais commencer par ma situation actuelle, enceinte, après avoir été humiliée. Raconter comment mon bébé m'a sauvée de ça. Parler de Joshu, dire que notre amour a tout changé. Et ensuite revenir au début, sur mon enfance merdique, ma famille pourrie et comment je m'en suis sortie vivante.

Scarlett a baissé la tête et levé les yeux vers moi ; ce regard, c'était le legs de la princesse Diana à toute une génération de femmes.

— Tout ça sans avoir l'air complètement conne, évidemment, a-t-elle conclu.

J'ai esquissé un sourire.

— Je crois qu'on peut y arriver. Ce serait bien si je pouvais parler aussi à Joshu.

— Je pense que c'est possible, a-t-elle répondu sur un ton incertain. Mais il est pas du genre à parler de lui, Joshu.

— On n'a pas besoin de bavarder très longtemps. Est-ce qu'il vit ici avec toi ?

Scarlett a donné une réponse évasive.

— Oui, normalement. Sauf que quand il fait le DJ dans des clubs et tout, il termine tard et squatte chez des potes, en ville. Alors parfois il est là et parfois non. Avant j'allais avec lui mais maintenant que je suis enceinte, je peux plus faire ce genre de trucs. Surtout avec des paparazzis à chaque coin de rue.

J'essaie vraiment de ne pas juger. Surtout parce que ça me facilite le travail. Mais il arrive qu'une petite voix au fond de moi dise quelque chose comme : « C'est les paparazzis qui te préoccupent ? Et ton bébé, alors ? » Dans ces cas-là, je m'arrange pour rester impassible.

— C'est pas grave, je suis sûre qu'il sera là un jour, quand on enregistrera. Je pourrais lui parler à ce moment-là. Et si ça ne marche pas, on prendra rendez-vous.

— Alors on discute et on enregistre ici, c'est ça ?

— Pas ici dans le jacuzzi. Il nous faut un endroit calme. Mais oui, dans la maison, ce serait le plus simple.

Elle a paru lasse, une fois de plus.

— Et tu vas loger ici ?

— Non, je rentrerai chez moi le soir. À Londres.

— Oui, vaut mieux pas que tu sois là quand Joshu commence à mettre sa musique. Certains soirs y a des groupes qui viennent ici, a-t-elle expliqué avec condescendance. T'aimerais pas le genre de trucs qu'ils font, toi t'es une dame respectable.

J'ai éclaté de rire.

— Ça fait longtemps qu'on ne m'a pas dit que j'étais une dame ! Ni quelqu'un de respectable, d'ailleurs.

— Comparée à moi, ma poulette, t'es Mère Teresa. Ah, au fait, je veux pas que tu ailles à Leeds pour bavarder avec ma mère et ma sœur. Tu les laisses en dehors de ça. Je te dirai tout ce que t'as besoin de savoir sur elles et après tu comprendras pourquoi j'ai pas envie que tu entendes leurs conneries. On est d'accord ?

Je me suis redressée pour m'asseoir au bord du jacuzzi.

— C'est toi qui décides. Mais ce serait bien qu'on puisse rencontrer quelqu'un qui t'a connue à cette époque. Juste pour rendre le récit plus fort.

— Je vais réfléchir, a-t-elle répondu d'un air renfrogné. Le problème c'est qu'il y a que des ivrognes ou des junkies. T'auras pas envie de t'approcher d'eux.

— Je suis sûre que tu peux trouver...

— Tiens, tiens, qui est-ce qu'on a là ? a lancé une voix amusée derrière nous. Scarlett, ma poupée, qu'est-ce qui t'arrive ? T'amènes tes copines pour s'amuser avec nous, maintenant ? T'as envie d'un p'tit truc à trois ?

Je me suis retournée et j'ai vu un jeune homme d'origine indo-pakistanaise vêtu de l'uniforme habituel : casquette de baseball posée de travers, veste de sport deux fois trop grande brodée d'une grande lettre, polo foncé, pantalons baggy tombant sur des énormes baskets.

Mais ce n'est pas sa tenue qui a retenu mon attention. C'est le petit pistolet chromé qu'il tenait à la main.

5

Stephanie s'interrompit, revivant manifestement le choc de ce moment-là. De par sa formation d'agent du FBI, Vivian McKuras avait vécu des situations dangereuses, avait connu l'adrénaline provoquée par le fait de porter sur soi une arme chargée. Malgré tout, elle fut surprise par la révélation de Stephanie. Jusque-là, le récit de cette femme avait été l'histoire ordinaire d'une célébrité médiocre, enjolivée par l'idée que Vivian se faisait du charme anglais et qui s'était formée dans son esprit à force d'écouter l'émission de radio *Mystery Theatre*. Mais voilà qu'elle prenait un tour bien différent, avec l'apparition d'une arme à feu.

— Il vous l'a mise sous le nez ?

Elle voulait être sûre d'elle avant de lancer à toutes les patrouilles le signalement de ce DJ britannique.

— Oui, c'est exactement ce qu'il a fait, répondit Stephanie. Ce qu'il faut comprendre, c'est que Joshu a toujours été un branleur. Un bon à rien, une grande gueule.

— Certes, mais la première fois que vous l'avez vu, il portait une arme. Ça a dû vous faire peur. Si je comprends bien, ce n'est pas vraiment courant au Royaume-Uni.

Stephanie fixa le mur derrière l'épaule de Vivian.

— Pendant un instant, je n'ai pas réussi à analyser ce que je voyais. À reconnaître ce qu'il avait dans les mains. On aurait dit qu'il la berçait. Et puis j'ai pris conscience qu'il s'agissait bel et bien d'une arme. Et là oui, j'ai eu peur. Et oui, ça s'est vu. Il est resté planté là à rigoler, poursuivit-elle en secouant la tête. Il était défoncé, bien entendu. Ce qui rendait la situation encore plus inquiétante.

— Qu'est-ce qu'a fait Scarlett ?

— Elle a levé les yeux au ciel en disant : « Putain, je t'ai déjà dit de pas te promener avec ça. Un jour un flic va te voir et te coffrer. » Ensuite elle m'a dit de me détendre parce que c'était un faux. Typique de Joshu. Il était toujours là à jouer les voyous, mais sans se mouiller vraiment. Il connaissait des gros dealers et de vrais bandits, il fréquentait ce milieu, il jouait avec le feu, mais il n'en faisait pas réellement partie. Et à supposer qu'il soit en mesure de faire quoi que ce soit à son fils, l'enlèvement de Jimmy n'a rien à voir avec lui. Scarlett et Joshu se sont mariés et ont divorcé avant que le garçon ait un an.

— Il n'en demeure pas moins le père. Ces liens-là peuvent être profonds, pousser les gens à des actes inattendus. Si ce n'est pas lui, ça pourrait être un membre de sa famille qui agit pour le compte de Joshu ou le sien propre.

Vivian tendit la main vers son ordinateur et commença à tapoter sur le clavier.

— Vous ne comprenez pas. Pour les Patel, Jimmy n'existe pas. La famille de Joshu a toujours détesté Scarlett. Ils l'ont tenue responsable de tous les déboires de leur fils chéri. Ils n'ont pas assisté au mariage, ils ne sont jamais venus dans leur maison et Scarlett n'est jamais allée chez eux. Pour autant que je sache, ils n'ont jamais vu leur petit-fils sinon dans les pages des journaux à scandale.

Vivian secoua la tête.

— C'est tout de même notre piste la plus probable jusqu'à maintenant. Quel est son nom de famille, à ce Joshu ?

— Patel. Mais...

— Joshu Patel.

— En fait, c'est Jishnu, c'est son nom de naissance. Il l'a abandonné en devenant DJ.

— Ok. Jishnu Patel. Est-ce que vous connaissez son adresse ? Sa date de naissance ? L'histoire de sa famille ?

N'importe quelle information qui pourrait nous aider à le retrouver ?

— Je peux vous dire exactement où il se trouve à l'heure qu'il est, répondit Stephanie sur un ton las. Et croyez-moi, il n'a rien à voir dans tout ça.

Lignes de fuite

6

Quand je repense à cette première rencontre avec Joshu, je ne peux pas m'empêcher de me dire qu'elle préfigurait l'acte final, à tous les points de vue. Ce besoin d'en imposer. De combler par la drogue le fossé entre ses rêves et la réalité. Son impuissance à assumer ses responsabilités et agir comme un homme.

Mais je brûle les étapes. Quand j'ai réalisé que Scarlett disait la vérité et que je n'avais pas besoin d'être morte de trouille à cause du pistolet, j'ai compris qui était Joshu. À ce moment-là, il n'était pour moi qu'un parasite énervant. Il avait fait irruption et brisé l'ambiance alors que j'essayais d'instaurer un rapport de confiance avec Scarlett. Je savais que ça ne serait plus possible maintenant qu'il était là. C'était évident : elle n'avait d'yeux que pour lui et lui ne pensait qu'à lui-même. Il fallait que je flatte l'ego de Joshu, mais je n'avais pas envie de m'embêter avec ça pour l'instant. Avant de m'entretenir avec lui, je voulais déterminer exactement en quoi il pouvait nous être utile pour l'histoire de Scarlett. Tout ce qu'il me restait à faire, c'était d'établir un planning.

— Mettons-nous d'accord sur la date des séances de travail, ai-je dit en me dirigeant vers les vestiaires.

Scarlett m'a suivie tout comme Joshu. J'ai fermé le rideau de ma cabine sans prêter attention à ses tentatives pour transformer la situation en rendez-vous sexuel. J'ai entendu Scarlett murmurer « Pas maintenant, bébé » par-dessus ses gémissements et des bruits de vêtements froissés.

Quand je suis ressortie, il l'avait collée contre le mur et lui avait glissé la main entre les jambes.

— Est-ce que tu as ton agenda sur toi ? ai-je demandé sèchement.

Il m'a regardée de travers en m'imitant :

— Comment tu m'parles, toi ! « Est-ce que t'as ton agenda ? »

— Tu devrais soigner tes manières, mon pote, ai-je répliqué en adoptant son langage.

Scarlett a ricané puis s'est détachée de lui.

— Mon agenda est dans la cuisine, a-t-elle répondu.

Elle a attrapé un peignoir épais suspendu à une patère avant de passer devant Joshu en lui adressant un petit signe coquin de la main.

— Pourquoi tu ne montes pas à l'étage ? Je te rejoins tout de suite.

Joshu a souri et il l'a suivie en traînant des pieds et en me regardant d'un air satisfait. Je leur ai emboîté le pas jusqu'au hall d'entrée où Joshu a disparu dans l'escalier en se déshabillant.

Nous sommes convenues de trois sessions de trois jours chacune, déterminées en fonction du planning de Scarlett qui comprenait des apparitions publiques, des séances de publicité, des rendez-vous avec des producteurs de télévision ou des directeurs de grandes marques. Elle avait appris à tourner le racisme et l'homophobie à son avantage.

— Avant qu'on se revoie, j'aimerais que tu réfléchisses à une chose, lui ai-je dit.

— Quoi ?

— Quelle image est-ce que tu veux qu'on donne de toi ? Comment est-ce que tu veux que le public te voie ? Quelle impression aimerais-tu faire ? Tu dois avoir une idée là-dessus avant qu'on commence pour que je puisse orienter nos discussions en fonction de ça.

— Tu veux dire par exemple, est-ce que je veux donner l'impression que je suis juste une fille du Nord comme les autres ? Ou que j'ai de la chance et que la prochaine fois, ça pourrait tomber sur eux ? Ce genre de trucs ?

J'ai hoché la tête.

— Oui, parce que même si je vais retranscrire ce que tu me dis, la façon de le présenter va faire une grosse différence. D'une certaine façon, je dois te considérer comme un personnage de fiction. Pour donner de la consistance au livre, comme dans un roman. Et pour ça, tu dois me dire l'image que tu veux donner aux gens.

Elle a souri.

— Tu es quelqu'un de très intelligent, Stephanie. Comment on va appeler le livre, alors ?

Elle avait dit « on ». Ça me plaisait. Malgré l'irruption de Joshu, nous avions avancé. Elle me considérait comme une alliée. La bataille était à moitié gagnée.

— Est-ce que tu as des idées ? lui ai-je demandé.

Je ne m'attendais pas à quelque chose de renversant.

— Oui, qu'est-ce que tu penses de *Scarlett : mon histoire* ?

Effectivement, j'avais raison. Il était temps de faire preuve de tact et de diplomatie.

— Hé bien, ça a le mérite de ne pas mentir sur la marchandise. Je pense qu'on peut toutefois trouver mieux que ça. *Scarlett : mon histoire*, ça va attirer tes fans. C'est sûr. Mais je veux que des gens qui ne savent pas grand-chose de toi soient intrigués par ce livre. Il faut attiser leur curiosité. Je pensais à un titre comme : *Plonger vers la gloire*. Qu'est-ce que tu en dis ?

Elle n'avait pas l'air convaincue.

— Mais ils ne sauront pas que ça parle de moi.

— Ton visage sera en gros plan sur la couverture, ai-je expliqué en souriant. Personne ne pourra en douter.

Elle, elle paraissait en douter.

— Je vais y réfléchir.

— Pas de problème. Alors, on est d'accord, toi et moi ? Tu crois que tu pourras me supporter le temps qu'on fasse ce livre ? Une fois qu'on aura commencé, on ne pourra plus revenir en arrière, tu sais. On sera liées par un contrat.

— Je crois que oui.

Elle a posé la main sur son ventre comme si elle jurait sur la tête du bébé. Puis elle a penché la tête d'un côté.

— Tu ne vas pas me laisser tomber, hein, Steph ?

Si j'avais su dans quoi je m'engageais, je n'aurais jamais prononcé les paroles que j'ai dites.

— Les gens sur qui j'écris deviennent mes amis, Scarlett. Et mes amis, je ne les laisse pas tomber.

7

Je n'ai pas vu Joshu quand je suis revenue à l'hacienda quatre jours plus tard. Maggie et George s'étaient étripés au sujet du contrat, Biba de Stellar Books avait annoncé la nouvelle à toute la presse spécialisée et les tabloïds parlaient déjà d'un deuxième livre. Dans mon univers, tout ça est assez banal.

Cette fois-ci, je me suis rendue moi-même dans l'Essex. Ma voiture était manifestement bas de gamme puisque aucun paparazzi campant devant la maison n'a bougé quand je me suis approchée du portail. Scarlett m'a ouvert via l'interphone et je me suis garée à la même place que la fois précédente. La Mazda décapotable rouge que j'avais remarquée était toujours garée là, au fond du garage. Elle ne donnait pas l'impression d'avoir bougé. Scarlett aimait les jolies voitures.

Je l'ai trouvée dans la cuisine, appuyée contre le fourneau, un mug posé sur le ventre. Cette fois, elle portait un bas de jogging noir et un tee-shirt blanc. Quand je suis entrée, elle était en train de bâiller allègrement, révélant sans la moindre gêne quelques couronnes brillantes à la place de ses molaires. À l'évidence, elle avait toujours vécu dans un monde où personne ne mettait sa main devant la bouche.

— Salut, a-t-elle lancé en terminant de bâiller. Oh putain, je me suis couchée hyper tard hier soir.

— Tu as fait la fête avec Joshu ?

La réponse ne m'intéressait pas plus que ça. Mais une partie de mon travail consiste à faire la conversation, réduire la distance entre les clients et moi. Elle a fait une moue.

— Non, il est à Birmingham. Pour l'ouverture d'un nouveau club. Il leur fallait le roi des platines pour mixer. Y avait *Wife Swap*[1] toute la soirée à la télé et je suis restée scotchée devant à regarder toutes ces connes essayer de vivre la vie d'une autre.

— C'est pour ça qu'on regarde, on attend le moment où elles vont craquer.

Je l'avoue, j'ai moi aussi un penchant pour cette émission.

— C'est le principe de la téléréalité, ai-je ajouté. Moi j'attends toujours qu'un des gosses finisse par donner une gifle à l'intruse.

Elle a ricané. J'ai imaginé qu'au bout de neuf jours d'interview, ce ricanement allait finir par me taper sur les nerfs. Il arrive que les clients aient des tics verbaux ou physiques tellement insupportables que ça me rend dingue. La seule façon de garder mon calme, c'est de les compter mentalement et de tenir le coup aussi longtemps que possible.

— Si j'y participais, je leur en mettrais plein la vue, a-t-elle répliqué en se dirigeant vers la bouilloire. Un thé ?

— Je veux bien un café. Comment ça, tu leur en mettrais plein la vue ?

— J'attendrais qu'ils soient tous au boulot ou à l'école. Ensuite, j'appellerais un service de nettoyage et un traiteur. Quand ils rentreraient, ils penseraient que je suis géniale. Et ils seraient hyper énervés contre leur vraie femme.

— Tu n'es pas vraiment une fée du logis, si je comprends bien.

Elle a fait une grimace.

— Je peux faire le ménage s'il le faut, mais en ce moment j'ai pas besoin de le faire. Pour la cuisine, c'est des haricots sur des toasts, des œufs brouillés sur des toasts. Des toasts sur des toasts. Et c'est réglé. C'est à ça que servent les trucs à emporter, non ? À nous éviter de perdre du temps dans la cuisine.

---

1. Émission de téléréalité britannique dans laquelle deux mères de famille échangent leur place pendant une durée limitée. (*N.d.T.*)

T'es pas une de ces accros du fait maison, si ? Une bonne petite maîtresse de maison comme cette connasse de Nigella[1] ?

Elle n'aurait pas pu dire ces derniers mots avec davantage de mépris.

— Je ne cuisine rien d'élaboré, mais j'aime bien préparer un vrai repas le week-end, un bon rôti par exemple.

Derrière les fourneaux, j'étais plus adepte du style de Nigel Slater[2] que de celui de Nigella Lawson.

— Un bon rôti, c'est cool, ça. Et je suis sûre que tu es de ceux qui préfèrent le vrai café.

J'ai souri.

— Tu as vu juste. Est-ce que tu en as ?

— Ouais, Carla a ramené une boîte avec plein de capsules en métal pour la machine à café, l'autre jour.

Elle a ouvert un placard contenant une énorme boîte remplie de sachets de thé et un sachet en plastique plein de capsules de toutes les couleurs.

— Nous on boit que du thé, a-t-elle expliqué. Des vrais pro-los, Joshu et moi. Enfin lui il fait semblant. Il en est pas un, en vrai. Son père est prof à l'université et sa mère est médecin. Il les a beaucoup déçus.

Elle a introduit la capsule dans une machine à café encore plus design qu'une fusée avant de dire :

— J'espère que tu sais comment ça marche.

Elle s'est retournée en me lançant ce grand sourire qui éclairait tout son visage.

— Ou alors il va falloir que je passe un coup de fil à Carla pour lui dire de se ramener ici et nous montrer comment on s'en sert.

— Ça doit pas être bien compliqué. George Clooney y arrive, et c'est un mec.

Je n'ai pas mis beaucoup de temps à comprendre le fonctionnement et Scarlett a été impressionnée que j'arrive à me servir un bon café au bout de quelques minutes.

---

1. Nigella Lawson : cuisinière britannique, auteur de plusieurs livres et animatrice d'émissions culinaires. (*N.d.T.*)

2. Nigel Slater : autre cuisinier et auteur britannique. (*N.d.T.*)

— Tu veux qu'on s'installe ici ? m'a-t-elle demandé en jetant un œil à mon sac. Y a une table, ce sera plus facile pour toi de prendre des notes.

— Je n'ai pas besoin de table. Je vais enregistrer notre conversation. Je prends des notes de temps en temps, mais je peux poser mon carnet sur mes genoux. On va rester assises pendant des heures, autant qu'on soit dans un endroit confortable. Peut-être dans les canapés du salon ?

— Tu ne trouves pas que ça fait un peu trop détendu ?

— Crois-moi, c'est aussi bien d'être détendu. Plus on est à l'aise, plus on a l'air naturel.

Elle n'a pas paru très convaincue mais m'a tout de même conduite au salon.

— Est-ce que tu as eu le temps de choisir des photos ? lui ai-je demandé avant qu'elle ne s'installe.

— J'y ai jeté un œil, y a pas grand-chose. Attends une minute.

Elle a disparu dans l'entrée et je l'ai entendue monter l'escalier. Je lui avais demandé de me montrer sa vie en photos, en commençant par son enfance. Les photos permettaient souvent de susciter des souvenirs. En les regardant, mes clients se trouvaient transportés dans un autre lieu en un autre temps, ils se replongeaient dans un univers d'odeurs, de paysages et de sons qui pouvaient débloquer tout un flot de souvenirs.

Quand Scarlett m'a tendu le petit tas de clichés, j'ai su que ça n'allait pas nous mener bien loin. Comme la plupart des gens, j'ai passé mon adolescence à me dire que mes parents étaient des nuls ; qu'ils n'étaient plus dans le coup, ringards, sans intérêt. Mais au moins, ils savaient que quand on a un enfant, on est censé s'en occuper. Si j'avais résumé ma vie en photos, il y aurait eu un tas épais de clichés pris pendant les vacances, des photos de classe, des moments importants immortalisés par l'appareil et toute une série de fêtes de famille. Le mariage de mon cousin, les noces d'or de mes grands-parents, le baptême de mon neveu. Tous soigneusement conservés pour la postérité.

Pour Scarlett, c'était différent. Je ne sais pas ce que faisaient ses parents, mais ils n'avaient pas cherché à exprimer la fierté que leur inspirait leur progéniture en immortalisant chaque instant.

— Comme j'ai dit, y a pas grand-chose.

Elle a haussé les épaules et s'est affalée dans le canapé en faisant la moue.

En haut de la pile, il y avait bien sûr la photo de naissance. La jeune maman adossée aux oreillers, tenant le nouveau-né près de sa poitrine et regardant l'objectif avec un sourire fatigué. Chrissie Higgins paraissait plutôt éteinte que rayonnante. Elle devait avoir à peu près l'âge de sa fille aujourd'hui, mais on lui donnait plus. Son visage était bouffi, sa peau avait l'air sèche et ses yeux étaient cernés de noir. On pouvait attribuer ça à un accouchement laborieux, mais c'était plus probablement dû à une vie difficile. Malgré tout, on voyait la ressemblance avec sa fille.

— J'étais pas très belle à voir, a commenté Scarlett sans regarder la photo. Je ressemble à un vieux singe.

Elle n'avait pas complètement tort.

— Tous les bébés sont comme ça, ai-je répondu. Mais on est programmés pour aimer les nôtres, alors on n'y fait pas attention.

— Programmés pour aimer les nôtres ? a-t-elle répété avec dédain. Je ne crois pas ! Ma mère avait qu'une envie : sortir de l'hôpital pour aller boire un coup. J'avais même pas une semaine qu'elle était déjà au pub.

— Elle t'emmenait ?

— Parfois. La plupart du temps, elle me laissait avec sa mère qui était alcoolique aussi. Mon père était sorti de prison, elle voulait pas le perdre alors elle l'accompagnait partout. Elle voulait pas qu'une connasse le pique, a-t-elle expliqué avec ce même mépris. Comme s'il pouvait intéresser quelqu'un, putain.

Elle a croisé les bras et poussé un soupir.

— C'est comme ça qu'on va faire, alors ? On va regarder des vieilles photos pour que je puisse raconter ma vie merdique ?

J'ai souri. Il fallait que je désamorce son agressivité.

— Hé bien, les lecteurs doivent savoir à quel point elle a été merdique. C'est le seul moyen pour eux de se rendre compte du chemin que tu as parcouru. On reviendra aux photos plus tard, quand j'aurai une idée plus claire du meilleur moyen de les utiliser. Ce dont je veux parler aujourd'hui, c'est ton enfance. On ne peut pas faire comme si elle n'avait pas eu lieu. Pas si tu veux expliquer correctement les choses à ton propre enfant. Je vois bien que ça n'a pas été une période heureuse pour toi, alors autant s'en débarrasser tout de suite. Comme ça, ça ne te pèsera plus.

Elle a réfléchi à ce que je venais de dire puis a hoché la tête.

— Tu as raison. Ok. Qu'est-ce que tu veux savoir ?

C'était parti pour la première étape de la procédure habituelle.

— Quel est ton premier souvenir ?

Elle a fouillé dans sa mémoire, comme ils le font tous.

— À la fête foraine, a-t-elle répondu lentement. Avec mon père.

J'ai repris d'une voix plus douce :

— Maintenant, je vais te demander de fermer les yeux et de visualiser ce souvenir. Je veux que tu te replonges dedans comme si tu t'enfonçais dans un lit confortable. Laisse-toi aller et imagine cette petite fille à la fête foraine. Remonte le temps et va revivre cette journée passée à la fête.

Elle a éclaté de rire.

— C'est quoi ces conneries ?! Tu essaies de m'hypnotiser, ou quoi ?

— Pas vraiment. J'essaie de t'aider à te détendre, c'est tout. Un souvenir fort, c'est un bon point de départ.

— Tu vas pas me faire faire des trucs bizarres, hein ?

D'après ce que j'avais vu de Scarlett à la télévision, il suffisait de peu pour y parvenir. Mais ça n'aurait servi à rien de le lui dire.

— Non, j'essaie simplement de lancer la machine. Si tu n'as pas envie de commencer par ce souvenir, on peut passer à autre chose. Mais je te préviens, je vais te demander d'y revenir. Alors autant le faire tout de suite.

— Pourquoi pas ? Y a aucun problème, c'était juste une journée à la fête foraine.

Elle a levé les yeux au ciel avant de poser la tête sur un coussin en peau de vache et de fermer les yeux. J'ai attendu et, au bout d'un instant, sa respiration s'est ralentie. Quand elle a repris la parole, sa voix était plus lente, plus posée.

— Je suis à la foire. Il y a des odeurs de hot-dogs, d'oignons, d'essence et de barbe à papa. L'air est chaud. J'ai la tête dans le ciel.

— Sur un manège ? l'ai-je interrompue à voix basse pour ne pas la déconcentrer.

— Sur les épaules de mon père. Je dépasse tout le monde. Il fait nuit, parce qu'il est tard. Il y a des lumières colorées partout, comme si j'étais dans un arc-en-ciel, ou un truc dans le genre. Je m'accroche aux cheveux de mon père, ils sont vachement épais et touffus et si je tire trop fort, il me dit d'arrêter.

— Est-ce que ta mère est là, aussi ?

— Si je baisse les yeux, je vois le sommet de sa tête. Ils ont tous les deux une canette à la main, je sens l'odeur de la bière. Mais ils rient et font des blagues comme si on était comme tout le monde.

Elle a ouvert les yeux et s'est arrêtée brusquement.

— C'est pour ça que je m'en souviens. Pour une fois, je me sentais pas minable, j'avais pas l'impression que tout le monde nous snobait, a-t-elle dit en secouant la tête tristement. On était des voisins infernaux. Personne voulait vivre à côté de chez nous.

— Mais vous avez quand même réussi à passer un bon moment ensemble. À la fête foraine.

— Pourquoi tu crois que je m'en souviens ? m'a demandé Scarlett en se penchant vers moi avec une curiosité sincère.

— Parce que c'était sympa, j'imagine ?

— Parce que c'était la seule et unique fois, a-t-elle répondu avec amertume. J'ai quasiment pas de souvenirs de mon père. J'avais six ans quand il est mort et il a passé presque toutes ces années-là en taule. À part ce jour-là à la fête, mes seuls souvenirs de lui, c'est quand il avait bu et qu'il s'engueulait avec ma mère. Ils gueulaient et ils se tapaient dessus. Le genre de trucs qui te donne envie de te cacher sous le lit et te pisser dessus, quand t'es petit.

Tout ce que je pouvais répondre à ça risquait de paraître condescendant ou dédaigneux.

— Tu as posé des questions sur lui à d'autres gens ? Des gens qui le connaissaient ?

— Bien sûr que oui. On a toujours envie de savoir des choses sur nos parents, non ?

— Oui, et on veut transmettre ces informations à nos enfants. Alors dis-moi ce que tu sais de lui. Ce qu'on t'a raconté.

C'était une histoire déprimante. Alan Higgins était issu d'une fratrie de sept et avait commencé à faire des bêtises dès son plus jeune âge, à cause d'un père alcoolique et d'une mère toxico. Ses grands frères l'avaient très tôt initié au cambriolage, au vol de voitures et autres escroqueries et il y avait pris goût. Malheureusement, son talent, son intelligence et sa chance n'étaient pas à la hauteur. Quand il avait rencontré Chrissie, il avait déjà écopé de trois peines de prison, deux en tant que mineur et une en tant qu'adulte. Lors de son plus récent séjour, il avait découvert les joies de l'héroïne et à partir de là, sa vie avait tourné uniquement autour de ça ; il volait pour acheter de la drogue, il se faisait arrêter, il allait en prison et dès qu'il ressortait, le cycle recommençait. Il avait réussi à rester en liberté assez longtemps pour engrosser Chrissie deux fois, mais il était rarement présent au quotidien.

— Tous ceux qui l'ont connu disent que c'était pas un mauvais bougre, a-t-elle continué sur un ton las. Mais il était faible. Et fainéant. Quand vous êtes faible, fainéant et riche, quelqu'un fait toujours en sorte de vous dégoter un boulot. Mais si vous êtes pauvre, vous finissez comme mon père.

Encore une réflexion sensée de sa part. Dès qu'elle a prononcé cette phrase, elle a eu l'air de la regretter.

Je n'avais pas envie d'argumenter. Je commençais à me rendre compte que « Scarlett la pétasse » était peut-être un peu moins bête qu'on le croyait et je ne voulais pas perdre sa confiance.

— Comment est-ce qu'il est mort ? ai-je demandé pour poursuivre cette conversation.

Je pensais connaître la réponse, mais je voulais l'entendre de sa bouche. Pour voir à quel point elle allait être honnête.

— Tu le sais. T'es pas venue ici sans faire une recherche Google sur moi. C'est sur Internet, alors dis-moi, toi, comment il est mort.

Elle m'a regardée avec un air de défi, bras croisés de nouveau.

— Bien sûr que j'ai regardé Internet. Avant notre première rencontre. Si ce que j'ai lu ne m'avait pas intéressée, tu n'aurais jamais entendu parler de moi. Mais ça ne veut pas dire que je crois tout ce qu'on trouve sur le web. Sans quoi je serais assez mauvaise dans mon boulot. J'ai lu des choses au sujet de ton père, et tu sais sans doute lesquelles. Ce que je te demande, c'est de me dire la vérité.

J'étais là depuis une heure à peine et je me sentais déjà épuisée. Il était plus difficile d'apaiser Scarlett qu'un chat dans la salle d'attente d'un vétérinaire. La plupart des petites célébrités sont tellement contentes d'avoir un public et tellement convaincues que leur vie est fascinante que le plus dur c'est de les faire taire. Scarlett, elle, me rendait la tâche ardue. Cela faisait un moment que je n'avais pas vécu ça et je n'étais plus très sûre de ce projet. Elle m'a fusillée du regard pendant quelques instants encore avant de capituler.

— C'est vrai. Ce qu'ils disent sur Internet. Il est mort du sida. Il a dû le choper à cause d'une seringue contaminée. En taule, ils échangeaient tous leurs seringues. Ils avaient pas le choix. Personne contrôle ce genre de choses, en prison. Alors voilà, une seringue pourrie, a-t-elle résumé avec une moue de dégoût. C'était soit ça soit il acceptait de faire des choses en échange d'un peu de dope. Je suis pas débile, je sais comment ça se passe.

— Ça a dû être dur pour ta mère.

— Carrément ! Tous les gens la montraient du doigt, la traitaient de tous les noms. J'étais trop jeune pour comprendre à l'époque, mais crois-moi, ça a duré des années. Jusqu'à ce que je sois en âge de piger. Des connards qui pensaient que comme il avait eu le sida, elle l'avait aussi. Et Jade et moi aussi. À l'école, dans la rue, les mecs nous pointaient du doigt en disant : « V'là les sœurs sida », des conneries comme ça. On a dû s'endurcir vite, Jade et moi.

— Il était chez vous quand il est mort ?

— Non, heureusement. Ça aurait été encore pire. Il est mort en prison. Ma mère a pété un câble, elle leur a dit qu'il aurait dû être relâché pour raisons de santé, mais au fond, elle avait pas le cœur à se battre. Elle aime bien protester juste pour le plaisir. Si elle l'avait eu à la maison, elle serait devenue folle. C'est Jade et moi qui nous serions occupées de lui, pas elle.

— Mais tu avais seulement six ans. Et Jade avait, quoi, huit ans ?

Elle a de nouveau esquissé un sourire amer.

— T'as grandi dans une bonne famille, non ? Quand ton père est un junkie et que ta mère est alcoolo, tu grandis vite. Ou tu grandis pas du tout. Je les ai regardés vivre et j'ai su que je voulais pas finir comme eux. Comme Jade, a-t-elle ajouté en me regardant dans les yeux. Je suis pas tombée dans *L'Aquarium* par hasard. C'était calculé.

Elle a dégagé les cheveux de son visage et pointé la poitrine en avant d'un geste faussement séducteur.

— Mais ça, on n'a pas besoin de le dire dans le bouquin, si ?

8

Je ne sais pas laquelle de nous deux a été la plus surprise par cette révélation. Elle est immédiatement revenue sur ses paroles :

— Qu'est-ce que je raconte ? Je me fais mousser, a-t-elle dit en riant. Comme si j'étais assez futée pour voir plus loin que le bout de mon nez.

Moi, je n'étais pas de cet avis. J'avais entraperçu quelque chose qui ne collait pas avec son image publique, je le savais. Bête mais avec un bon fond, voilà comment le monde la voyait. Et telle était l'histoire que j'étais bien payée pour reproduire. J'aurais pu l'écrire les yeux fermés. Ce qui rendrait la tâche plus intéressante, ce serait de découvrir une autre couche cachée sous la surface. Une couche que je ne pourrais jamais utiliser dans mon « autobiographie ». Mais les écrivains ne jettent rien. La vie intérieure secrète de Scarlett pouvait constituer le point de départ de l'œuvre de fiction que j'avais toujours rêvé d'écrire.

Pendant le reste de la journée, elle a tellement bien collé à son image que je me suis demandé si je ne me faisais pas des idées. Toutefois, quand je suis rentrée chez moi et que j'ai commencé à retranscrire notre session, j'ai nettement entendu cette étincelle, résonnant comme un coup de tonnerre au milieu du récit inintéressant de Scarlett. J'avais accumulé beaucoup de matériau sur ses premières années (et j'en laisserais pas mal de côté, pour le bien de tous), mais surtout, j'avais trouvé une raison pour m'enthousiasmer de ce projet. Je regrettais simplement de ne pas pouvoir partager ça avec Pete. Déçue, je me suis contentée de lui envoyer un texto. Mais apparemment, il était trop occupé pour répondre. Il a fini par m'envoyer un message à trois heures dix-sept, alors que je dormais ; je l'ai eu en me réveillant.

J'étais impatiente de reprendre ma conversation avec Scarlett. Je ne savais pas ce que j'allais apprendre, mais j'avais l'impression de pouvoir aller un peu plus loin afin de rendre l'histoire encore plus intéressante pour les lecteurs.

Cette fois, quand j'ai franchi le portail de l'hacienda, il n'y avait pas de place dans le garage. Une Golf noire avec une roue sur un cric, carrosserie reluisante, dorures et vitres fumées avait rejoint la décapotable. Sans doute la voiture de Joshu. N'importe qui d'autre aurait eu honte de se montrer au volant d'un véhicule aussi bling-bling. À côté d'elle était garée une sobre BMW série 5.

Je n'ai pas eu à m'interroger bien longtemps sur le propriétaire de cette dernière. Quand je suis entrée dans la cuisine, Scarlett, Joshu et George étaient debout dans la pièce, chacun dans son coin dans une posture différente : Scarlett avait les bras croisés avec dans les yeux un air de défi que je commençais à trop bien connaître. Joshu, ébouriffé, sans charme, en boxer et tee-shirt Arsenal, avait la tête penchée en avant et les mains sur les hanches. Quant à George, il était nonchalamment appuyé contre la cuisinière, la main droite soutenant son coude, la main gauche levée en l'air.

Ils m'ont à peine jeté un œil.

— Quel que soit le point de vue qu'on adopte, ça paraît une bonne idée, a dit George. Tu t'en rends bien compte, non ?

— Pas de mon point de vue, a protesté Joshu. Et mon image, mec ?

— Joshu, tu es déjà pris, aux yeux du public, a répondu George. Ce n'est pas comme si ta relation avec Scarlett était un secret d'État.

Il a tourné la tête vers moi et, sans changer de ton, a continué :

— Bonjour Stephanie, quel plaisir de te voir.

— C'est pas parce que tout le monde sait que c'est ma meuf que je fais pas qu'est-ce que je veux. Ce que tu me proposes, ça ressemble à une prison.

Même si Joshu massacrait la syntaxe, j'ai commencé à comprendre de quoi il s'agissait. Je me suis adressée à George comme l'aurait fait Lady Bracknell, dans la pièce de Wilde :

— Tu veux qu'ils se marient ?

— Je suis peut-être vieux jeu, mais elle attend son enfant.

George a décroisé les bras et s'est dirigé vers la machine à café. Scarlett a ouvert le tiroir puis elle a jeté dans sa direction le sachet de capsules. C'est tout juste si elle ne le lui a pas balancé à la figure.

— On attend ce bébé ensemble, l'a corrigé Scarlett. Et je ne vois pas pourquoi on aurait besoin de se marier pour ça.

— Ouais, on n'a pas besoin d'un morceau de papier écrit par un type, a renchéri Joshu en se grattant les couilles.

Je crois qu'il essayait d'afficher un air nonchalant.

— Je sais bien, a répondu George. Un café, Stephanie ?

— Oui merci. Je crois que j'ai pris une capsule violette hier.

— Excellent choix. Joshu, je ne pense pas une seule seconde que tu aies besoin d'un certificat de mariage pour légitimer ta relation avec Scarlett. Les paparazzis nous ont évité cette formalité, il faut bien le reconnaître. Ce que je veux dire, c'est qu'un mariage serait un acte merveilleusement rentable à moyen terme.

— Répète-moi ça ?

Joshu s'est nettoyé l'oreille du bout de l'ongle avant de mâchonner ce qu'il y avait trouvé.

— Il veut dire qu'on peut se faire du fric là-dessus, a expliqué Scarlett. C'est ça, Georgie ?

Ce dernier a souri.

— En substance, oui, ma chérie. Il faut voir ça comme un contrat professionnel. On tournera un documentaire télévisé, on demandera à un designer de confectionner les vêtements et à un traiteur de s'occuper du buffet. On vendra l'exclusivité à *Yes !* Et on mettra sur le marché un nouveau parfum spécialement pour l'occasion. Stephanie, rappelle-moi la date prévue pour la sortie du livre ?

— Un mois avant la naissance du bébé.

— Parfait, nous pourrions organiser ça à ce moment-là, a dit George avec un grand sourire tout en me tendant mon café. Ça boostera les ventes du livre.

— Quoi ? Pour que j'aie l'air d'une grosse baleine sur mes photos de mariage ? a protesté Scarlett indignée.

— Ma chérie, on va demander au meilleur styliste de te créer une robe, a répondu George. Tu seras magnifique. Personne ne verra ton ventre.

Joshu a gloussé.

— C'est pas un styliste qu'il va falloir, c'est un mur de briques pour qu'elle se cache derrière.

— La ferme ! s'est exclamée Scarlett. Sans moi, ton mariage intéresserait personne.

— Sans toi, personne me forcerait à me marier à part mes tantes.

Cette conversation me déprimait au plus haut point. Non pas que j'aie une grande foi dans l'institution du mariage. Mais s'il y a bien une chose que je crois, c'est que dans un mariage, il devrait être question d'amour. Depuis que j'étais là, personne n'avait mentionné l'amour ou l'affection. Ils n'avaient parlé du bébé que comme un rouage de la machine à faire de l'argent. Inutile d'être extralucide pour prédire que si ce mariage avait lieu, il ne durerait pas longtemps.

— Envisage ça comme une réhabilitation totale, a suggéré George. Personne ne peut t'accuser de racisme si tu épouses Joshu.

— Ah ouais, alors c'est juste à ça que je sers ? a protesté ce dernier.

Pour une fois, j'étais d'accord avec lui.

— Tais-toi, a répété Scarlett. J'ai rien à prouver là-dessus, Georgie. Si j'épouse cet abruti, ce sera pas pour sauver ma réputation auprès des gens de gauche. Mais tu as dit qu'on pouvait se faire un paquet de thunes, tu crois que ça marcherait ? Tu crois qu'on pourrait faire financer le mariage et gagner du fric en plus ?

— J'en suis certain, a confirmé George. J'ai déjà sondé quelques personnes et croyez-moi, il y a bel et bien un marché.

Stephanie, explique-leur comment, en faisant les gros titres des journaux, on peut améliorer ses ventes de livres.

J'ai jeté à George un bref coup d'œil pour lui signifier que je n'appréciais pas d'être mêlée à cette discussion sordide.

— Il a raison, ai-je admis. Faire la une permet de stimuler les ventes. Ça aide les gens à se rappeler qui vous êtes et pourquoi ils devraient s'intéresser à vous. Ça équivaut à doubler ou tripler votre budget publicité.

— Tu vois, Joshu ? a fait Scarlett avant de traverser la pièce pour le prendre dans ses bras. C'est ce qu'on devrait faire. On fera pas les gros titres pour toujours, chéri…

— Parle pour toi, a-t-il marmonné.

Elle a reculé.

— Ok, alors moi je ne ferai pas les gros titres toute ma vie, donc il faut que je me fasse du fric tant que je peux. Et Joshu, va pas t'imaginer que c'est le mariage dont j'ai toujours rêvé. Un petit peu de romantisme, ça aurait pas été mal. Mais il faut que je saisisse les occasions quand elles se présentent. Si on peut vraiment gagner de l'argent là-dessus, on devrait le faire. Ça changera rien entre nous.

— Et tu peux demander un contrat de mariage si t'as peur que cela ne se passe pas comme tu veux, a renchéri George. Cette situation n'a que des avantages, Joshu.

— Pour toi, peut-être. Mais ma famille voudra plus jamais m'adresser la parole.

— Tu les détestes ! a répondu Scarlett en s'approchant de lui pour frotter son nez contre le sien. Et qui d'autre voudrait de toi, de toute façon ?

— Je pourrais avoir l'embarras du choix, s'est-il défendu sans grande conviction.

Il lui a mis la main sur la fesse pour la rapprocher de lui.

— Oh et puis merde, pourquoi pas ? Ok, George, on va se marier. Occupe-toi de l'organisation, mais t'as intérêt à nous préparer une liste d'invités de marque et à t'arranger pour que toutes les dépenses soient prises en charge. J'ai pas envie de casquer pour un mariage.

— Je savais que tu comprendrais, a répondu George, ravi.

J'ai essayé de réprimer un haut-le-cœur.

— Il y a juste une chose, ai-je dit.

Ils se sont tous tournés vers moi d'un air interrogateur.

— Tu dois inventer une demande en mariage romantique pour les médias. Parce que normalement, c'est le futur marié qui fait la demande en mariage, pas l'agent de sa copine.

Pour la première fois, ils sont tous restés bouche bée.

La confiance, c'est la clé du métier de nègre. Les possibilités de bâtir un pont entre le client et soi sont très réduites. Certains nègres prétendent que le client n'a pas besoin de vous apprécier, le plus important est qu'il vous juge fiable. Mais je ne suis pas d'accord. À mon avis, il faut lui faire croire que vous êtes son ami.

Je suis fière de mon travail. Je veux écrire les meilleurs livres possibles. Ne vous méprenez pas, j'ai travaillé pour des individus avec lesquels je n'avais aucune affinité et je faisais tout pour que les lecteurs ne s'en rendent pas compte. Mais si vous voulez qu'ils se confient à vous, vous racontent des choses inédites, vous livrent ce qui se cache derrière leur histoire, ils doivent vous faire confiance.

Il y a plusieurs façons de vivre un trauma, ça dépend des gens. Certains ressentent le besoin irrépressible de croire en quelqu'un. En n'importe qui. Même si ce quelqu'un est payé pour sourire et leur dire qu'ils sont extraordinaires. D'autres ont la réaction inverse. C'est comme si leurs récepteurs avaient été abîmés de façon irréversible de sorte qu'ils ne peuvent plus se fier à quiconque. Au début, j'ai cru que Scarlett appartenait à cette catégorie de gens. Que malgré mes efforts, je n'arriverais jamais à construire une réelle relation avec elle. C'était frustrant, parce que ce que j'avais entrevu derrière le masque m'intriguait, sur le plan personnel et professionnel.

Mais je me trompais au sujet de Scarlett. À l'issue de nos neuf jours passés ensemble, il a semblé qu'une amitié inattendue se dessinait entre nous. Dès le départ, j'avais, comme à mon habitude, décidé de mettre mon opinion personnelle de côté, dans l'intérêt du livre. À la fin, je me suis aperçue que je l'appréciais réellement. Cela ne changeait rien à ce qu'elle était : inculte, effrontée, sans repères. Mais honnêtement, comment aurait-elle pu être différente, vu le bagage qu'elle avait ?

Scarlett était en réalité beaucoup plus futée qu'elle ne voulait bien le montrer aux caméras. Elle savait très bien qui elle était et en privé, quand personne ne la regardait, elle essayait de changer. Un matin, alors que j'étais arrivée plus tôt que prévu, je l'ai surprise à regarder une chaîne de télé consacrée à l'Histoire. Un autre jour, profitant d'un moment d'absence, j'ai parcouru son iPad et découvert qu'elle lisait un livre sur Michelle et Barack Obama. Un jour qu'il y avait eu une erreur dans les réservations de voiture, je l'ai conduite à l'aéroport de Stansted et tandis que je m'apprêtais à éteindre Radio 4, elle m'a demandé de laisser cette station. Ce n'était pas non plus une rediffusion de *Pygmalion*, mais c'était un programme intéressant.

Je l'admirais pour cela. Je respectais aussi le fait qu'elle ne se soit pas laissée détruire par son milieu. Apparemment, tous ceux auprès de qui elle avait grandi étaient drogués ou derrière les barreaux. Ou les deux. La boisson, la drogue, la violence étaient les fardeaux avec lesquels vivaient sa famille et son entourage. Scarlett avait réussi à trouver la force et la détermination pour suivre une autre voie. Même Joshu n'était pas aussi minable qu'il n'y paraissait ; je pressentais que sa bonne éducation finirait par refaire surface, une fois qu'il aurait terminé de frayer avec des voyous. J'ai un certain talent pour me mettre à la place des autres, et pourtant je n'arrivais pas à imaginer les efforts que Scarlett avait dû fournir pour fuir Leeds et l'existence misérable qui l'y attendait.

Elle avait changé de vie. C'était mon rôle de l'aider à montrer à tous (et à l'enfant à qui ce livre était destiné) la force qui se cachait sous cette apparente faiblesse.

9

Vivian McKuras ne parut pas impressionnée par le portrait de Scarlett brossé par Stephanie. Mais avant qu'elle puisse dire quoi que ce soit, son téléphone sonna.

— Je reviens, annonça-t-elle.

Elle se dirigea vers la porte sans jeter un regard à son interlocutrice.

— Abbott, dit-elle une fois hors de la pièce. Merci de me rappeler.

Elle avait donné le minimum d'informations à ses deux collègues du FBI. Même si techniquement, ils étaient plus hauts placés qu'elle, elle était bien décidée à rester à la tête de cette enquête. L'ambitieuse qui sommeillait en elle avait presque espéré que ses collègues ne lui apportent aucune aide, mais au fond, elle savait qu'elle aurait besoin d'eux pour gérer les détails pratiques. Des deux agents postés au terminal international, elle avait prié pour que ce soit Don Abbott qui réponde à son message concernant le kidnapping. Il était intelligent et dévoué, mais surtout, il réservait à Vivian exactement le même traitement qu'à ses collègues masculins.

— Qu'est-ce qu'il te faut ? demanda-t-il. Je vois que tu as lancé l'Amber Alert. Est-ce qu'il y a déjà des pistes que tu veux examiner ?

— Ce n'est pas simple.

Cela lui faisait mal de l'admettre, mais au moins elle savait qu'Abbott n'en profiterait pas pour l'humilier devant leurs autres collègues.

— Ils sont britanniques, reprit-elle. J'ai interrogé la femme qui accompagnait l'enfant. Elle a entamé une procédure pour l'adopter. Et jusqu'à maintenant, elle ne m'a rien donné qui ressemble à un mobile.

Abbott émit un grognement guttural.

— Merde. Dans ton message, tu dis que la mère biologique de l'enfant était une star de la télé-réalité. Qu'est-ce que tu penses d'un bon vieux kidnapping contre rançon ?

— C'est possible, mais dans ce cas il faut attendre que le ravisseur se manifeste, et pour l'instant personne n'a été contacté.

— Alors tu vas devoir retourner dans la salle d'interrogatoire. Essayer d'obtenir des infos plus solides. En attendant, tu veux que je vérifie les enregistrements vidéo ? Pour tenter de les voir quitter le terminal ?

— Ce serait super. La salle de contrôle s'en charge, mais je préférerais que ce soit toi qui les visionnes plutôt qu'eux. Il y a autre chose que je n'ai pas eu le temps de vérifier : ce type a dû les suivre à leur descente du premier avion. Il avait sûrement une carte d'embarquement pour un vol en partance aujourd'hui. Mais de toute évidence, il n'est pas monté dans cet avion. Alors il y a forcément un passager absent sur l'un de ces vols, et c'est sûrement notre homme.

— Je vois. Quelqu'un qui a passé le check-in et la sécurité mais ne s'est pas présenté à l'embarquement. On en a quelques-uns comme ça tous les jours. Je m'en occupe, Vivian. Je vais voir ce que je peux trouver.

— Merci, Don.

— De rien. Quand la vie d'un gamin est en jeu, on doit tous mettre les bouchées doubles.

Elle se rappelait qu'il était papa. D'une fille, âgée de deux ans de plus que Jimmy Higgins. L'enlèvement d'un enfant devait donc le motiver plus que tout.

— Oui, on met tout en œuvre. On se voit plus tard pour un compte rendu, d'accord ?

— Ok. Appelle-moi quand tu as fini d'interroger cette femme.

Dieu seul savait quand elle en aurait terminé avec ça. L'histoire de Stephanie Harker était compliquée et elle semblait encline à lui en expliquer tous les détails. Cela lui donnait sans doute l'impression de se rendre utile dans la quête du ravisseur. Vivian ne pouvait pas lui en vouloir, mais toujours était-il qu'elle avait une tâche à accomplir et que le facteur temps y jouait un rôle crucial. Aussitôt assise, elle reprit l'interrogatoire.

— Alors, que pouvez-vous me dire sur la famille de Scarlett ?

— Attendez une minute, rétorqua Stephanie. Qu'est-ce qui se passe ? Ce coup de fil, c'était au sujet de Jimmy ? Vous avez du nouveau ?

Son angoisse refaisait surface, perçant la carapace qu'elle avait essayé de se construire. Vivian retint un soupir agacé.

— Non, rien de nouveau. Je donnais simplement des informations à un de mes collègues qui suit une autre piste.

— Quelle piste ? Est-ce que quelqu'un a vu Jimmy ?

Des larmes apparurent dans ses yeux, qu'elle essuya d'un geste impatient.

— Non. Mon collègue va visionner les vidéos de télésurveillance pour retracer les mouvements du ravisseur avant l'enlèvement. Et pour voir également si l'on peut déterminer où et quand ils ont quitté l'enceinte de l'aéroport. Ça fait beaucoup de choses à vérifier. Par exemple, le ravisseur a dû montrer une pièce d'identité valide ou un faux extrêmement bien réalisé pour obtenir une carte d'embarquement et passer le contrôle de sécurité avant vous, ou en même temps.

Stephanie fronça les sourcils, contrariée par un détail pratique.

— Pas nécessairement, objecta-t-elle.

Vivian eut une réaction de surprise.

— Comment ça ? Les contrôles de sécurité sont draconiens, ici. On ne peut pas passer si l'on ne possède pas de papiers.

— Si le kidnappeur connaissait notre trajet, il n'avait pas besoin de nous suivre. Il y a plusieurs façons d'accéder à la salle d'embarquement, dans cet aéroport. Je m'en suis rendu compte l'année dernière, en revenant de Madison, où j'étais allée voir une amie. Ça m'a frappée parce que au Royaume-Uni, on ne mélange pas les départs et les arrivées. Mais ici, si on arrive d'un vol intérieur, on se retrouve pêle-mêle dans la salle des départs. Le kidnappeur aurait pu arriver de n'importe où et se changer dans les toilettes.

Elle avait raison, songea Vivian. Pourquoi avait-elle tiré si vite une conclusion erronée ? Comment Abbott et elle avaient fait pour ne pas y penser ? La réponse était qu'ils cherchaient avant tout un individu extérieur ayant déjoué les règles de sécurité. Une fois que vous aviez accédé à la salle d'embarquement, vous ne présentiez plus de danger, par définition. Vous aviez été contrôlé, fouillé et jugé admissible. Pourquoi se soucier de vous ? Stephanie Harker avait regardé ça avec les yeux d'un observateur extérieur et avait détecté une faille dans le système qui leur avait échappé. Peut-être l'interrogatoire de Stephanie allait-il permettre de régler cette affaire, finalement.

— Il faut que je passe un coup de téléphone, annonça Vivian.

Elle repoussa sa chaise et composa le numéro d'Abbott en sortant dans le couloir.

— On a été induits en erreur par l'idée que quelqu'un suivait le garçon. On n'a pas pensé aux passagers qui arrivaient, dit-elle dès qu'il décrocha. Ils viennent des quatre coins du pays et ils traversent la salle d'embarquement. On ne peut pas distinguer un passager qui arrive d'un autre qui est sur le point d'embarquer. Notre type aurait pu arriver de n'importe où.

— Merde.

— On va devoir analyser les vidéos pour savoir d'où il a bien pu venir. S'il est arrivé en avion, il aurait pu être habillé n'importe comment, mais il a dû se changer à un moment donné. Il a dû utiliser les toilettes, non ?

— Il nous faut plus de personnel, soupira Abbott.

— Va voir la salle de contrôle, dis-leur que cette affaire est prioritaire. La vie d'un enfant est peut-être en danger. Je retourne dans la salle d'interrogatoire.

— Ok, bien vu, Vivian.

Quand elle se rassit, Vivian considéra Stephanie avec davantage de respect.

— On s'en occupe, merci de nous avoir donné cette idée. Est-ce qu'on peut revenir à la famille de Scarlett Higgins ? Je me demande si elle pourrait se trouver derrière tout ça. Ils ont dû être fâchés que vous ayez la garde de l'enfant, non ? Et vous avez aussi dû recevoir de l'argent. J'imagine que Scarlett vous a laissé de l'argent, pour Jimmy.

— Ha, fit Stephanie. Si seulement. Au début, ils ont été énervés. Parce qu'ils pensaient qu'en effet, j'avais de l'argent. Mais ils se sont calmés dès qu'ils ont su que Scarlett avait légué toute sa fortune à une association caritative qu'elle avait créée au moment où elle avait appris qu'elle avait un cancer. J'ai eu la garde de l'enfant, mais je n'ai pas reçu d'argent.

— Jimmy n'a pas hérité ? Elle vous a bien laissé de quoi vous occuper de lui, payer les factures ?

Stephanie secoua la tête.

— Pas un centime.

Elle esquissa un sourire amer.

— C'est très bizarre.

— Je ne vous le fais pas dire. Sa théorie était la suivante : elle est partie de rien et c'est ça qui l'a poussée à faire quelque chose de sa vie. Elle ne croyait pas que c'était bon pour les enfants d'être pourris gâtés.

Vivian ne savait pas si elle trouvait cela impressionnant ou atterrant.

— Alors sa famille ne s'intéressait pas du tout à l'enfant ?

— Sa mère est alcoolique et sa sœur junkie avec un enfant déjà pris en charge par les services sociaux. Même si elles avaient connu Jimmy (et ce n'était pas le cas) aucun juge sain d'esprit ne les aurait laissées s'approcher de lui.

Vivian secoua la tête.

— Ça ne signifie pas qu'elles n'en voulaient pas. Les liens du sang sont très forts, après tout.

— Dans la famille Higgins, c'est l'argent qui est plus fort que tout. Et puisqu'il n'était pas question d'argent, elles se fichaient pas mal de Jimmy.

— Comment se fait-il qu'on vous l'ait confié, à vous ? Est-ce que vous voulez me faire croire que sa meilleure amie au monde, c'était son nègre ?

106

Vivian essaya de dissimuler son incrédulité mais c'était difficile. Elle avait du mal à imaginer comment on pouvait en arriver là et avoir pour meilleure amie la personne payée pour dresser un portrait de vous le plus flatteur possible. Stephanie haussa les épaules.

— On peut le voir comme ça. Mais on peut aussi considérer que nous sommes devenues amies il y a cinq ans, quand j'ai écrit le premier livre de Scarlett. Ni elle ni moi ne nous attendions à ça. Mais on s'est bien entendues et cette entente a continué. Elle était différente de son image publique. Je ne suis pas fière d'avouer que le portrait que j'ai fait d'elle n'était pas fidèle à la réalité, mais pour tout un tas de raisons, essentiellement économiques, c'est le cas et ni elle ni moi ne l'avons regretté. Quand elle a su qu'elle allait mourir, c'est à moi qu'elle a choisi de confier son fils, ajouta-t-elle en ravalant ses larmes. Apparemment, elle a commis une sacrée erreur.

— Ce n'est pas votre faute, dit Vivian.

La colère s'empara subitement de Stephanie.

— Bien sûr que si ! Il était sous ma responsabilité. Et maintenant, il a disparu. Scarlett m'a fait confiance. Jimmy aussi. J'ai déçu tout le monde. Si quelque chose lui arrive, s'il ne revient pas sain et sauf...

Son visage se décomposa tandis qu'elle imaginait le pire.

— Nous allons le retrouver, lui assura Vivian.

Elle s'en voulait de lui donner de faux espoirs, mais elle devait tout faire pour que Stephanie reste de son côté. Elle devait continuer d'en apprendre davantage sur sa vie et découvrir peut-être la raison de tout cela.

— J'accepte ce que vous dites au sujet de votre amitié avec elle. Même si, franchement, c'est difficile à imaginer. Mais comment se fait-il que soyez devenues proches au point qu'elle vous confie Jimmy ?

10

Un nègre littéraire est un hypocrite professionnel. À force de corrections, nous transformons la personne en face de nous en celle qu'elle veut montrer au reste du monde. Nous sommes les chirurgiens esthétiques de l'image. Nous développons un talent pour reconnaître ce qui devrait être tu. Je demande en général à mes clients si cela les gênerait que leur mère ou leur enfant lise certains passages qui me semblent osés ou vindicatifs. Et quand j'écris sur des abus sexuels, je garde toujours en mémoire qu'il y a parmi les lecteurs des tordus qui recherchent ce genre de textes uniquement parce que ça les excite. Je prends donc soin de ne jamais inclure de descriptions explicites ou trop de détails montrant comment on peut utiliser les enfants à des fins d'exploitation sexuelle. Mon travail ne consiste pas à rédiger un manuel pour pédophiles.

Malgré mon expérience dans l'art de créer une fiction centrale qui forme la colonne vertébrale de mes « autobiographies », *Plonger vers la gloire* s'est avéré l'un de mes plus grands challenges. La raison, je crois, c'était que Scarlett m'a posé un problème que je n'avais jamais rencontré auparavant. D'habitude, ce que je laisse de côté, ce sont les détails les moins flatteurs pour mon client. Par exemple, quand j'ai écrit le livre d'un champion de billard qui avait vaincu le cancer, le cœur du livre était sa relation avec son épouse, qui lui avait donné la force de continuer. Le champion et son agent m'ont dit immédiatement, avant que j'aie pu faire quoi que ce soit, qu'ils ne voulaient pas que le public soit au courant des prostituées et de la drogue qui avaient, en réalité, constitué les coulisses de sa carrière.

J'ai appris à écrire des livres qui fournissent des scoops aux journaux pendant un certain temps sans que mon client ne devienne pour autant un paria dans sa propre vie. Ce que je cachais de l'existence de Scarlett lui aurait sans doute causé quelques problèmes, mais ce n'était pas des secrets honteux ni nuisibles à quiconque. En dehors de Joshu, qu'elle aimait aveuglément, la vérité, c'était que Scarlett était plus intelligente, plus astucieuse et beaucoup plus sensible qu'aucun téléspectateur ou lecteur de tabloïds n'aurait pu l'imaginer. J'avais moi-même eu du mal à le croire au début, mais j'avais dû finir par admettre que la Scarlett que le monde connaissait était une création tout aussi artificielle que le visage de Michael Jackson.

Je n'arrivais pas à croire qu'elle ait réussi à dissimuler ça pendant aussi longtemps. C'est seulement pendant le septième ou huitième jour de nos entretiens que j'ai abordé le sujet.

— Tu es beaucoup plus intelligente que tu ne le laisses croire, ai-je commenté.

C'était la fin de l'après-midi et nous étions confortablement installées dans les canapés. Nous étions en train de parler de la malheureuse deuxième saison de *L'Aquarium*, et clairement, Scarlett rechignait à évoquer les horreurs qu'elle avait dites à Danny Williams.

— Écoute, j'ai dit ce que j'ai dit, on n'a pas besoin de revenir là-dessus, s'était-elle défendue. C'est sur YouTube pour toujours.

— YouTube ne me dit pas ce qui t'est passé par la tête.

Elle a détourné le regard.

— Qu'est-ce que tu veux que je te dise ? Que j'avais perdu la tête ? Que je ne savais pas ce que je racontais ?

Elle s'est redressée dans un mouvement d'impatience.

— J'ai dit un truc que je ne crois même pas. J'étais mal depuis des jours. Je pensais à toutes sortes de choses déprimantes. Maintenant, je sais que c'est parce que j'étais enceinte et que mes hormones me jouaient des tours, mais à ce moment-là, j'ai été la première choquée en entendant ces mots sortir de ma bouche. Ça ira comme ça ?

C'est à ce moment-là que j'ai brisé toutes les règles et franchi la limite de l'accord tacite entre le client et son nègre. Je ne suis pas une journaliste d'investigation. Ce n'est pas à moi de remettre en question ce que mon interlocuteur me dit. Sauf si ses révélations dénotent complètement avec les faits connus de tous, mais en dehors de ça, je suis censée tout gober. Parfois j'ai l'impression d'être un python face à un bus à deux étages ; c'est surprenant ce que les clients peuvent nous faire avaler. Les rares fois où j'ai dû indiquer à un client que ses souvenirs ne collaient pas vraiment avec ceux du reste du monde, j'ai dû prendre des pincettes. C'est une opération délicate, parce qu'une fois qu'on a révélé un mensonge, tout le reste se détricote.

Avec Scarlett, toutefois, je n'ai pas pu m'en empêcher. Durant nos trois semaines de conversation, j'ai développé une grande affection pour elle. Je reste généralement en bons termes avec les gens sur qui j'écris, mais cette fois, j'avais l'impression que nous allions réellement devenir amies. Si ça devait arriver, il fallait faire tomber les masques. Je n'écrirai jamais la vérité, évidemment. Mais je voulais la connaître. Alors je lui ai dit :

— Tu es beaucoup plus intelligente que tu ne le laisses croire. Les hormones n'avaient rien à voir avec tout ça, n'est-ce pas ?

Elle a lentement esquissé un sourire qui voulait tout dire.

— Je ne vois pas de quoi tu parles, a-t-elle répondu en pointant le doigt vers mon petit dictaphone.

Je savais ce que cela signifiait. Je n'aime pas les discussions officieuses. Elles peuvent vous mettre dans une situation délicate. Je me souviens d'un homme d'une cinquantaine d'années qui avait subi des abus sexuels pendant son enfance chez les frères chrétiens et qui m'a demandé d'arrêter l'enregistrement pour me confier que son mariage n'était qu'une couverture et qu'en réalité, il avait une liaison avec le prêtre de leur paroisse. Le même prêtre qui menait une campagne pour dénoncer les membres de son église ayant abusé d'enfants. Ce jour-là, j'ai regretté de ne pas pouvoir remonter dans le temps pour revenir à une époque où j'ignorais tout ça.

Éteindre le dictaphone était donc pour moi signe de grande confiance. De toute façon, j'allais devoir le faire tôt ou tard si je voulais devenir amie avec Scarlett.

Je l'ai éteint.

Nous sommes restées un moment silencieuses, les yeux rivés sur le dictaphone. Puis Scarlett s'est éclairci la voix.

— Tu as raison. C'était calculé. Je savais que j'étais enceinte quand je suis retournée sur Foutra. Et je savais que cette deuxième saison était une occasion pour moi de passer à la vitesse supérieure. Je n'aurais qu'une seule chance d'annoncer ma grossesse, alors autant faire le plus de bruit possible. Je crois que j'ai réussi mon coup, a-t-elle ajouté en me faisant un clin d'œil.

J'ai éclaté de rire.

— Tu m'as bien eue ! Et pourtant je ne suis pas facile à berner. Ça montre que tu as vraiment réussi. Tu avais tout prévu, depuis le début ?

— Depuis le tout début, a-t-elle répondu en s'allongeant dans le canapé. Steph, ça fait du bien de pouvoir en parler. J'ai dû garder tout ça pour moi, c'était fatigant à la longue.

Et là, elle m'a tout raconté. L'idée bizarre et tordue d'une femme qui n'avait pas d'avenir, pas de qualifications et qui était promise à une vie minable dont elle ne voulait pas.

— Je me rappelle quand *Big Brother* a commencé. J'étais trop jeune pour postuler, mais je voyais bien que ça pouvait être une porte de sortie pour quelqu'un comme moi. Quelqu'un qui avait une vie de merde.

— Et de la jugeote. C'est ça qui a fait la différence, non ?

— Oui, je crois. J'ai jamais été bonne à l'école, surtout parce que les profs avaient déjà décidé que j'étais nulle avant même que j'entre dans la classe. Mais je me suis dit que si je pouvais participer à ce genre d'émissions, je pouvais peut-être jouer le jeu et m'en sortir. J'ai étudié ça comme si c'était des maths ou de l'histoire. J'aurais pu participer à *Mastermind* et prendre comme sujet de spécialité « les émissions de téléréalité ». Bon, évidemment, je me serais plantée sur la culture générale, a-t-elle ajouté en gloussant.

Elle avait passé trois auditions avant d'être sélectionnée pour *L'Aquarium.*

— J'ai dû vraiment jouer les débiles, a-t-elle expliqué en levant les yeux au ciel. T'imagines pas à quel point les gens qui se présentent à ces trucs-là sont bêtes. Ils connaissent rien à rien. Pas étonnant que les chaînes de télé adorent ce genre d'émissions. Ils peuvent exploiter les candidats autant qu'ils veulent, ils ne s'en rendent même pas compte.

— Alors tu as joué un rôle pendant tout ce temps ?

— De A à Z. Tu te rappelles cette soirée, pendant la première saison, quand j'ai picolé et dansé toute nue sur la table ?

J'ai frissonné. C'était inoubliable et seulement pour de mauvaises raisons.

— Oh oui.

Scarlett a éclaté de rire.

— Je sais, c'était insupportable à regarder. Mais ça a fait les gros titres des journaux. J'étais pas du tout ivre, tu sais. J'ai fait semblant, j'étais complètement sobre. Je les ai tous eus, Steph. Et regarde où j'en suis aujourd'hui : j'ai une maison à moi et un compte en banque bien rempli. Tu vas m'écrire un best-seller. Et mon bébé va avoir un papa.

— Et Joshu ? Il est un élément de la mascarade, lui aussi ?

Elle a eu l'air scandalisé.

— Bien sûr que non ! Je suis pas aussi cruelle que ça. Je pourrais pas jouer avec les sentiments de quelqu'un. J'aime Joshu et il m'aime aussi.

Je n'étais pas très sûre que cet amour soit réciproque. Surtout si Joshu s'était rendu compte que la femme de sa vie était sept fois plus intelligente que lui.

— Tant que tu es heureuse, c'est ce qui compte. Je dois te féliciter, Scarlett. Tu as fait un très beau travail. Quand je te voyais à la télé, je n'imaginais pas que tu puisses être autre chose qu'une gentille bimbo un peu nunuche.

Scarlett s'est penchée en avant pour me taper dans la main.

— Bravo à toi, Steph. Tu es la seule à m'avoir captée. Tous les gens du métier, les producteurs télé, les gens qui créent des marques à mon nom, ils pensent que je suis débile alors ils me prennent de haut et négocient tout avec Georgie. Et heureusement pour lui, Georgie est comme eux. Il s'était fait une idée sur moi avant même de m'avoir rencontrée. Il croit connaître mes limites et il agit en fonction de ça. Il ne me regarde jamais et il ne m'écoute pas. Il fait seulement attention à la surface. C'est en partie pour ça que je l'ai choisi. Et parce qu'il a la réputation d'être honnête. Faut voir les choses en face, si t'es censée être débile, autant choisir un agent qui va bosser pour toi et pas te faire les poches.

Je devais reconnaître qu'elle s'était bien débrouillée.

— Mais tu n'en as pas marre, à la longue ? De faire toujours semblant ?

— Si, parfois. Être enceinte, ça m'a rendu service. J'étais fatiguée de devoir sortir faire la fête trois ou quatre fois par semaine. Mais maintenant, je suis censée donner le bon exemple et rester à la maison. Me coucher tôt, arrêter de boire et de fumer. Parce que je sais qu'il y a des tonnes de journalistes qui donneraient leur bras droit pour me prendre en flagrant délit et montrer que je suis une future mère indigne. T'imagines pas comment ils sont. Dès que je quitte la maison, ils me suivent à la trace. Quand je vais au supermarché, ils prennent mes courses en photo. Si je vais déjeuner au resto et que je discute avec le gars qui s'occupe du parking, ils lui tombent dessus pour savoir ce que je lui ai dit. J'ai aucune intimité sauf ici, dans ces murs. Ils attendent tous que je me vautre devant un club un soir, enceinte de six mois. Et je pourrai jamais refaire ma réputation après ça. Alors je dois jouer les filles tristes devant Joshu et lui dire que je peux pas sortir et le regarder faire son show dans toute la ville.

— Faire son show ?

— Ouais, ses soirées de DJ, quoi. Il prend ça vraiment au sérieux. Il a un petit studio, à l'arrière de la maison, il s'enferme là-dedans pendant des jours entiers pour mixer des trucs. Il s'en sort bien, tu sais. Il commence à décrocher des bons contrats.

— C'est peut-être lié au fait qu'il sorte avec toi, non ?

Scarlett m'a jeté un regard noir.

113

— Peut-être que ça a aidé un peu, mais il est vraiment bon, tu sais.

— Même quand il est défoncé ?

De nouveau, elle est montée sur ses grands chevaux.

— Qu'est-ce que tu racontes ?

— La moitié du temps, il est complètement défoncé, Scarlett. Tu as trop fréquenté les drogués pour ne pas le remarquer.

— Il prend de la drogue, et alors ? C'est pas un junkie pour autant. Il aime bien s'amuser. Ça veut pas dire qu'il est accro.

Ce n'était ni le lieu ni le moment pour expliquer à Scarlett que je ne laisserais jamais Joshu s'approcher de mon enfant, avec sa drogue et ses faux pistolets. Mais j'avais dit ce que j'avais à dire. Si on devenait amies, autant qu'elle sache ce que je pensais. Au moins maintenant, elle voyait que j'étais honnête avec elle, même si ce que j'avais à dire ne lui plaisait pas.

Ce jour-là, nous avons franchi une étape. Je regrette de ne pas avoir pu anticiper les suivantes.

11

Une fois que j'ai terminé les interviews, je ne revois généralement pas mes clients avant d'avoir rédigé le premier jet. Si j'ai des questions, je les contacte par e-mail ou par téléphone. Avec Scarlett, c'était différent. Cinq jours après la fin de nos entrevues, elle m'a envoyé un texto disant qu'elle était en ville et demandant si elle pouvait passer chez moi.

Je ne laisse jamais mes clients entrer dans ma vie. Ils ne connaissent pas mon adresse, ils ne viennent pas chez moi. Ce sont des contacts professionnels et ils restent dans cette sphère. Mais Scarlett avait baissé sa garde pour me laisser pénétrer dans son intimité. Faire de même avec elle était la moindre des choses. Je lui ai donc envoyé mon adresse avant de mettre une bouteille d'eau minérale au freezer.

Elle est arrivée au volant de sa Mazda rouge. Ma maison était située au bout d'une rangée mitoyenne de brique jaune, dans un coin pas très aisé de Hackney. Cette voiture jurait comme un cornichon sur un gâteau à la crème, mais Scarlett avait eu la bonne idée de se cacher sous une capuche et de mettre des lunettes de soleil. Pas des grosses montures voyantes, simplement une paire de lunettes banales qui lui camouflaient une partie du visage. Elle s'est avancée vers ma porte d'entrée sans attirer l'attention.

Une fois à l'intérieur, elle n'a pas caché sa curiosité. Pendant que je préparais le thé, elle a fureté au rez-de-chaussée, a passé en revue la collection de CD, les livres, les photos sur les murs.

— C'est joli, a-t-elle commenté.

Elle est revenue vers la table en pin brossé située à l'extrémité de la grande pièce ouverte, laissant derrière elle un effluve de Scarlett Smile, la douce fragrance florale créée pour elle par un parfumeur.

— Différent de chez toi, ai-je dit en versant l'eau bouillante dans les mugs et en remuant les sachets de thé.

— Pour tout te dire, je savais pas comment c'était quand j'ai acheté. La moitié de la déco vient du mec qui possédait la baraque avant. Le reste, c'est Georgie qui s'en est occupé. Chez moi, personne avait de « déco », a-t-elle dit en esquissant les guillemets avec les doigts. Ils mettaient juste un peu de peinture sur les murs. Ou du papier peint acheté au supermarché. Alors j'apprends petit à petit. Mais ici, c'est différent.

Elle a indiqué mes murs peints en jaune, mon parquet orné de tapis de jute aux rayures bleu et blanc, les étagères et les placards en bois clair.

— Ça me plaît. Je pourrais habiter ici. J'aime bien entrer chez les gens et voir ce qu'ils ont choisi. J'arrête pas d'apprendre, Steph. Je commence à me familiariser avec les trucs qui sont acquis depuis toujours pour les gens comme toi.

Je n'avais jamais réellement pris conscience que les gens comme elle passaient à côté de ces choses-là. Je ne suis pas snob, ce n'est pas ça. Mon père est employé chez un assureur et ma mère secrétaire dans une école primaire. Mais Scarlett, elle, faisait partie des enfants illégitimes de Thatcher, la sous-classe sans emploi. Nous autres, nous sommes trop occupés à nous moquer d'eux, leur faire la leçon ou les juger pour se demander pourquoi des gens subitement projetés dans la célébrité ont aussi mauvais goût. Quand on prend le temps de se poser la question, la réponse s'avère gênante.

Scarlett a détendu l'atmosphère en demandant :

— T'as des biscuits ? Je crève de faim.

J'ai trouvé la fin d'un paquet de biscuits que Pete avait ouvert la veille au soir.

— Tu as de la chance. D'habitude je n'en ai pas à la maison. C'est trop tentant quand je travaille ici.

— Où est-ce que tu travailles ? a-t-elle demandé en jetant un coup d'œil autour d'elle comme si elle avait manqué quelque chose.

— J'ai aménagé le grenier il y a cinq ans. J'ai un bureau là-haut.

Elle a pris sa tasse de thé et s'est assise en étirant les jambes sous la table comme si elle était chez elle.

— Tu vis ici toute seule ?

— La plupart du temps. Mon copain vient souvent, mais on ne vit pas ensemble.

— Pourquoi ?

Elle a remué le sucre dans son thé en souriant pour adoucir sa question.

— Je ne sais pas trop, à vrai dire, ai-je répondu en souriant. J'avais déjà réfléchi à cette question.

— Je crois que j'aime avoir mon espace. J'ai longtemps vécu seule et je ne veux pas abandonner ça.

— On dirait que tu l'aimes pas.

J'ai émis un petit rire mal à l'aise.

— C'est ce qu'il dit. Mais ce n'est pas vrai. On peut aimer quelqu'un sans avoir envie de passer chaque minute de sa vie avec lui. Comme Joshu et toi. Il t'aime, mais il aime aussi avoir la liberté de faire ce qui l'intéresse. Je suis un peu comme ça. Mais mon copain, Pete, il aimerait bien qu'on vive ensemble et que j'arrête de travailler pour me consacrer à lui. Et je n'ai aucune envie de ça.

Scarlett a fait une grimace.

— T'as raison. Je vois ce que tu veux dire, quand tu parles d'avoir ton espace. J'imagine que si Joshu était là vingt-quatre heures sur vingt-quatre, je deviendrais cinglée. Déjà que ça va être bizarre quand le bébé va arriver.

— Comment tu te sens, à ce propos ?

— Plutôt zen, en fait. J'ai vu tellement de gens faire n'importe quoi avec leurs gamins que je suis devenue la plus grande experte sur le sujet. Je sais tout ce qu'il ne faut pas faire. Je serai une bonne mère. Je vais l'élever comme il faut. Et rien ne pourra m'arrêter.

Je l'ai crue.

Elle a plongé la main dans son sac pour en sortir un tas de pages froissées arrachées à des catalogues puis les a étalées sur la table.

— C'est le lit de bébé que je vais acheter, a-t-elle dit en défroissant une photo aux couleurs vives et en la poussant vers moi.

Tandis qu'elle me montrait ses achats, j'ai pris conscience qu'elle n'avait sans doute personne d'autre avec qui faire ça. Les filles avec qui elle sortait en boîte s'en fichaient, Joshu ne semblait pas très intéressé par les détails pratiques de leur vie de parents et elle n'avait pas de figure maternelle à qui se confier. J'étais ce qui ressemblait le plus à une tante ou à une grande sœur, pour elle. Je ne pouvais pas m'empêcher de penser que si j'étais la réponse à ses questionnements c'est parce qu'elle s'y prenait mal puisque je n'avais absolument pas d'instinct maternel.

Néanmoins, son enthousiasme était communicatif et malgré moi, j'ai participé à la conversation sur les poussettes et les sièges auto. On était en train de comparer les mobiles à installer sur les berceaux quand l'alarme du téléphone de Scarlett a retenti. Elle a commencé à rassembler ses papiers.

— Merde, il faut que j'y aille. Je présente une collection de vêtements de grossesse à un truc de charité à Knightsbridge. La mère pouilleuse va rencontrer les jolies mamans.

Elle a fourré ses affaires dans son sac.

— C'était super, j'ai passé un vachement bon moment, a-t-elle dit une fois debout en posant la main sur le bas de son dos. Ah, foutu dos. Ça devient de plus en plus difficile. Je pourrai revenir une autre fois ?

On a échangé une bise.

— Bien sûr.

Nous étions dans le couloir à discuter de la date de notre prochain rendez-vous quand la porte d'entrée s'est ouverte. Pete a fait un pas avant de s'arrêter net. Son visage n'a rien laissé transparaître. Ce n'était jamais bon signe. Scarlett a reculé et j'ai réussi à faire les présentations dans le couloir étroit. Pete s'est contenté de grogner, mais Scarlett ne s'est aperçue de rien ou alors elle s'en fichait.

— Tu as trouvé la perle rare, lui a-t-elle dit en se faufilant jusqu'à la porte. Prends soin d'elle. À la prochaine, Steph.

Sur ce, elle est partie en ne laissant plus qu'une fragrance de Scarlett Smile derrière elle.

Autant dire que Pete n'était pas très content de ma nouvelle amie. Il ne comprenait pas que je puisse me lier d'amitié avec quelqu'un sur qui j'avais écrit. Non, ce n'est pas exactement ça. Si ça avait été un homme politique, ou une personnalité dotée d'un certain statut et d'un certain pouvoir, il n'aurait rien trouvé à redire. Mais il ne voyait que Scarlett la pétasse, et tout ce qui allait avec cette image.

— Les gens nous jugent en fonction des amis qu'on fréquente, m'a-t-il expliqué patiemment comme si j'étais une enfant. Je n'ai pas envie qu'ils se fassent de fausses idées parce que tu as décidé d'être amie avec elle. Tout le monde sait qu'elle est raciste, homophobe et bête comme ses pieds.

— Et ils se trompent. Elle n'est pas comme ça. Elle a simplement choisi de donner cette image.

Il a esquissé un geste de la main.

— Peu importe, s'ils se trompent ou non. Ce qui compte, c'est comment ils la voient. Tout le monde pense que c'est une conne. Et ça devrait suffire à te faire garder tes distances. Tu n'as rien de commun avec elle, Stephanie.

— Je l'aime bien.

— Et moi j'aime bien Reginald D. Hunter, mais j'ai pas envie de le recevoir chez moi.

— C'est qui le raciste, maintenant ? ai-je rétorqué en essayant de garder un ton badin que Pete n'a pas relevé.

— N'essaie pas de faire la maligne, a-t-il lancé en se dirigeant vers le frigo pour prendre une bière. C'est pour ton bien que je dis ça.

Je savais que c'était un mensonge. Il ne pensait qu'à lui en disant ça. Il avait peur que les gens le jugent à cause de mes fréquentations. Mais je n'avais pas envie d'en faire tout un plat ; ça allait se terminer en dispute et j'avais horreur de voir la douleur dans ses yeux quand il était contrarié.

— Je ferai en sorte que tu ne la croises plus à l'avenir, ai-je conclu.

De toute évidence, ce n'était pas suffisant.

— Le meilleur moyen pour ça, c'est que tu ne l'invites plus ici, a-t-il marmonné en s'installant dans le canapé avec la télécommande. Qu'est-ce qu'on mange ?

— Je ne savais pas que tu venais. Je vais faire des spaghetti carbonara.

— Ça fera l'affaire, a-t-il grogné. Viens me faire un câlin avant de te mettre en cuisine. Ça a été long et fatigant de mixer cet album.

On en est restés là. Rétrospectivement, je me demande si pour lui, cela signifiait que j'avais accepté de ne plus voir Scarlett. Je n'avais pas imaginé qu'il puisse me connaître aussi mal.

12

Pendant que je travaillais sur le premier jet, Scarlett et moi nous sommes vues une ou deux fois par semaine. La plupart du temps, on se retrouvait pour déjeuner en ville, mais elle est revenue chez moi à deux reprises. À ce stade, nous savions toutes les deux qu'on allait rester amies. Mais nous avions également des affaires à régler. Les préparatifs du mariage allaient bon train et incluaient la vente exclusive de certains scoops. Même si Georgie avait argué (à très juste titre, d'ailleurs) que je n'étais pas journaliste, Scarlett avait refusé de se confier à quelqu'un d'autre que moi. Donc, en plus de finaliser le livre, je devais écrire un article de magazine et une page spéciale pour un journal au sujet de ce fichu mariage.

C'était un calvaire. Ni Scarlett, ni Joshu n'avaient envie de parler de leur amour, leur mariage, la vie conjugale qui les attendait ni du fait de devenir parents. J'ai fini par me déplacer jusqu'à l'hacienda à un moment où j'étais sûre de les y trouver tous les deux. Je les ai réunis dans le salon à l'ambiance western, où je les ai forcés à me parler de façon à ce que je puisse pondre un article.

Pendant que je jouais les journalistes, Scarlett lisait la première ébauche du livre. Il ne nous restait plus beaucoup de temps puisque Stellar Books voulait le publier au moment du mariage. Heureusement, Scarlett a aimé ce que j'avais écrit et m'a demandé de faire seulement quelques petites modifications, quand j'avais mal compris ce qu'elle essayait de me dire sous son masque de Scarlett la pétasse. Quelques jours avant le mariage, le livre était chez l'imprimeur et les articles remis aux journaux. J'avais rempli mon contrat sur le plan professionnel.

Il ne restait plus qu'à gérer le plan personnel. J'avais reçu une invitation au mariage, pour Pete et moi. J'avais hésité à lui en parler. Il allait sûrement travailler ce jour-là. Et de toute façon, il ne voudrait pas venir. Finalement, j'ai décidé de ne pas lui en parler. J'ai bien conscience d'avoir choisi la voie de la facilité, mais j'avais envie de profiter de cette journée sans ressentir de culpabilité. Je savais qu'il y aurait beaucoup de photos dans la presse, mais il serait sans doute possible d'échapper aux flashs. Personne ne s'intéresserait à moi alors qu'il y avait toute une brochette de célébrités de second rang.

Les heureux mariés étaient sur leur trente et un. La robe de Scarlett était une véritable œuvre d'art. Bien qu'elle soit enceinte de plus de huit mois, la robe de soie ivoire était tellement bien coupée et conçue que sa grossesse se voyait à peine. Elle portait sur la tête de la dentelle mêlée de fils d'or, telle une madone digne du magazine *Yes !* Joshu s'était fait beau, lui aussi. Son costume lui allait parfaitement bien, ses cheveux étaient soigneusement coiffés et il n'avait pas l'air d'avoir pris de drogue. J'aurais bien aimé que sa famille soit là pour le voir. Cela dit, puisqu'il était convaincu que sa mère ne serait pas contente tant qu'elle ne verrait pas Scarlett ivre morte dans la rue, mieux valait qu'elle garde ses distances.

La cérémonie elle-même s'est avérée très sobre. Ils avaient choisi un service laïque avec une dimension spirituelle. La lecture des textes était réellement émouvante, la musique n'était pas mixée ou samplée par Joshu, et comme c'était le matin, avant que la plupart des invités ne se mettent à boire, personne ne s'est ridiculisé en public. J'étais ébahie, les médias, eux, déçus.

À la fin de la soirée, la salle de réception de l'hôtel n'était pas saccagée, même si la majorité des invités étaient bourrés. Y compris le marié. Scarlett avait passé la plus grande partie de la soirée étendue sur une banquette, un coussin coincé derrière le dos. Elle avait fait bonne figure et embrassé tous ceux qui étaient venus poser pour une photo avec elle. Mais je voyais bien qu'elle commençait à fatiguer.

J'ai trouvé Joshu au bar entouré de son troupeau de copains. Sa cravate était dénouée, sa veste posée sur une chaise et ses cheveux collés sur son front par la sueur. Il était l'image même de la débauche. Il ne fallait pas compter sur lui pour soulager sa femme des parasites qui lui adressaient la parole. Je l'ai laissé s'amuser en me demandant si cela donnerait lieu à la première d'une longue série de disputes conjugales. Au moins, il ne gâcherait pas la lune de miel.

Puisqu'il n'y en aurait pas.

Enfin, pas pour le moment, du moins. La grossesse de Scarlett était tellement avancée qu'aucune compagnie aérienne ne voulait prendre le risque de l'admettre à bord. Et ni elle ni Joshu ne pouvaient concevoir de lune de miel sans transport aérien intercontinental. Ils avaient donc prévu de passer quelques jours tranquillement chez eux. La lune de miel allait attendre que le bébé soit en âge de voyager jusqu'aux Maldives. Joshu n'était donc pas strictement nécessaire, à ce moment-là de la soirée.

Mon deuxième choix se portait sur George, mais je n'arrivais pas à mettre la main sur lui. J'ai fini par trouver Carla, son assistante. Elle était ivre et occupée à cirer les bottes d'une sous-star de série télé, mais elle s'en est détournée le temps de m'apprendre que George était rentré quelques heures plus tôt. Elle avait toutefois les coordonnées de la voiture de location censée ramener les jeunes mariés chez eux.

J'ai appelé le chauffeur pour lui demander de nous attendre à l'extérieur dans cinq minutes. Je me suis assise à côté de Scarlett et lui ai murmuré à l'oreille :

— Je crois que tu vas bientôt te transformer en citrouille. J'ai appelé ton chauffeur.

Elle a tourné la tête pour me faire une bise.

— Je t'aime, Steph. Allez, viens. Puisque mon mari ne me sert à rien, tu ferais mieux de me tenir compagnie.

— Je n'ai pas prévu de...

— Oh, allez, Steph ! C'est ma soirée de noces et je peux même pas boire ! Tu pourrais au moins rentrer à la maison avec moi pour qu'on rigole un peu.

Elle a fait une petite mine pitoyable en couinant comme un chiot.

Voilà comment Scarlett a faussé compagnie à ses invités avec son nègre. On a ricané pendant tout le trajet de retour vers l'Essex, en persiflant joyeusement sur les invités, leurs tenues et les attitudes les plus extravagantes dont nous avions été témoins. Mais quand nous sommes arrivées à l'hacienda, Scarlett était au bout du rouleau. Elle a eu le plus grand mal à s'extraire de la limousine et sous l'éclairage des lumières de sécurité, elle paraissait fatiguée et fragile. Elle a passé le bras autour de ma taille pour se soutenir et nous avons avancé vers la maison, tant bien que mal. J'ai essayé de la mettre directement au lit, mais elle a protesté et s'est écroulée sur l'un des canapés.

— Il faut que j'enlève cette foutue robe, mais j'ai trop la flemme, a-t-elle gémi.

Je suis allée à la cuisine nous préparer du thé. Quand je suis revenue, elle s'était débarrassée de sa robe et ne portait plus que sa combinaison de soie. Elle était mi-assise mi-couchée sur le canapé, son ventre tirant le tissu satiné.

— Quelle journée, a-t-elle lâché en soupirant.

Elle a levé la main vers la lumière pour admirer la grosse bague en or passée à son doigt.

— Mme Patel, a-t-elle dit en rigolant. Je suis sûre que ça leur plairait, à Holbeck.

— Holbeck ?

— Le tiers-monde de Leeds. Là où j'ai grandi. Où la moitié de la population est indienne et l'autre moitié pense que le Parti national britannique est trop à gauche. Tu sais quoi ? Je crois que je vais garder mon nom.

— Ta famille t'a manqué, aujourd'hui ?

— Non. Est-ce que je t'ai dit que ma mère a essayé d'entrer en contact avec moi ? La nouvelle du mariage a dû parvenir jusqu'à ses oreilles d'alcoolique. Ou alors c'est ma sœur qui l'a forcée à m'appeler. En pensant qu'il y avait peut-être moyen de se faire du blé. Heureusement, le seul numéro qu'elle a, c'est celui de Georgie. Dans les moments critiques, rien ne vaut d'avoir un aristo dans son camp. Ils savent comment foutre les jetons aux classes inférieures. Il l'a menacée comme il faut. Il lui a dit qu'il allait lui mettre les flics au cul et tout. Alors elle a fait marche arrière. Et je suis bien contente. J'aurais passé toute la journée à me demander quand ça allait déraper.

J'ai bâillé.

— Bon, ai-je dit en me levant. Maintenant je rentre.

— Oh non, Steph, a-t-elle protesté en se redressant. Tu peux pas me laisser seule le soir de mon mariage. C'est pas bien.

J'ai ri.

— Tu imagines ce que les journaux à scandale diraient de ça ? « Scarlett la pétasse passe la nuit avec son nègre. » Non, il faut que j'y aille.

— Sérieusement, Steph. Je veux pas être toute seule dans la maison cette nuit.

Tout à coup, la légèreté avait disparu. Scarlett était tout à fait sérieuse.

— Je me sens crevée et j'ai pas envie de rester toute seule.

Je voyais qu'elle ne plaisantait pas. Je n'avais pas très envie de passer la nuit dans l'Essex, mais je ne voulais pas non plus la laisser tomber. C'était typique de ce branleur de Joshu : il la laissait seule pendant leur nuit de noces parce qu'il était trop occupé à jouer les DJ avec ses potes.

— Je vais renvoyer la voiture, alors, ai-je dit le plus gentiment possible.

Nous nous sommes souhaité bonne nuit dès que je suis revenue. Scarlett a monté les marches d'un pas lourd tandis que je me dirigeais vers les chambres d'amis, côté piscine. J'ai choisi une chambre immaculée et impersonnelle comme dans un hôtel, à l'exception du gros singe en peluche posé sur l'oreiller. Je me suis demandé si c'était un choix de Scarlett ou si le précédent propriétaire l'avait laissé là. Dans la commode se trouvait une pile de chemises de nuit unisexes. Dans le cabinet de toilette, il y avait une sélection de brosses à dents, rasoirs jetables et préservatifs, tous emballés. Des articles de bain coûteux étaient alignés sur la tablette, dans la douche. Vu l'expérience réduite que Scarlett avait de ce genre de choses, j'ai supposé que George avait donné des consignes à Carla ou à l'entreprise de nettoyage.

J'avais à peine l'énergie de me déshabiller et de me brosser les dents. Le lendemain, il fallait que je rédige le chapitre consacré au mariage. Cette seule pensée a suffi à m'ôter mes dernières forces. Je n'avais même pas fermé les yeux que je dormais déjà.

13

Une lumière crue m'a tout à coup tirée d'un profond sommeil. J'ai poussé un cri en me redressant et en clignant des yeux.

— Désolée, m'a dit Scarlett, mais je crois que le bébé arrive.

Elle se tenait dans l'embrasure de la porte, main posée sur le ventre, transpirant comme un ouvrier agricole en plein été.

— Je me suis réveillée toute mouillée. J'ai perdu les eaux. Et j'arrête pas d'avoir des contractions.

J'ai bondi et couru vers elle. J'ai passé mon épaule sous son aisselle pour l'amener jusqu'au lit.

— Allonge-toi.

Tout ce que je savais d'un accouchement, c'était ce que j'avais vu dans les films et à la télé, au fil des années. À ce moment-là, ça ne me paraissait d'aucune aide.

— Tes contractions sont espacées de combien de temps ?

— J'en sais rien, putain ! a-t-elle crié en se pliant de douleur, les dents serrées.

La contraction m'a semblé durer une éternité, mais d'après ma montre, elle s'est arrêtée au bout de vingt secondes. Scarlett s'est ensuite détendue et s'est essuyé la bouche d'un revers de main. Elle m'a regardée comme un enfant effrayé.

— Ça fait super mal, Steph.

— Ça dure depuis combien de temps ?

— Quand on était à l'hôtel, j'ai commencé à avoir des crampes dans le ventre. Comme quand on a des gaz, tu vois ?

J'ai pensé que j'avais mangé trop de conneries. J'ai des problèmes de digestion depuis six semaines environ. J'ai cru que c'était ça. Mais c'est pas des gaz, Steph.

Elle respirait avec difficulté.

— Est-ce que tu as réservé une place à l'hôpital du coin ?

— Bien sûr que non, je suis à St Mary's, à Paddington. Là où la princesse Diana a accouché.

J'ai pas pu m'empêcher de rigoler.

— T'es une vraie pro, Scarlett. Tu n'oublies jamais l'aspect médiatique des choses.

— Non mais attends, tu me prends pour une bimbo sans cervelle ? Réfléchis, a-t-elle dit avant de gémir. Diana avait sans doute choisi ce qu'il y avait de mieux. C'est pour ça que je fais comme elle. S'il y a un problème, je préfère être là-bas.

— Alors qui est-ce que j'appelle ?

— Il y a un sac Louis Vuitton par terre, dans le dressing de ma chambre. Tu veux bien le descendre ? Il y a une pochette à l'intérieur, avec toutes les infos. Ahhh !

Cette fois, elle a hurlé comme un pirate blessé. D'après ma montre, à peine trois minutes s'étaient écoulées depuis la précédente contraction. Ça ne me disait rien de bon.

Un quart d'heure plus tard, je sortais du garage en marche arrière au volant de la Golf ridicule de Joshu. Quand j'avais expliqué la situation à la sage-femme de garde, elle m'avait dit d'amener Scarlett sur-le-champ. J'avais essayé de faire venir une limousine, mais la compagnie que Scarlett utilisait n'avait personne de libre avant une heure. Je ne voulais pas appeler un taxi, cela revenait à alerter directement toute la presse. J'ai essayé de joindre Joshu mais je suis tombée sur son répondeur. J'étais donc toute seule. À trois heures du matin, il n'allait pas y avoir beaucoup de circulation. Et j'avais arrêté de boire environ six heures plus tôt. Je pouvais prendre le volant sans trop de soucis. En revanche, j'étais inquiète pour Scarlett.

Je n'ai pas fait très attention à la limite de vitesse, ce qui était stupide vu l'engin que je conduisais. À peine entrée sur l'autoroute A13, j'ai vu dans mon rétroviseur un gyrophare bleu. Pour vous dire la vérité, je me suis sentie plutôt soulagée. Les contractions de Scarlett se rapprochaient et gagnaient en intensité. Je commençais à stresser.

L'agent de la circulation qui s'est avancé vers ma portière a eu l'air surpris de découvrir une femme d'une trentaine d'années au volant de cette voiture-jouet. Il a paru encore plus déconcerté quand Scarlett s'est mise à beugler à l'arrière.

— Escortez-nous, putain !

— Elle est en train d'accoucher, ai-je précisé même si c'était superflu.

— Est-ce que c'est...

— Oui, ai-je répondu sur un ton impatient. Et si on ne l'amène pas à l'hôpital au plus vite, vous allez vous retrouver en une des journaux pour avoir donné naissance à un bébé sur le bord de la route.

J'ai vu qu'il cogitait.

— Ok, suivez-moi.

Il a tourné les talons pour se diriger vers sa voiture.

— Attendez, vous ne connaissez pas le nom de l'hôpital !

Il s'est retourné en riant.

— On va dans l'hôpital le plus proche. Elle n'est pas en état d'attendre.

Je n'y voyais aucun inconvénient, mais Scarlett a juré comme si c'était une discipline olympique. Je ne savais pas si c'était à cause de la douleur ou parce que les choses ne se déroulaient pas comme prévu.

Quand nous sommes arrivées à l'hôpital, elle alternait entre des hurlements bestiaux et des gémissements dignes d'un chiot enchaîné. Je n'en pouvais plus. J'avais envie que ça s'arrête. Mon vœu n'a pas tardé à s'exaucer. Dès que nous sommes entrées, Scarlett a été emportée sur un chariot tandis qu'on m'envoyait à la réception pour l'inscrire. J'ai remercié l'agent, qui était déjà en train de crâner auprès de la standardiste.

— J'ai appelé avant qu'on arrive, m'a-t-il expliqué. C'est pour ça qu'ils avaient tout préparé.

— Je sais qu'elle vous sera reconnaissante quand elle sortira d'ici.

— Vous êtes son assistante ?

— Non, une de ses amies.

Voyant son air sceptique, j'ai examiné mon allure : un jogging de Scarlett trop court de dix bons centimètres, un tee-shirt trop large taillé pour sa poitrine et non la mienne. Je n'avais pas vraiment eu le choix de la tenue : je n'avais pas voulu enfiler ma robe de soirée, laquelle ne m'avait pas paru très adaptée à une arrivée en panique à l'hôpital en pleine nuit. Je ressemblais davantage à une femme de ménage qu'à une assistante, si on exceptait mes chaussures à talons. Mais je n'avais pas l'intention de m'expliquer devant un agent. J'ai demandé un papier à la réceptionniste afin de pouvoir noter ses coordonnées. George lui enverrait une bouteille de scotch pour le remercier.

Quand il a fallu remplir le formulaire d'admission de Scarlett, j'ai été surprise de constater que j'en savais autant à son sujet : date de naissance, identité complète, adresse. Je savais même où se trouvait son médecin généraliste parce que j'étais passée y prendre une ordonnance un jour, en me rendant chez elle. Cela me donnait au moins une certaine crédibilité aux yeux de la réceptionniste. Je la connaissais vraiment. Je n'étais pas une fan rencontrée par hasard.

En arrivant à la maternité, j'ai eu l'impression que deux mondes s'opposaient : d'un côté celui des sages-femmes, calmes et efficaces. De l'autre, des futures mamans perdant la tête sous l'effet de la douleur, la peur et l'inconfort. Scarlett était dans une petite pièce à part, accroupie par terre dans sa tunique d'hôpital.

— Est-ce que ça va ? lui ai-je demandé. Désolée, c'est bête comme question. Qu'est-ce qu'ils ont dit ?

— Pas grand-chose, a-t-elle grogné. Quelqu'un va venir m'examiner dans une minute.

— Je vais essayer de rappeler Joshu.

— Non ! a-t-elle hurlé en attrapant mon poignet et en le serrant comme un étau. Reste avec moi. Je veux pas de ce con. C'est notre nuit de noces et où est-ce qu'il est ?

Une nouvelle contraction est arrivée et elle s'est assise par terre, mains sur le ventre, en se balançant de gauche à droite. J'étais presque certaine que ce n'était pas la chose à faire.

Heureusement, je n'ai pas eu besoin d'intervenir. Une solide sage-femme écossaise est arrivée et a aidé Scarlett à s'allonger sur le lit comme par magie.

— Le médecin arrive, a-t-elle dit. Vous assistez à l'accouchement ?

J'ai répondu non mais Scarlett a dit oui.

La sage-femme a esquissé un petit sourire sans joie.

— C'est donc oui. Maintenant qu'elle est allongée sur le côté, vous pouvez lui masser le dos.

Sur ce, elle a disparu.

— C'est pas une bonne idée, ai-je protesté. J'ai aucune idée de ce qui va se passer.

— Je vais accoucher, voilà ce qui va se passer, a dit Scarlett en gloussant faiblement. C'est moi qui fais tout le boulot ici, Steph. Tu as juste à être présente.

Et je l'ai été. Comme je ne connaissais pas la procédure, c'est difficile de décrire les heures qui ont suivi. Je sais qu'ils lui ont fait une péridurale juste après que le médecin est venu l'examiner. Elle a essayé de parler mais je ne comprenais pas grand-chose à cause du masque qu'elle avait sur le visage et de la péridurale qui commençait à faire effet.

— Elles ne sont plus vraiment avec nous, pendant le deuxième stade, m'a dit la sage-femme comme si cela expliquait tout.

Elle aurait pu dire « les choux dansent sur les lunes de Jupiter », ça aurait été pareil pour moi. J'ai continué à lui caresser le dos, les cheveux et les mains en marmonnant des platitudes. Et en essayant de ne pas trop penser à la suite.

Le personnel médical ne semblait pas inquiet. Tout paraissait se dérouler calmement. Jusqu'au moment où ça s'est accéléré. Personne n'a paniqué ni haussé la voix. Mais tout à coup, il y a eu un regain d'activité : plusieurs infirmières et médecins sont arrivés, l'air sérieux, comme si quelque chose était devenu préoccupant. Scarlett n'a rien remarqué ; elle suait, jurait, haletait et obéissait au doigt et à l'œil à la sage-femme.

— Qu'est-ce qui se passe ?

J'ai choisi mes mots avec précaution. Je voulais savoir quel était le problème sans pour autant alarmer Scarlett.

— Le bébé a une grosse tête, m'a dit la médecin. Elle est coincée dans le canal génital.

— Ce n'est pas censé arriver, si ?

Elle m'a jeté un regard impatient.

— Non. Nous allons transporter Scarlett dans une autre pièce qui est mieux équipée.

À ces mots, les infirmières ont soulevé le lit et ôté les freins des roulettes.

— Mieux équipée ? Pourquoi ?

— Nous allons essayer avec la ventouse.

Nous sommes sorties dans le couloir, où les infirmières déplaçaient le lit.

— Qu'est-ce que c'est ?

— Imaginez une ventouse d'évier, mais en plus doux. Vous n'avez vraiment suivi *aucune* préparation pour ça ?

Je l'ai suivie jusqu'à une grande pièce qui ressemblait à ce qu'on voyait dans *Urgences*.

— Je ne m'attendais pas à être ici, ai-je expliqué un peu sèchement. Elle a un mari.

Elle a penché la tête sur le côté en souriant.

— Vous ne vous en sortez pas si mal pour une première fois. Maintenant, laissez-nous faire.

En l'espace de quelques instants, tout avait changé. J'étais à présent au cœur du processus médical. Scarlett n'était plus un individu, elle était une patiente. Un corps sur lequel il fallait travailler. Un problème à résoudre. Personne ne se montrait dur ou négligent avec elle, mais la gentillesse n'était plus de mise. La pièce s'était subitement emplie d'un caractère d'urgence qui n'était pas palpable auparavant. La peur s'est installée en moi, j'étais au bord des larmes.

Au bout de quelques minutes, une infirmière a lancé en passant :

— Les choses vont aller vite à partir de maintenant. Nous devons nous assurer que le bébé reçoit suffisamment d'oxygène.

Elle avait raison : tout est allé très vite. Apparemment, la ventouse ne fonctionnait pas. Le bébé était bel et bien coincé. Ils ont de nouveau déplacé Scarlett. On m'a tendu un formulaire et un stylo. La médecin a mis le stylo dans la main de Scarlett alors que nous ressortions dans le couloir.

— Vous devez donner votre accord, a-t-elle dit d'une voix plus calme que les autres.

— Mon accord pour quoi ?

Comment pouvait-elle consentir à quoi que ce soit ? Entre la douleur et le traitement contre la douleur, elle ne pouvait pas penser correctement.

— Nous devons faire une césarienne, a répondu la médecin.

Elle a regardé autour d'elle et a hélé une infirmière.

— Vous ! Aidez Stephanie, donnez-lui une combinaison pour pouvoir entrer dans le bloc.

— Moi ?! Non, vous ne pouvez pas…

— Faites ce que je vous dis. S'il vous plaît.

Ils ont tous disparu dans le couloir.

Je me suis laissé mener dans une pièce. Une infirmière a ouvert un placard puis, après m'avoir jeté un bref coup d'œil, a sorti une combinaison verte.

— Qu'est-ce qui se passe ? ai-je demandé.

— Vous devez vous changer. Dépêchez-vous, m'a-t-elle dit en me conduisant dans une cabine. Ils n'arrivent pas à sortir le bébé. Il est coincé. Ils vont faire une césarienne pour pouvoir l'extraire. Et ils doivent agir vite pour qu'il ne manque pas d'oxygène.

— Ça ne va pas lui plaire, ai-je commenté en me déshabillant pour enfiler la combinaison qui m'allait bien mieux que les vêtements de Scarlett. Déjà qu'elle râle à cause des vergetures. Elle ne va vraiment pas être contente d'avoir une cicatrice.

Je suis sortie de la cabine et j'ai vu la tête que faisait l'infirmière.

— Je plaisantais. Elle n'est pas si superficielle que ça, vous savez.

Mes souvenirs de ce qui s'est passé ensuite ressemblent aux morceaux de mosaïques que les archéologues retrouvent, dans les documentaires. Des fragments d'images entrecoupées de blancs dont on ne peut qu'imaginer le contenu.

Un groupe de gens en tenue bleue ou verte penchés sur la table d'opération. Un écran de tissu vert placé sur la poitrine de Scarlett pour que je ne voie pas le sang. Une voix disant avec une pointe de désespoir : « Il y a beaucoup de sang et je ne vois pas d'où il vient. » La terreur me serrant la poitrine comme les griffes d'un oiseau prédateur. J'imaginais annoncer à Joshu que son mariage avait pris fin là, sur une table d'opération couverte de sang.

Puis une sage-femme a traversé le bloc à la hâte en tenant un petit tas ensanglanté pour disparaître dans la pièce annexe. Juste après, j'ai entendu un bébé pleurer. L'une des personnes présentes a posé la main sur mon épaule en disant :

— C'est un garçon. Ils l'examinent, tout va bien.

— Et Scarlett ?

C'était difficile de déchiffrer son expression. Je ne voyais que ses yeux et ses sourcils.

— Ils font tout leur possible. Mais on est une bonne équipe. Vous devez penser au bébé, maintenant.

Sur ce, la sage-femme me l'a mis dans les bras, emmitouflé dans une couverture bleue en cellular. Ses cheveux noirs et épais étaient collés sur son front, son nez écrasé comme celui d'un boxeur et il restait des traces de mucus ensanglanté autour de ses oreilles. Mais il souriait. Il souriait, il avait les yeux ouverts et il me regardait. Il était irrésistible.

14

Les scientifiques prétendent que les bébés sont génétiquement programmés pour sourire dès la naissance. C'est un mécanisme destiné à leur sauver la vie. Ils sourient, on tombe amoureux. Parce que nous sommes programmés pour être fascinés par ce sourire. Cela n'a rien à voir avec la biologie. Vous aimerez tout autant l'enfant d'un parfait inconnu que le fruit de vos entrailles. Pensez à ça : on estime qu'un quart de tous les enfants ne sont pas engendrés par l'homme qui croit être le père. Pourtant, ces pères qui n'en savent rien aiment leurs enfants aussi fort que les autres. Et ce n'est pas seulement vrai pour les pères. Pensez à ces histoires que l'on entend, où les enfants sont accidentellement échangés à la naissance ; leurs mères les aiment comme elles aiment leurs autres enfants.

C'est une façon détournée pour dire qu'un lien s'est créé entre Jimmy et moi quelques minutes après sa naissance. Ils nous ont conduits hors du bloc opératoire, jusque dans la pièce où nous avions attendu un peu plus tôt. Ils m'ont fait asseoir sur une chaise, m'ont donné un biberon de lait et m'ont montré comment le nourrir. Sur le coup, je n'en ai rien pensé. J'ai supposé que c'était la procédure habituelle en cas d'opération.

Deux ans plus tard, j'ai raconté cette expérience à une cliente potentielle qui avait mené des recherches pionnières dans le traitement de l'infertilité. Elle a paru abasourdie.

— Vraiment ? Ils vous ont laissée lui donner le biberon ?

— Oui, ils ont dit qu'après sa naissance un peu mouvementée, il devait avoir faim. Et c'était vrai, il a vidé le biberon.

— Et la maman va bien ? a-t-elle demandé après avoir émis un petit rire sec.

— Oui, elle râle toujours à cause de sa cicatrice, mais en dehors de ça, elle va très bien. Pourquoi ?

— Hé bien, à mon avis, ils ont eu peur de la perdre.

— Vous voulez dire… peur qu'elle meure ?

Elle a hoché la tête.

— C'est pour ça qu'ils vous ont fait sortir aussi vite. Ils ne voulaient pas que vous vous trouviez dans la pièce au cas où elle mourrait sur la table d'opération. Et c'est pour ça qu'ils vous ont demandé de le nourrir.

— Je ne comprends pas.

— Ils sont obsédés par l'allaitement maternel, de nos jours. S'ils vous ont demandé de lui donner le biberon, c'est parce qu'ils craignaient que la mère ne s'en sorte pas. Et il faut bien que l'enfant s'attache à quelqu'un.

L'effarement que j'ai ressenti a dû se lire sur mon visage parce qu'elle a éclaté de rire.

— Ils vous forçaient à devenir la mère d'adoption.

Ce qui est ironique, vu la tournure qu'ont pris les choses ensuite. Mais à ce moment-là, j'ai juste pensé que le bébé avait faim. Et une heure plus tard, Scarlett était de retour. Elle était sous morphine et avait l'air d'avoir combattu quinze rounds contre un mur de briques, mais elle était là, sourire radieux aux lèvres tandis qu'elle tenait ce tout petit être dans ses bras.

— Il est magnifique, répétait-elle.

J'étais d'accord avec elle, mais j'en avais marre d'être là.

— Merci, m'a-t-elle dit en levant à peine les yeux. T'as été super.

— C'est à ça que servent les amis. Je vais rapporter la voiture de Joshu chez vous. Est-ce que je peux emprunter la tienne pour rentrer chez moi ? Tu ne peux pas conduire pendant six semaines, de toute façon.

— Quoi ?

Maintenant, j'avais toute son attention.

— Tu as eu une césarienne. Tu n'as pas le droit de conduire pendant six semaines. Tu n'es pas censée soulever quoi que ce soit de plus lourd qu'une bouilloire. Joshu va devoir rester à ton chevet.

— Tu plaisantes ?

— Non. Écoute, je vais réessayer de le joindre en sortant d'ici. Et je vais appeler Georgie. Il va vouloir s'occuper de la presse. Moi, j'ai besoin de dormir.

— Merci, à plus tard.

Je me suis penchée pour embrasser Jimmy sur le front.

— Il est très beau.

Elle m'a regardée bizarrement, comme si elle venait juste de penser à quelque chose.

— Est-ce que tu voudrais bien être sa marraine ?

— Moi ? Les enfants, j'y connais rien.

— C'est l'occasion d'apprendre.

— Je vais être nulle.

— Mais non, tu ne t'autoriserais pas à faire n'importe quoi. Allez. Pour lui. Il a besoin d'avoir quelqu'un dans sa vie qui ne soit pas cinglé.

Je ne sais pas pourquoi j'ai accepté, mais j'ai dit oui. Voilà comment tout a commencé entre Jimmy et moi.

*

J'ai essayé d'appeler Joshu depuis l'hôpital mais je n'avais plus de batterie. Il aurait sans doute apprécié que je le prévienne de mon arrivée, vu qu'il dormait à poings fermés, entièrement nu, sur l'un des canapés en cuir. Ce n'était pas beau à voir. J'ai pris un des plaids en peau de vache pour le couvrir. Il a grogné puis a bougé avant d'ouvrir les yeux. Quand il m'a vue avec les vêtements de Scarlett sur le dos, il a eu l'air ahuri.

— Qu'est-ce qu'y a ?

Il a bâillé largement, envoyant dans ma direction un relent fétide d'alcool. Il a fini par remarquer que j'étais seule.

— Elle est où, ma femme ? J'ai vu que vous aviez pris ma caisse, a-t-il ajouté avec un sourire.

Il s'est redressé avant de bâiller une nouvelle fois.

— Putain, j'ai mal à la tête. Il me faut de la drogue.

— Ce qu'il te faut, c'est du thé. Parce que tu dois aller voir ta femme et ton fils.

J'ai tourné les talons pour me diriger vers la cuisine. Je n'étais pas sûre de pouvoir adresser la parole à ce petit con indolent, insouciant, incapable.

J'avais à peine mis la bouilloire en route qu'il a titubé dans la cuisine, la couverture en peau de vache ceinturée à la taille comme un kilt d'un genre bizarre.

— T'as dit « ton fils » ?

— Pendant que tu fêtais ta nuit de noces avec tes potes, ta femme a donné naissance à votre enfant, Joshu. Entre deux contractions, elle s'est demandé ce que tu pouvais bien glander.

Ma colère n'a pas eu l'air de l'atteindre.

— J'ai un fils ? a-t-il répété en secouant la tête, incrédule. J'hallucine ou quoi ? Je sais plus ce que j'ai pris hier soir mais j'ai la tête en vrac. Sans déconner ? J'ai un fils ?

— Deux kilos soixante-dix-huit. Il s'appelle Jimmy.

— Mais c'était pas prévu avant... six semaines, au moins, non ?

— Elle s'est trompée dans les dates. Elle a peut-être deux semaines d'avance, mais pas plus.

J'ai introduit une capsule dans la machine à café, pour moi.

Il a eu un petit rire affectueux.

— Alors elle ! Elle sait pas compter. Putain de merde. Je suis papa.

Il a passé la main dans ses cheveux avant de s'avancer vers le bar où il avait apparemment vidé ses poches. Il a pris ses cigarettes et en a allumé une.

— Normalement, ça devrait être un cigare, mais ça fera l'affaire pour l'instant. T'aurais pu m'acheter un cigare sur le chemin, Stephanie.

— C'est marrant, ça m'a pas traversé l'esprit. Tu ferais mieux de te doucher et d'aller là-bas. Bizarrement, elle est un peu en colère contre toi. Bois ça.

J'ai posé la tasse de thé devant lui.

— T'étais avec elle ?

— Oui. C'était flippant. Ils ont dû lui faire une césarienne.

— Une quoi ?

Dans ma tête, j'ai pensé un truc typique de ma mère : « Qu'est-ce qu'ils vous apprennent à l'école, de nos jours ? »

— Le bébé arrivait pas à sortir. Alors ils lui ont ouvert le ventre pour le tirer de là en vitesse.

Il a pris une gorgée de thé avant de vider la tasse d'un trait. Il a eu un frisson puis s'est redressé.

— Quoi ? Ils lui ont ouvert le ventre ? C'est horrible. Elle va avoir une cicatrice et tout ?

— Putain, Joshu ! Elle a perdu plus de la moitié de son sang ! Ils ont cru qu'il allait falloir lui faire une transfusion. Je crois que la cicatrice, c'était le dernier de ses soucis, franchement.

Il a hoché la tête.

— Bon, j'imagine que ça veut dire qu'elle a rien eu là où je pense. Genre, on pourra baiser comme avant et tout...

J'ai fermé les yeux un instant en me demandant si je devais lui jeter mon café au visage. Je me suis répété qu'il s'agissait du père de Jimmy et du mari de Scarlett et qu'il valait mieux qu'il se rende à l'hôpital comme visiteur plutôt que patient.

— Tu devras attendre un peu pour vérifier ça, espèce d'abruti. Elle a subi une intervention chirurgicale importante. Tu vas devoir t'occuper d'elle pendant des mois.

— Je crois pas, non. Georgie peut trouver quelqu'un pour s'occuper d'elle et du petit, non ? C'est pour ça qu'on le paie.

Il a souri de nouveau et j'ai aperçu ce charme voyou qui avait ravi le cœur de Scarlett.

— J'ai un fils. Hé, attends une minute, a-t-il ajouté en fronçant les sourcils. T'as dit qu'il s'appelait Jimmy ?

— C'est ça.

— Non, mais ça va pas ? Jimmy Patel ? C'est quoi, ce nom ?

En réalité, c'était Jimmy Higgins. Mais j'ai préféré laisser Scarlett lui annoncer ça.

— C'est ce qu'elle a choisi. Et comme tu n'étais pas là quand il est né, j'imagine que t'as pas ton mot à dire.

— Putain, Jimmy, a-t-il répété en se détournant et en tirant sur sa cigarette. Je vais pas laisser passer ça. Je vais prendre une douche et puis je vais voir mon fils. Il va pas s'appeler Jimmy pour longtemps, tu peux en être sûre.

Sur ce, il est sorti, la poitrine en avant comme un coq de basse-cour.

Le café était amer et dense dans ma bouche. J'étais trop fatiguée pour en sentir vraiment le goût. Je savais que c'était stupide de retourner à Hackney pour revenir ici dans quelques heures rendre visite à Scarlett et Jimmy. Joshu s'apprêtait à partir. Et il y avait une chambre d'amis très confortable au bout du couloir. La tentation était trop forte.

15

En entendant Stephanie décrire la façon dont Joshu avait réagi à la naissance de son fils, Vivian fut tentée de penser qu'il considérait le garçon comme sa propriété. Une attitude pareille faisait de lui l'un des premiers suspects dans ce genre d'affaires. Une grande majorité d'enfants kidnappés étaient enlevés par ou pour le compte du parent qui n'avait pas obtenu la garde. Dans un cas comme celui-ci, où la personne qui avait la garde n'était même pas un membre de la famille, les soupçons se portaient naturellement vers le père.

— Vous avez dit que vous saviez où se trouvait Joshu, dit Vivian. Je dois vous informer qu'il apparaît comme le suspect numéro un ici. Vous êtes sûre et certaine qu'il n'est pas aux États-Unis ?

Stephanie eut l'air amusé.

— Oui, absolument. Il est…

— Mais peut-être qu'il a les moyens d'engager quelqu'un pour kidnapper Jimmy.

— Non. Si vous m'aviez laissée finir ma phrase… À moins que mon appartement n'ait été cambriolé après mon départ pour l'aéroport, Joshu est exactement là où je l'ai vu pour la dernière fois. Dans une urne, sur ma cheminée. Il est mort. Ses cendres et celles de Scarlett sont dans mon salon, dans des urnes qui me servent de serre-livres. Jimmy leur dit bonjour tous les matins et bonne nuit tous les soirs.

Vivian eut l'impression d'être dans une impasse. Le sang lui monta aux joues et elle tapota nerveusement le bureau du bout des doigts. Elle avait envie de hurler contre Stephanie mais ça n'aurait pas été une très bonne idée dans la mesure où celle-ci pouvait tout de même détenir des informations au sujet de l'enlèvement.

— Qu'est-ce qui lui est arrivé ?

— Comme tout ce qui est lié à Scarlett et Jimmy, c'est une longue histoire.

Cette fois-ci, Vivian n'avait pas l'intention de se laisser séduire par son récit. Stephanie Harker était une excellente conteuse, à tel point que l'agent du FBI risquait de perdre de vue l'importance qu'il y avait à agir vite dans les affaires de kidnapping. Et peut-être (elle n'en était pas sûre) Stephanie faisait-elle exprès de prendre son temps. Après tout, elle savait très bien qu'elle allait se faire arrêter au moment du contrôle de sécurité. Qui était mieux placé qu'elle pour monter tout ça ? On lui avait confié la charge d'un enfant, le fils d'une femme riche, sans lui donner un centime pour s'occuper de lui. Elle avait peut-être décidé d'extorquer de l'argent à l'association caritative qu'elle avait mentionnée.

— Ces longues histoires ne font pas apparaître de suspect potentiel, répondit-elle froidement. Dites-moi, Stephanie, si vous receviez une demande de rançon, qui paierait ?

Stephanie eut l'air surpris.

— Je... je n'en sais rien. Je n'y ai même pas pensé. Je n'en aurais pas les moyens.

— Comment est-ce que vous pouvez en être si sûre ?

Elle parut complètement abasourdie.

— Hé bien, quand on entend parler de rançons, c'est souvent pour des sommes à sept chiffres, au moins. Je ne suis pas riche. Je gagne correctement ma vie, mais je ne suis pas millionnaire. Je ferai mon possible pour me procurer cet argent, mais je n'ai pas grand-chose.

— Est-ce que vous pourriez contacter l'association caritative de sa mère ?

— Non. Elle a été créée pour subvenir aux besoins d'un orphelinat dans un coin isolé de la Roumanie. Scarlett y est allée en 2007 dans le cadre d'une émission de télévision et elle a été complètement bouleversée par ces enfants. Beaucoup d'entre eux avaient le sida et son père est mort de ça. Elle a été consternée de voir leurs conditions de vie. Elle a donc décidé de léguer sa fortune à l'orphelinat et personne d'autre ne peut y toucher. J'ai demandé à une de mes amies qui est avocate fiduciaire de vérifier si je pouvais prétendre à une aide financière pour l'éducation de Jimmy. Elle m'a dit que tout était verrouillé. À moins qu'on ne réussisse à transformer Jimmy en orphelin roumain, il ne peut compter que sur moi.

— Et les biens de son père ?

— Quels biens ? Joshu dépensait son argent sans compter. Plus vite qu'il ne le gagnait, à la fin. Il aimait trop la drogue, les voitures et les femmes stupides. La seule chose qu'il ait léguée à Jimmy, c'est sa musique, qui est entreposée dans un box de stockage. Je pourrais peut-être me faire un peu d'argent en revendant ça sur eBay, mais pas assez pour payer une rançon. Non, si quelqu'un a enlevé Jimmy pour de l'argent, il s'est complètement trompé. Mais si le kidnappeur veut une rançon, il a tout intérêt à le garder en vie, ce qui est encore la meilleure option.

— On revient donc à la case départ, répliqua Vivian avec impatience. Si vous ne pouvez pas m'aider à cerner un suspect, qui peut le faire ?

Stephanie lui lança un regard nerveux. Vivian avait senti à plusieurs reprises qu'il y avait un non-dit, quelque chose que Stephanie refusait d'avouer. Quelque chose qu'elle n'arrivait peut-être même pas à se formuler à elle-même. Elle baissa les yeux sur ses ongles soigneusement manucurés.

— Il y a quelqu'un qui pourrait peut-être vous aider. Il est inspecteur à Scotland Yard. Nick Nicolaides.

Vivian n'en crut pas ses oreilles. Tout à coup, après deux heures d'interrogatoire, Stephanie Harker mentionnait un policier susceptible de détenir des informations.

— Qui est ce Nick Nicolaides ? Et qu'est-ce qu'il a à voir avec tout ça ?

— Quand Joshu est mort, c'est lui qui a mené l'enquête. Il était très à l'écoute et paraissait sérieux. L'année dernière, j'ai eu quelques problèmes dans ma vie privée et je l'ai appelé parce que c'était le seul policier que je connaissais. Il connaît Jimmy et son histoire.

En levant la tête, elle croisa le regard incrédule de Vivian.

— Et pourquoi est-ce que vous ne m'en avez pas parlé plus tôt ?

— Désolée.

Jusque-là bavarde, Stephanie semblait à présent à court de mots. Elle se frotta les yeux en grimaçant.

— Ce n'est pas facile, vous savez. Je vais vous donner son numéro.

Elle le récita de mémoire et Vivian le composa sur son portable.

— Attendez ici, lui ordonna-t-elle. J'ai besoin de savoir ce que ce Nicolaides a à nous dire.

16

Chaque jour, la pièce insonorisée lui semblait devenir de plus en plus oppressante. L'inspecteur Nick Nicolaides connaissait si bien les odeurs des cinq autres occupants de la pièce qu'il aurait pu les reconnaître les yeux bandés. Il connaissait aussi leurs tics : celui qui tapotait son stylo contre ses dents, battait un rythme du bout des doigts sur son bureau, aspirait l'air en serrant la mâchoire, grattait sa barbe de deux jours ou jouait sans arrêt avec sa branche de lunettes. Il savait qui allait sortir telle ou telle blague en lisant l'un des e-mails qu'ils devaient passer en revue. Il savait qui envoyait un tweet à sa maîtresse au lieu de travailler, qui écrivait un texto à son bookmaker et qui faisait ses courses en ligne. Et bien entendu, il connaissait bien plus de détails sur la vie professionnelle et personnelle des journalistes de News International que la plupart des autres.

Quand il avait été affecté à l'équipe chargée d'enquêter sur les allégations d'écoutes téléphoniques et de tentative de corruption de fonctionnaires de la part de News International, Nick avait été enthousiasmé. C'était une enquête qui allait faire du bruit et aurait des répercussions sur les médias comme sur la Metropolitan Police. Mais peut-être pas pour de bonnes raisons.

L'excitation s'était toutefois dissipée assez rapidement. News International leur avait fourni plus de trois cents millions d'e-mails à analyser. Trois cents millions. Nick les soupçonnait de leur en avoir fourgué un maximum en espérant que les enquêteurs se noient dans cette accumulation de données. Il n'était pas humainement possible de les lire un par un. Il se souvenait qu'un jour des scientifiques avaient lancé un projet consistant à classifier chaque galaxie de l'Univers en fonction de sa forme. Les astronomes impliqués dans le projet avaient demandé au public de se connecter à leur site Internet afin de participer à l'étude. C'était le seul moyen d'avoir suffisamment de gens pour y travailler. Et même avec tout ça, la tâche allait leur prendre des années. Malheureusement, ils ne pouvaient pas faire la même chose avec une enquête criminelle.

Ils disposaient d'un programme informatique passant en revue les trois cents millions d'e-mails afin d'isoler certains mots ou phrases ; cela signifiait qu'en théorie, les e-mails suspects étaient directement envoyés dans les boîtes de réception des gens enfermés dans des pièces comme celle-ci dans une vieille imprimerie du quartier de Wapping, à Londres. Chaque équipe comprenait des représentants de l'entreprise et des policiers. « En immersion », voilà comment on les qualifiait et c'est bien comme ça qu'il se sentait : immergé jusqu'au cou dans les problèmes d'autres gens.

Au lieu d'enquêter sur de vraies affaires et de résoudre de vrais crimes, Nick était enfermé dans un bunker à la recherche de preuves qui, même s'il les trouvait, ne seraient sans doute jamais portées devant un tribunal. Quelques mois plus tôt, sa carrière avait semblé faire un bond en avant. Aujourd'hui, il avait plutôt l'impression de stagner.

Il cliqua sur l'e-mail suivant. Il avait été isolé parce qu'il contenait le mot « crédit ». L'un des moyens pour un journaliste de payer un pot-de-vin à ses sources était de les inclure au registre des dépenses. Si l'un d'entre eux voulait payer l'inspecteur X pour lui avoir donné une info exclusive, il établissait un paiement au nom de sa fiancée, sa mère ou son meilleur ami. Donc à chaque fois qu'un journaliste ou un responsable de l'entreprise utilisait les termes « ajouter au crédit » ou « crédit à régler », Nick devait lire le message. Au cas où.

Cette fois, l'e-mail provenait d'un des directeurs éditoriaux se plaignant que sa carte de crédit professionnelle avait été refusée le matin même à la station-service. Nick soupira et l'envoya dans le dossier « Vérifié » avant de cliquer sur le suivant. La sonnerie de son portable lui offrit un sursis. Il jeta un œil à l'écran et vit qu'il s'agissait d'un numéro inconnu. Américain. Et il avait de bonnes raisons de répondre à un appel en provenance des États-Unis ce matin-là.

— Bonjour ? dit-il prudemment.

— Est-ce que je parle à l'inspecteur Nick Nicolaides ?

Un accent américain. Ce n'était pas du tout ce à quoi il s'attendait. Il ressentit une pointe d'anxiété dans la poitrine.

— Oui. Qui êtes-vous ?

— Je suis l'agent Vivian McKuras du FBI. Je vous appelle depuis mon bureau de l'aéroport O'Hare.

— Est-ce qu'il est arrivé quelque chose à Stephanie ? demanda-t-il, incapable de se retenir.

— Inspecteur, j'ai besoin d'être certaine de votre identité avant de vous dire quoi que ce soit. Pouvez-vous me donner le numéro de téléphone de votre commissariat ?

Il était inquiet, à présent. Qu'est-ce que Stephanie avait bien pu fabriquer ? Il débita à toute allure le numéro de son équipe à la brigade criminelle.

— Vous devrez me rappeler sur mon portable, je ne suis pas au bureau en ce moment, précisa-t-il.

Son interlocutrice raccrocha.

Nick se leva d'un bond pour se diriger vers la porte. Il y eut quelques protestations dans la pièce. Il n'était pas censé laisser les civils seuls. Mais il avait besoin de bouger. Il parcourut le couloir à longues enjambées, ses cheveux hirsutes virevoltant dans l'air. Il fit les cent pas sur le parking, indifférent à la petite pluie fine qui tombait au-dehors. Avec son physique maigre et nerveux, son pantalon noir et sa chemise en jean, il avait l'air presque féroce. Sans une guitare dans les mains, il se sentait désœuvré.

Quand le téléphona sonna de nouveau, il s'accroupit dans un coin et arrondit le dos.

— Alors dites-moi, agent McKuras, pourquoi est-ce que vous avez besoin de moi ?

— Je crois que vous connaissez Stephanie Harker ?

— Oui. Qu'est-ce qu'on lui reproche ?

— C'est intéressant que vous pensiez immédiatement qu'elle est coupable plutôt que victime, inspecteur.

Nick s'en voulut de s'être montré si impétueux.

— C'était une façon de parler, rien de plus. Stephanie n'est pas une criminelle. Est-ce qu'on peut laisser ça de côté pour que vous puissiez me dire la raison de votre appel ?

Il était bien plus à l'aise dans les conversations en face à face. Au téléphone, son charme habituel n'opérait pas.

— Je vous appelle dans le cadre de notre enquête concernant l'enlèvement supposé de Jimmy Higgins…

— Jimmy a été enlevé ? Où ? Comment ? Qu'est-ce qui s'est passé ?

Ça n'avait pas de sens. Pas aux États-Unis.

— Ils ont été séparés au moment du contrôle de sécurité parce que Mlle Harker a dû se soumettre à une fouille corporelle. Un homme a abordé Jimmy et il est parti avec lui. Le temps que les autorités se rendent compte de ce qui s'était passé, ils avaient disparu.

Nick eut l'impression qu'elle ne lui disait pas tout, mais il était bien placé pour savoir qu'il valait mieux ne pas poser de questions pour le moment. Au pire, il entendrait la version de Stephanie bientôt.

— Disparu ? Dans l'un des endroits les plus surveillés au monde ? Comment est-ce que c'est possible ?

— Nous enquêtons là-dessus. Toutefois, comme Jimmy et Mlle Harker sont des citoyens britanniques, on a du mal à trouver des suspects crédibles ou des pistes potentielles ici. Elle pense que vous pourriez être en mesure de nous aider, puisque vous connaissez le garçon.

Nick réfléchit. Il existait une piste évidente. Ce qu'il ne comprenait pas, c'était pourquoi Stephanie ne leur en avait pas parlé spontanément. Sûrement parce que malgré tout ce qu'elle avait traversé, elle continuait de penser du bien de Pete Matthews. Même s'il était furieux qu'elle puisse avoir encore quelques sentiments positifs pour cette ordure, il devait reconnaître sa loyauté. Mais quand même. Elle aurait pu leur en parler au lieu de lui laisser le soin de le faire à sa place. Ce salaud lui avait fait plus de mal que Nick ne l'avait cru.

— C'est vrai, je connais l'histoire de Jimmy. Vous n'avez reçu aucun message de la part des ravisseurs ?

— Rien pour le moment. Rien n'indique qu'il s'agisse d'un kidnapping contre rançon. Est-ce que vous connaissez quelqu'un qui aurait intérêt à enlever l'enfant ? Sa famille, par exemple, d'un côté ou de l'autre ?

— Je ne crois pas. La famille de son père a renié Joshu quand il a épousé Scarlett. Pour autant que je sache, ils n'ont jamais vu le garçon et n'ont certainement jamais eu de contact avec lui.

— Est-ce qu'ils ont d'autres petits-enfants ?

— Je n'en ai aucune idée. Où est-ce que vous voulez en venir ?

Si elle voulait poursuivre dans cette voie, il préférait qu'il lui dise clairement ce qu'elle avait derrière la tête. Vivian soupira.

— Je pense à des mobiles culturels : certaines cultures donnent une grande importance à l'héritier masculin. Si Jimmy s'avère être leur seul petit-fils, ça peut avoir changé la donne pour eux.

— Je vais vérifier, si vous pensez que c'est une hypothèse qui vaut le coup d'être examinée. Mais je crois qu'on peut exclure la famille de Scarlett. Ils n'ont pas les moyens financiers ou intellectuels pour monter une opération qui paraît bien organisée. Même s'ils voulaient récupérer Jimmy. Ce qui n'est pas le cas, à moins qu'il soit accompagné d'une somme rondelette.

— C'est ce qu'a dit Stephanie. Ça, c'est donc une piste qu'on peut éliminer, mais quelles sont celles à privilégier, à votre avis ?

— Il y avait une fan obsédée par Scarlett pendant sa maladie et qui n'arrêtait pas de la harceler. Elle était convaincue que Dieu lui avait demandé d'être la mère de Jimmy si Scarlett ne survivait pas. Je l'ai croisée pendant l'enquête sur la mort de Joshu. Nous lui avons demandé de se tenir à distance, mais elle a insisté. Finalement, elle a piqué une crise à l'hôpital et elle a été internée. Je doute qu'elle ait les moyens de monter un truc comme ça, mais je vais enquêter.

— Ça m'a l'air d'être une piste potentielle. Est-ce qu'il y a autre chose ? J'ai l'impression que vous ne me dites pas tout, inspecteur.

Elle était douée. Nick se redressa pour recommencer à marcher de long en large.

— Stephanie avait un petit ami, Pete Matthews. Un type tordu. Tyrannique. Le genre de personne qui vous dit qu'il agit pour votre bien, qui vous critique sans arrêt pour que vous puissiez vous améliorer. Je suis sûr que vous en avez déjà rencontré ? Je veux dire, dans votre vie professionnelle.

— Je vois de quoi vous voulez parler. Continuez, inspecteur. Ça m'intéresse.

— Pour résumer, quand Steph l'a quitté, il s'est mis à la harceler. Elle a dû porter plainte. Elle a fini par vendre sa maison et se cacher plus ou moins, pendant un temps. Ça a marché, il a paru se calmer. Mais à cause du battage médiatique qui a entouré la mort de Scarlett et le fait que Stephanie ait la garde de Jimmy, elle a eu peur qu'il retrouve sa trace. C'est un peu hasardeux, mais c'est le genre de choses dont il est capable.

Vivian poussa un soupir. Nick imagina une femme avec une expression agacée sur le visage.

— Est-ce que vous savez pourquoi Mlle Harker ne nous en a pas parlé ? Immédiatement ? Au lieu de me faire tourner en rond ?

Instinctivement, il eut envie de prendre la défense de Stephanie mais la prudence qui était de mise dans ce métier réprima cette impulsion. Il ne voulait pas faire croire à l'agent du FBI qu'ils étaient complices. Ça l'empêcherait de collaborer à l'enquête pour retrouver ce garçon que Stephanie aimait tant. Et ça n'aiderait pas non plus sa relation avec elle.

— C'est à elle qu'il faudrait poser cette question. Mais je peux émettre une hypothèse : elle ressent peut-être la même honte que ressentent les femmes battues. À sa place, je n'aurais pas très envie de parler de Pete Matthews.

Ni de l'aide que Nick lui avait apportée pour se débarrasser de ce type.

— Est-ce que vous savez où on peut trouver ce Pete Matthews ?

— Ça ne devrait pas être très difficile. J'imagine qu'on a son adresse dans notre base informatique. Il est ingénieur du son, il est connu dans son métier. Il est sûrement au travail. Est-ce que vous voulez que je me renseigne là-dessus aussi ?

Il arrêta de faire les cent pas et posa le front sur la vitre de la porte d'entrée. La fraîcheur du carreau lui donna l'impression d'avoir de la fièvre en dépit de ses cheveux mouillés par la pluie.

— Ça me rendrait service.

— Il va falloir que vous fassiez une demande officielle à mon chef, dans ce cas. Si vous voulez mon aide, vous devez m'affecter à votre enquête, ajouta-t-il avant de se radoucir. Je suis en plein dans une enquête au long cours. Je ne peux pas travailler sur une autre affaire en même temps. Si vous appelez le numéro que je vous ai donné, vous pourrez régler ça avec le commandant Broadbent.

— C'est ce que je vais faire. Une dernière chose. Je suis obligée de vous poser la question, vous le comprenez, parce que personne n'est mieux placé que Stephanie pour monter un kidnapping aussi bien organisé. Avez-vous la moindre raison de soupçonner que Stephanie, pour une quelconque raison, puisse avoir manigancé tout ça ?

Sois prudent, se dit-il.

— Non. Elle m'a toujours paru être quelqu'un d'honnête. Personne ne l'a forcée à prendre ce gamin sous son aile. Les services sociaux ne lui ont pas laissé une minute de répit. Même si c'était le souhait de Scarlett, personne ne voulait confier cet enfant à quelqu'un qui n'appartenait pas à la famille sans mener une enquête minutieuse. S'ils avaient eu le moindre doute, on l'aurait su.

— J'imagine, dit Vivian à contrecœur.

— Écoutez, arrangez-vous avec Broadbent et je me mets sur l'affaire au plus vite.

Il fit une pause. Il se souvenait que Jimmy avait eu beaucoup de mal à faire de nouveau confiance à quelqu'un après tout ce qu'il avait traversé.

— C'est un gentil garçon, ajouta-t-il. Je n'aime pas penser qu'il puisse être avec des inconnus et avoir peur. Je vais faire mon possible pour vous aider.

— Ok, j'appelle votre chef.

— Merci. Et…

Il s'interrompit. Il voulait faire savoir à Stephanie qu'il était là, mais utiliser l'agent du FBI comme messager n'était sans doute pas la meilleure idée.

— Oui ?

— Est-ce que Stephanie va être relâchée bientôt ?

— On ne l'accuse de rien. Elle est simplement témoin. Dans ce genre d'affaires, on essaie de réunir un maximum d'informations. J'imagine qu'on aura encore des questions à lui poser. Pourquoi ?

Ce n'était pas facile de répondre.

— Si elle a besoin de parler à quelqu'un, quelqu'un qui connaît Jimmy, je veux dire, dites-lui qu'elle peut me passer un coup de fil quand elle veut.

— Bien sûr. À bientôt, inspecteur.

Elle raccrocha. Nick retourna dans le bureau pour prendre sa veste. Il connaissait suffisamment Broadbent pour savoir qu'il ne le laisserait pas revenir ici à Wapping tant que l'enquête américaine ne serait pas bouclée. Il était déjà en train d'établir une liste de choses à faire dans sa tête.

Le seul problème, c'était qu'en haut de cette liste figurait une chose qu'il ne pouvait pas faire dans l'immédiat : « Parler à Stephanie. » Pour ça, il allait devoir attendre que l'agent McKuras ait fini de fouiller dans son passé. Nick ne put s'empêcher de sourire.

Vu tout ce que contenait ce passé, ça risquait de prendre du temps.

17

Vivian retourna dans son bureau pour appeler le commandant Broadbent. Elle préférait faire cela en privé pour avoir accès à son ordinateur au cas où le commandant aurait besoin qu'elle rédige sa demande par écrit ; elle voulait aussi en profiter pour prendre un *latte* chez Starbucks. Il se montra très coopératif mais lui demanda en effet de lui envoyer un e-mail pour confirmer sa demande. Elle tapa sur son clavier tout en sirotant son café. Elle était contente que Broadbent n'ait pas fait de complications. Si elle avait dû demander à son propre chef de s'en charger, Dieu sait combien de temps ça aurait pris. Elle ne réclamait pas grand-chose, après tout, juste quelques heures de travail de la part de cet inspecteur. C'était incroyable la rapidité dont les gens pouvaient faire preuve dès que la vie d'un enfant était en jeu.

Elle s'appuya sur le dossier de son siège en repensant aux éléments qu'elle avait appris. Soit Stephanie Harker n'avait rien à se reprocher, comme le prétendait Nicolaides, soit elle avait réussi à embobiner cet inspecteur. Comme Vivian ne le connaissait pas, elle ne savait pas quoi en penser. Pour le moment, elle avait envie de croire Stephanie. Jusqu'à maintenant, ses réactions avaient paru crédibles. À sa place, elle aurait réagi plus ou moins de la même façon. Mais découvrir ce qui se dissimulait derrière ces réactions n'était pas si simple.

Le petit bip annonçant qu'elle avait reçu un nouvel e-mail la tira de ses pensées. Broadbent avait confirmé son accord pour que Nicolaides l'assiste dans son enquête. Elle fit suivre le message à son chef à Chicago, juste pour assurer ses arrières. En attendant qu'Abbott et Nicolaides lui en apprennent un peu plus, elle décida de retourner parler à Stephanie Harker.

Quand elle entra dans la salle d'interrogatoire, Stephanie jeta un regard envieux à son café.

— Est-ce que je pourrais en avoir un ? demanda-t-elle. Je me suis levée tôt et je n'ai quasiment rien avalé.

Ce n'était pas difficile à croire : elle avait l'air épuisée et vidée. Comme tous ceux qui se trouvaient en manque d'adrénaline.

Vivian sortit un billet de vingt de sa poche et le tendit à Lopez.

— Prenez-en un pour vous, Lia. Vous voulez un latte, Stephanie ?

— Est-ce que je peux avoir un moka ? J'ai besoin de sucre en plus de la caféine. Et peut-être un muffin ou quelque chose à grignoter ?

Vivian hocha la tête en direction de Lopez.

— Demandez une facture.

Elle but une gorgée de son café avant de s'adresser à Stephanie :

— Parlez-moi de Pete Matthews. Et je sais que c'est une longue histoire. Mais tant qu'on n'a pas de piste sérieuse, autant mettre notre temps à profit.

*

Avec tout ce qui s'était passé, je ne suis rentrée chez moi que deux jours plus tard. J'avais à peine eu le temps de mettre en marche la bouilloire que Pete a débarqué en faisant une tête de dix pieds de long.

— C'est pas trop tôt, a-t-il bougonné dès que j'ai ouvert la porte.

— Et je suis ravie de te voir, moi aussi, ai-je répondu en adoptant un ton plutôt taquin que sarcastique.

Quand il était de cette humeur, ça ne servait à rien d'essayer de changer de sujet.

— Je t'ai envoyé un texto hier, tu ne l'as pas reçu ?

— Je devrais avoir une clé de la maison, a-t-il rétorqué en avançant jusqu'à la cuisine. J'étais mort d'inquiétude de ne pas avoir de tes nouvelles pendant deux jours. J'ai essayé de t'appeler, de t'envoyer des textos. Rien.

— Je te l'ai dit. Ma batterie était vide et il n'y avait pas de chargeur Nokia chez Scarlett. J'en ai trouvé un qu'hier.

Je l'ai suivi dans la cuisine et j'ai continué à préparer le café.

— Je suis venu pour vérifier que tout allait bien. Qu'il ne t'était rien arrivé.

J'ai éclaté de rire.

— Qu'est-ce qu'il pouvait bien m'arriver ? Je ne suis pas une handicapée, Pete. Je suis une femme en bonne santé qui sait s'occuper d'elle.

— Il aurait pu arriver n'importe quoi. Tu aurais pu glisser dans la baignoire et te cogner la tête. Tomber dans l'escalier. Ou être attaquée par un cambrioleur.

J'ai secoué la tête en lui tournant le dos pour appuyer sur le piston de la cafetière.

— Quelles pensées réjouissantes !

Tout à coup, il m'a saisie par les bras et m'a fait tourner sur moi-même. Il m'a serré les biceps très fort en me secouant.

— Idiote ! Je me suis fait du souci pour toi !

Sa colère m'a fait peur. Je savais qu'il s'était réellement inquiété, mais ça m'a quand même effrayée.

— Lâche-moi, Pete. Tu me fais mal.

Mes mots ont paru le ramener à la réalité. Il m'a lâchée subitement et s'est détourné. Il m'a dit d'une voix étranglée :

— T'imagines pas à quel point j'ai eu peur. Et tout ça pour quoi ? Pour cette pétasse de Scarlett Higgins.

— C'est pas une pétasse, ai-je répondu en me frottant les bras. J'allais avoir des bleus, je le savais.

— Il se trouve que j'étais avec elle quand les contractions ont commencé. Et ensuite, il y a eu des petits détails à régler.

Il s'est retourné pour se servir un café.

— Et pourquoi c'est toi qui te charges de ça ? T'es son nègre, pas sa mère.

155

— Parce qu'elle n'a personne d'autre. Elle ne peut pas compter sur Joshu, ses copines ne s'intéressent qu'aux fringues, aux sorties et aux mecs. Elle n'a pas de contact avec sa famille.

— Elle a un agent, non ? Je comprends pas pourquoi tu t'occupes d'elle comme ça.

Il a ouvert le frigo et a examiné la bouteille de lait d'un air méfiant.

— Parce qu'on est amies, Pete.

Il a fait une moue de dédain avant de renifler le lait.

— Le lait a tourné. C'est ce qui arrive quand tu passes trop de temps avec Scarlett la pétasse. Tu oublies de prendre soin de toi et de ceux qui t'aiment vraiment.

— Ne l'appelle pas comme ça, c'est affreux. Je suis désolée pour le lait, il y a une brique de crème qui n'est pas entamée, si tu veux. Ça devrait aller, ai-je dit en lui tendant la crème. Allez, fais-toi plaisir, pour une fois.

Je n'avais pas l'intention de me laisser atteindre par sa mauvaise humeur.

— C'est pas pareil avec de la crème, a-t-il grommelé en la versant quand même dans son café.

— Comment ça va, à part ça ? Ça s'est bien passé, avec les joueurs de cornemuse ?

— Ils ont été super, a-t-il répondu en se relaxant un peu. Très pros. Ils sont arrivés à l'heure, ils ont joué exactement comme il fallait. On avait besoin d'eux pour un seul morceau, mais ça a été très sympa de bosser avec eux. Je peux pas dire la même chose de ce foutu groupe, a-t-il ajouté en se renfrognant. Sam change d'avis comme de chemise.

La conversation a été plus agréable quand on a arrêté de parler de Scarlett. On a préparé le dîner ensemble en commentant ce qu'on entendait à la radio et en riant à chaque fois que l'un de nous deux faisait un bon mot. Après dîner, alors qu'on terminait le vin, Pete a proposé qu'on aille à un concert le lendemain soir. Un petit groupe pour qui il avait travaillé jouait dans le coin, à Hoxton, et il était invité.

— Tant que ce n'est pas trop tôt, ai-je dit. J'ai promis à Scarlett que je passerai les voir, elle et Jimmy, en fin de journée.

Il a soupiré.

— Bon sang, Stephanie ! Ça va être comme ça tout le temps, maintenant ? Tu vas t'occuper sans arrêt de Scarlett et de son bébé ? Il faut que t'arrêtes un peu.

— Pete, l'accouchement a vraiment été éprouvant pour elle. Il va lui falloir du temps pour s'en remettre alors oui, je vais lui donner un coup de main pendant les premières semaines. C'est tout. Quand elle sera de nouveau sur pied, tout redeviendra comme avant.

Il a bu les dernières gouttes de son verre de vin.

— Elle profite de toi, Stephanie. Et ça me plaît pas du tout.

— C'est pas ce que tu crois, Pete. J'arrête pas de te répéter qu'on est amies. C'est ma copine. On s'entend bien. Toi tu rends plein de services à tes copains. Et c'est normal.

— Ouais, et ils me rendent la pareille. C'est pas à sens unique, comme entre toi et Scarlett.

— C'est pas juste de dire ça.

— Ah bon ? Alors qu'est-ce qu'elle a fait pour toi, récemment ?

— On mesure pas les choses comme ça, avec ses amis. On ne tient pas les comptes. Scarlett est mon amie. Tu veux savoir ce qu'elle a fait pour moi ? Elle m'a prouvé que je pouvais compter sur elle. Et elle m'a demandé d'être la marraine de Jimmy.

Il a éclaté de rire.

— Et tu crois que c'est une faveur qu'elle te fait ? T'aimes même pas les gamins. Stephanie, elle essaie de t'accaparer.

Il ne voyait pas que c'était un geste d'amitié de la part de Scarlett et ça m'a fait de la peine pour lui.

— Non, Pete, c'est un honneur d'être invitée à partager la vie d'un enfant.

— Ouais, et tu vas être obligée de lui faire des cadeaux pendant toute sa vie, a-t-il répondu d'un air cynique. On se retrouvera au concert, alors. Si tu arrives à temps.

— Tu pourrais venir avec moi.

J'ai débarrassé les assiettes et les verres.

— Je ne crois pas, a-t-il répondu.

Ça a continué comme ça. Pete s'attendait à ce que je me rende disponible pour lui, malgré son emploi du temps irrégulier. Il avait toujours rechigné à me voir partir quand mon travail m'y obligeait, et quand je n'étais pas en pleine interview, j'essayais de me calquer sur ses horaires. Mais ce n'était pas facile de s'adapter au rythme d'une jeune maman et de son nouveau-né ; si j'étais trop occupée avec Scarlett et Jimmy pour lui accorder toute mon attention, Pete devenait irritable. Pour être honnête, ça commençait à devenir étouffant. On aurait dit qu'il était jaloux du temps que je passais avec eux.

Comme toujours dans ce genre de cas, ses remarques incessantes m'atteignaient d'autant plus qu'elles comportaient une part de vérité. C'est vrai que Scarlett avait besoin d'aide après la naissance de Jimmy. Quand elle était sortie de la maternité, elle n'était pas en grande forme. Une césarienne est une opération importante, qui nécessite beaucoup de repos. Elle ne supportait pas d'être forcée à réduire ses mouvements et ses activités, mais elle n'avait pas le choix. C'est difficile de se remettre d'une opération lourde, surtout quand votre vie est tout à coup transformée par l'arrivée d'un bébé. Plus rien n'était comme avant. Ça aurait été plus facile si elle avait pu compter sur son mari ou ses parents, mais le moins qu'on puisse dire, c'est que Joshu était père à temps partiel. Il passait en coup de vent pour leur offrir des fleurs et des peluches, câliner son fils pendant dix minutes avant de commander des plats à emporter. Il restait dîner avec Scarlett et puis il repartait en soirée, ou au travail. Sa vie n'avait pas changé le moins du monde. La drogue, l'alcool et les platines de DJ étaient toujours au programme. Et je soupçonnais que ce programme incluait aussi des femmes.

Je passais la voir à peu près tous les deux jours. Je devais me frayer un chemin parmi la foule de journalistes qui semblaient avoir élu domicile devant la maison. Je commençais à comprendre pourquoi Scarlett se sentait oppressée par leur présence constante. Elle n'était pas d'humeur à leur jeter quoi que ce soit en pâture.

Un sérieux problème est rapidement apparu. Quatre ou cinq jours après qu'elle est rentrée chez elle, j'ai appelé George.

— Il va falloir que tu trouves quelqu'un pour aider Scarlett au quotidien, lui ai-je dit. Elle ne s'en sort pas. La maison est un vrai dépotoir, le linge sale s'empile et il faudrait faire des courses.

— Tu ne peux pas lui donner un coup de main, Stephanie ?

Typique des aristos. Ils font croire qu'ils sont féministes mais au fond ils ne comprennent rien à rien. À ma grande stupéfaction, je me suis entendue répéter les paroles de Pete :

— Je suis son nègre, Georgie, pas sa mère. Occupe-toi d'elle, ok ?

C'est comme ça que Marina est apparue. C'était une Roumaine brune et bien en chair d'une vingtaine d'années, qui parlait mieux anglais que la plupart des bimbos avec qui traînait Scarlett quand elle endossait son rôle de personnage public. Elle avait un sens de l'humour noir et malgré une silhouette et un visage rappelant les stars hollywoodiennes des années cinquante, c'était un vrai bourreau de travail. Je l'aimais bien et ce qui comptait encore plus, c'était que Scarlett aussi l'aimait bien. Et elle était complètement indifférente aux charmes de Joshu. Elle a vite fait comprendre qu'elle le prenait pour un branleur, sans pour autant dire quoi que ce soit de déplacé.

Elle avait posé des limites claires, Marina : elle était là pour travailler, pas pour recueillir les confidences de Scarlett. À chaque fois qu'on essayait de la convier à nos conversations, elle s'éclipsait poliment. Elle rangeait la maison, faisait les courses et les repas, s'occupait de Jimmy pendant deux heures tous les après-midi et ça s'arrêtait là. Le soir, elle se retirait dans sa chambre où elle avait une télé et un ordinateur portable bon marché, ou bien elle prenait son vélo pour se rendre dans le pub du village le plus proche où, apparemment, elle retrouvait d'autres travailleurs roumains.

Scarlett et moi avons peu à peu trouvé notre rythme. On travaillait sur les articles destinés aux magazines pendant que Marina gardait Jimmy, l'après-midi. On passait généralement la soirée avec une bouteille de vin et un DVD de *À la Maison-Blanche* ou de *Femmes de footballeurs*. On parlait de nos lectures ou de l'état affligeant du pays sous le gouvernement travailliste. J'ai dû lui expliquer en quoi Margaret Thatcher avait été une mauvaise chose pour le Royaume-Uni parce qu'elle avait créé une sous-classe nouvelle et avait détruit la fraternité qui unissait jadis la classe ouvrière. Les décès de Betty Friedan et de Linda Smith m'ont donné l'occasion de retracer pour elle une brève histoire du féminisme, un courant de pensée qui intriguait Scarlett. J'oubliais sans arrêt qu'elle ne connaissait rien. Je prenais soin de l'informer sans la prendre de haut. Maintenant qu'elle avait découvert le monde de la politique et la société qui l'entourait, elle absorbait les informations comme une éponge, en essayant de les comparer à ce qu'elle connaissait déjà.

Alors que Pete me reprochait de passer trop de temps ici, Scarlett, elle, était en conflit avec Joshu. À chaque fois que je le voyais, il essayait de me rallier à sa cause. Ses griefs étaient toujours les mêmes : ils ne faisaient pas assez l'amour et Scarlett ne voulait plus sortir en boîte avec lui.

Je ne pouvais rien faire pour leur vie sexuelle, mais j'ai essayé de pousser Scarlett à sortir de temps en temps avec lui, ne serait-ce que pour éviter les conflits. Je lui ai proposé de garder Jimmy et même de passer la nuit là. Mais elle n'avait pas envie.

— Ça me saoule, m'a-t-elle dit. C'est pas marrant. J'ai pas envie de me bourrer la gueule et de danser avec des pétasses et des connards. J'ai pas envie d'aller dans des bars où la musique est tellement forte qu'on peut pas parler et qu'on s'entend même pas penser. En plus, je passe la moitié de mes nuits debout à cause de Jimmy. Pourquoi j'aurais envie d'aller passer l'autre moitié en boîte ? Je vais te dire, Steph, en ce moment, la meilleure soirée pour moi, ce serait de pouvoir dormir huit heures d'affilée.

L'attitude de Scarlett n'améliorait pas les rapports entre Joshu et son fils. Scarlett avait changé et il mettait ça sur le compte de la maternité ; il ne comprenait pas qu'être mère lui permettait enfin de vivre comme elle l'entendait, et pas comme lui le voulait. Je peux concevoir qu'il ait été déstabilisé ; il n'était pas fin psychologue. Et il n'était pas très fin, tout court.

Même s'il avait eu assez de jugeote, ça n'aurait pas été facile de saisir ce qui se passait. Parce que le personnage public que jouait Scarlett n'avait pas pour autant complètement disparu. Et je dois admettre que j'avais ma part de responsabilité là-dedans. Comme j'étais le seul écrivain à qui elle voulait bien se confier, je rédigeais tous les articles pour la presse à scandale.

Même si George avait déclaré que j'étais la seule autorisée à mener des interviews et que les seuls clichés de Scarlett seraient pris par un photographe employé par son agence, les journalistes continuaient de s'agglutiner devant chez elle. Une demi-douzaine d'entre eux constituait le noyau dur et ils étaient là tous les jours. Scarlett ne pouvait pas sortir pour promener le bébé ; les objectifs des appareils photo pouvaient l'apercevoir à des kilomètres.

Parmi eux, un paparazzi célèbre, chouchou de la presse à scandale, frustré de poireauter devant et peut-être poussé par sa rédaction, a réussi à escalader le mur et pénétrer dans la propriété. Scarlett était en train de nager dans la piscine quand, en relevant la tête, elle a vu le flash crépiter derrière la fenêtre. Elle a eu le bon sens de ne pas se jeter sur lui mais d'appeler la police puis, peu de temps après, elle a contacté un ouvrier pour qu'il répande du verre brisé sur le mur qui entourait la propriété.

Maggie était aux anges. Rien n'est plus vendeur qu'un joli bébé et une maman célèbre, surtout si elle a une réputation sulfureuse. Scarlett et moi, on a exploité le filon à fond, de A (comme « Accouchement ») à Z (comme « Zen pendant la grossesse »). Cette image populaire de Scarlett était renforcée par d'innombrables reportages photos qui accompagnaient mes articles. Quand j'y repense aujourd'hui, je ne suis pas très fière de moi.

Même si je le regrette, j'ai ma part de responsabilité dans toute cette histoire et dans la façon dont elle a dégénéré.

18

Quand Leanne est arrivée, un après-midi, Scarlett et moi on était censées travailler sur un article consacré à sa remise en forme après la césarienne. C'était le début de l'été et elle avait envoyé Marina et Jimmy se promener dans les bois.

— Il a besoin de prendre l'air, avait-elle dit en voyant le regard noir que lui lançait Marina. Au bout de vingt minutes de marche, vous arriverez à une mare avec des canards. Prends du pain pour leur en donner.

— Il a sept mois, avait objecté Marina. Les canards, il s'en fiche.

— Mais non ! Tous les bébés aiment nourrir les canards. Allez, emmène-le !

Une dizaine de minutes après leur départ, j'ai compris pourquoi Scarlett voulait se débarrasser de Marina. J'étais en train de préparer du thé dans la cuisine quand j'ai vu un taxi s'arrêter devant le portail. L'interphone a sonné et j'ai décroché.

— Oui ? ai-je dit en regardant l'écran.

J'ai failli lâcher le combiné. À l'arrière du taxi, une fille qui ressemblait trait pour trait à Scarlett – en brune – a levé les yeux vers l'écran.

— C'est toi, Scarlett ? a-t-elle demandé avec un accent du Nord.

— Non. Qui êtes-vous ?

— Dites-lui que Leanne est là. Sa cousine. Elle m'attend.

— Une minute.

J'ai reposé le combiné avant de crier dans l'entrée.

— Scarlett ? Il y a quelqu'un à la porte qui prétend être ta cousine !

Elle a accouru, un sourire malicieux sur le visage.

— Ça va te faire marrer, Steph. Je te jure, tu vas te marrer !

Elle a attrapé le combiné et s'est écriée :

— Leanne, ma poulette ! Allez, ramène-toi ici !

— Tu ne m'as jamais parlé de ta cousine, ai-je dit en la suivant jusqu'à la porte d'entrée. Je voulais rencontrer ta famille quand j'ai écrit le livre, tu le sais bien. Tu as dit que c'était rien que des ivrognes et des junkies.

Elle m'a regardée en souriant.

— Tu as vu Chrissie et Jade, tu es obligée d'être d'accord avec moi.

— Alors c'est qui, cette Leanne ?

Elle s'est arrêtée et m'a regardée droit dans les yeux.

— Peut-être que j'avais pas envie de tout dévoiler aux gens, Steph, m'a-t-elle répondu avant d'avancer de nouveau vers la porte. Leanne et moi, on a grandi dans la même cité. Son père et le mien sont frères et sa mère est irlandaise. Quand ses parents se sont séparés, Leanne est partie vivre à Dublin avec sa mère. Quand on était petites, tout le monde nous prenait pour des sœurs. J'ai eu envie de voir si on se ressemblait encore.

Scarlett a ouvert la porte tandis que le taxi s'avançait. Elle s'est retournée pour me faire un clin d'œil.

— J'ai une idée d'enfer, Steph !

*

En les regardant attentivement pendant qu'elles bavardaient dans la cuisine, j'ai remarqué certaines différences entre elles. Leanne avait un visage plus allongé et un nez un peu plus en trompette. Ses oreilles n'avaient pas la même forme mais si elle avait teint ses cheveux en blond et qu'elle les avait détachés, la ressemblance entre elles aurait été frappante. Sa voix n'était pas la même non plus : un peu plus aiguë, avec un accent moins identifiable. Je commençais à avoir de gros doutes sur ce que mijotait Scarlett.

Elles se sont donné des nouvelles l'une de l'autre et Leanne s'est extasiée devant les photos de Jimmy. Après quoi, Scarlett a conduit sa cousine jusqu'à une des chambres d'amis pour qu'elle puisse défaire sa valise et prendre une douche.

— Tu manigances quelque chose, lui ai-je dit dès qu'elle est revenue.

— Tu ne crois pas si bien dire ! J'ai vu un vieux film super bizarre l'autre soir à la télé, *Faux-semblants*. C'était une histoire de jumeaux…

— Oui, je l'ai vu, l'ai-je interrompue.

Je ne supporte pas ça, quand les gens essaient de raconter un film ou un livre. Sûrement parce qu'ils ne sont jamais très clairs ni assez concis et que, d'une certaine façon, ça me rappelle mon travail.

— Ok, alors tu vois où je veux en venir ?

— Tu vas caser ta cousine avec Joshu ?

Elle a eu l'air complètement choquée et j'ai compris qu'une fois de plus, je l'avais sous-estimée.

— Je plaisante, ai-je ajouté rapidement pour essayer de rattraper le coup.

Elle a hésité un instant avant de reprendre :

— T'as un drôle d'humour des fois, Steph. Je l'aime, tu le sais bien. Même si je peux pas vraiment compter sur lui. Non, l'idée que j'ai eue, c'est que Leanne devienne ma doublure. Comme dans les films, m'a-t-elle expliqué en ouvrant un placard d'où elle a sorti une grande carafe. Tu te souviens de Brad Pitt dans *Troie* ?

— Oui, un film carrément nul, d'ailleurs, ai-je répondu en me demandant où elle voulait en venir.

— On s'en fout, du film. Il a fait plein de musculation pour le tournage, mais ça n'a pas suffi. Il s'est retrouvé avec des épaules et des abdos ultramusclés, mais des jambes toujours maigrichonnes. Alors il a eu une doublure juste pour les jambes.

Elle a vidé un bac à glaçons dans la carafe avant d'ajouter une dose effrayante de Bacardi.

— Tu plaisantes ?

— Non, je suis sérieuse. Je le sais parce qu'ils ont fait appel à un mec qui était étudiant à Leeds. Il a joué la doublure des jambes de Brad Pitt. Alors j'ai pensé que Leanne pouvait devenir ma doublure en soirée. Il est où le mélange pour piña colada ?

Heureusement qu'elle avait le nez dans le frigo et qu'elle n'a pas pu voir l'expression de mon visage. J'étais à court de mots. Je n'arrivais pas à en croire mes oreilles.

— Réfléchis une minute, Steph, a-t-elle repris en fermant le frigo après avoir trouvé ce qu'elle cherchait. La plupart des gens que je croise en boîte, ils me connaissent pas. Ils m'ont simplement vue à la télé. Et tout le monde sait qu'on n'a jamais l'air tout à fait pareil dans la vraie vie.

Scarlett a versé la préparation toute prête sur le rhum et les glaçons puis a mélangé à l'aide d'une cuiller en bois.

— En plus, Leanne est exactement comme moi. Elle adore le magazine *Yes !* et toutes ces conneries. Elle est à fond là-dedans. Elle pourrait devenir ma doublure publique, sortir en boîte et donner aux paparazzis ce qu'ils veulent. Comme ça, Joshu aurait quelqu'un avec qui sortir et s'amuser et moi je serais pas obligée de le suivre.

Elle a posé un verre de piña colada devant moi d'un air pensif.

— Et si on arrête de s'engueuler parce que je veux pas sortir, j'aurais peut-être plus envie de baiser. Ça vaut le coup, non ?

J'ai bu une longue gorgée. J'avais l'impression qu'il allait falloir beaucoup de piña colada pour faire passer ça pour une bonne idée.

— Et elle est d'accord ?

— Je lui ai pas donné tous les détails. J'avais pas envie qu'elle aille tout raconter à ses copines irlandaises. Tout ce que je lui ai dit, c'est qu'il y avait peut-être une place pour elle, parmi mes employés.

Elle s'est servi un verre puis a trinqué avec moi.

— À ma doublure !

— Parmi tes « employés » ? Tu lui as dit ça ?

Elle a eu l'air vexée.

— Ben quoi ? Il y a Marina. Et Georgie.

Je n'étais pas sûre que George se voyait comme un employé, mais je n'ai pas relevé.

— Tu penses vraiment que tu as besoin d'une doublure ?

Elle a poussé un profond soupir.

— J'ai besoin de quelque chose. Je me sens harcelée par ces putains de journalistes. Ils me suivent partout où je vais. On peut pas imaginer ce que c'est si on l'a pas vécu. Il y a des moments où je suis malade rien qu'à l'idée de passer le portail. Ça me donne envie de gerber. Il y a des gens qui pensent que c'est débile de se plaindre alors que la pub, c'est mon fonds de commerce. Et je sais bien que c'est grâce aux tabloïds que je paie les factures. Mais ça veut pas dire que j'ai pas le droit d'avoir une vie privée, si ? Et Jimmy ? Il a le droit de grandir sans avoir des paparazzis qui le suivent partout, non ? Je te jure, Steph, ça me déprime. Je me suis dit que Leanne pouvait me faciliter un peu la vie.

Je comprenais sincèrement son point de vue. Même les gens les plus médiatisés avaient besoin d'un peu d'intimité de temps en temps.

— Est-ce que Leanne arrivera à jouer le jeu ? Tu crois qu'elle pourra supporter tout ça ?

Scarlett a hoché la tête.

— Je pense que oui. Le truc, c'est que j'ai besoin de garder les idées claires. On m'a proposé de faire une émission télé. Elle sera diffusée pendant la journée, et ça peut m'ouvrir des portes. Ce sera une sorte de talk-show, du genre « Qu'est-ce qu'ils sont devenus ». Toutes les semaines, on s'intéressera à deux stars de la téléréalité pour voir ce qu'ils deviennent. Ceux qui ont fait quelque chose de leur vie et ceux qui sont tombés dans l'oubli.

— Je vois, « le triomphe ou la tragédie », en quelque sorte.

Scarlett, qui n'avait aucun sens de l'ironie, a réfléchi à ce que je venais de dire.

— C'est pas mal comme titre, a-t-elle fait remarquer. Le triomphe ou la tragédie. Je vais en parler au producteur.

— Alors Leanne pourrait être Scarlett la nuit et toi Scarlett la journée ? Tu es sûre qu'elle ne vendra pas la mèche ?

Scarlett a bu une gorgée de sa boisson en réfléchissant.

— Elle a toujours été loyale, Leanne. Elle a un an de moins que moi. Elle m'a toujours admirée. Je pense pas qu'elle me balancerait, même si elle pouvait se faire du fric là-dessus.

— Se faire du fric sur quoi ? a demandé Leanne en pénétrant dans la cuisine.

Elle avait une serviette sur la tête et la ressemblance entre elles était étonnante. Elle s'est assise avec nous. Scarlett lui a servi un verre.

— Juste un petit truc auquel j'ai pensé.

Leanne a bu une gorgée avant de pousser un soupir de contentement.

— Mmm, c'est trop bon, Scarlett. Et ma chambre est hyperbelle. C'est la première fois que j'ai une salle de bains juste pour moi, comme à l'hôtel. Je vais prendre de mauvaises habitudes.

— Je suis contente que ça te plaise, parce que j'ai besoin de toi.

— C'est quoi ce boulot dont tu m'as parlé ? Tu sais que j'ai pas de formation ni rien. J'ai jamais bossé ailleurs que dans le salon de manucure. Et tu m'as pas demandé de venir depuis Dublin juste pour te faire les ongles, j'imagine.

Scarlett m'a lancé un petit regard entendu.

— Tu te rappelles que les gens nous confondaient tout le temps, quand on était petites ?

Leanne a poussé un gloussement identique au ricanement énervant de Scarlett.

— Ouais, tu te souviens quand Miss Evans m'a prise pour toi et qu'elle m'a emmenée voir le directeur parce que t'avais fait des conneries ?

Scarlett m'a lancé un sourire qui signifiait : « Je te l'avais bien dit. »

— Si tu te faisais une couleur, ça pourrait encore marcher. Qu'est-ce que t'en penses ?

Leanne l'a regardée attentivement.

— Il faudrait aussi que je m'épile les sourcils différemment. Mais ouais, je pense que je pourrais me faire passer pour toi. Pourquoi ? Tu tournes un film porno et tu veux pas qu'on voie ta cicatrice ?

— Arrête de déconner ! Bien sûr que non, je tourne pas un film porno ! Je suis peut-être superficielle mais j'ai des principes, quand même.

Scarlett m'a donné un coup dans les côtes en me disant :

— Allez, dis-lui, toi.

— Moi ? Pourquoi moi ?

— Parce que tu sais bien faire ce genre de trucs. Expliquer les choses de façon à ce qu'elles aient l'air normales.

En effet, c'était une façon de définir mon travail. J'ai donc expliqué à Leanne l'idée qu'avait eue Scarlett, en soulignant que tout ça devait rester confidentiel. Au début, elle a eu l'air sceptique. Mais quand j'ai commencé à lui donner un peu plus de détails, elle a paru intéressée. À la fin de mon explication, elle a souri.

— Et c'est tout ce que j'aurai à faire ? Sortir en boîte trois ou quatre fois par semaine en me faisant passer pour toi ? Tu veux m'embaucher pour que je fasse toutes les conneries à ta place ? T'es cinglée ! a-t-elle commenté en secouant la tête et en gloussant.

— C'est tout ce que tu auras à faire. Tu vivras ici et évidemment, tu ne pourras pas sortir en même temps que moi. Je peux pas être à deux endroits à la fois. Mais tu seras pas enfermée dans la maison non plus. Tu pourras sortir faire du shopping et tout quand je serai ici avec Jimmy.

Leanne a fini son verre et l'a tendu à sa cousine.

— Ressers-moi. Si je dois faire semblant d'être toi, il faut que je m'entraîne. Et Joshu ? Qu'est-ce qu'il pense de tout ça ?

— Il est pas encore au courant.

Leanne a paru inquiète.

— Mais tu vas être obligée de lui dire, non ? Parce qu'il y a des limites à ce que je veux bien faire. Et je veux pas coucher avec lui. Tu fais ce que tu veux, mais moi je couche pas avec un Paki.

— Putain, Leanne, tu peux pas dire ce genre de trucs à tort et à travers. C'est comme ça que je me suis attiré des problèmes.

— Je dis pas ça à tort et à travers, a-t-elle répondu en haussant les épaules. On est juste entre nous, là. Je suis pas débile. Je dirais pas ça si je savais que quelqu'un d'autre peut

168

m'entendre. N'empêche que c'est vrai. Je coucherai pas avec lui.

Exaspérée, Scarlett a reposé bruyamment son verre sur le comptoir.

— Évidemment que tu vas pas coucher avec lui ! C'est mon mari. Je l'aime. J'ai pas envie qu'il attrape une saloperie avec une fille comme toi.

J'ai cru qu'elles allaient se disputer. Mais manifestement, je ne connaissais pas bien leur façon de fonctionner ensemble. Au lieu de se chamailler, elles ont éclaté de rire en se donnant des petits coups.

— T'es quoi ? a demandé Scarlett.

— Débile ! a répondu Leanne sans hésiter comme s'il s'agissait d'une blague récurrente entre elles. Et toi, t'es quoi ?

— Débile !

Et le tour était joué. Il ne leur avait pas fallu plus de vingt minutes pour se mettre d'accord. Si j'avais été plus intelligente, ça m'aurait peut-être mis la puce à l'oreille et j'aurais pu apprendre quelque chose sur Scarlett, ce jour-là. Mais j'étais lente, et ça m'a pris beaucoup de temps.

19

Maggie m'avait trouvé un nouveau contrat qui consistait à écrire l'histoire de jumeaux adolescents qui avaient traversé l'Atlantique à la rame, si bien que je n'ai pas vu Scarlett ni Leanne pendant les deux mois suivants. Plus exactement, je ne les ai pas vues en chair et en os, mais il était difficile de passer à côté de la presse people où « Scarlett » faisait toujours la une. Entre les pubs pour sa nouvelle émission de télé et les photos des paparazzis la montrant en train de tituber à la sortie d'un bar au petit jour, généralement en compagnie de Joshu, elle était omniprésente dans les médias, pour le plus grand bonheur de George sans aucun doute.

Quand j'ai fini par sortir la tête de l'Atlantique, j'ai retrouvé Scarlett pour déjeuner non loin des bureaux de production de sa nouvelle émission, *Télé-vérité*. On s'est installées dans un coin tranquille et, après avoir commandé une bouteille de prosecco et deux plats de pâtes, elle m'a passé une liasse de photos. Parmi elles, il y avait des clichés récents de Jimmy, qui était de plus en plus mignon. J'étais surprise de constater à quel point je m'étais attachée à lui. Pendant que je travaillais sur mon autre projet, ses câlins et son rire m'avaient manqué.

— Il commence à se mettre debout, m'a dit Scarlett avec fierté. Il est curieux de tout. Je te jure, Steph, c'est un vrai plus d'avoir Leanne. Elle l'adore. Maintenant que Jimmy commence à se déplacer, c'est super d'avoir une personne en plus pour le surveiller.

Elle a coupé ses spaghettis avec le côté de sa fourchette avant de les enrouler dans sa cuiller pendant que je regardais les photos.

En plus de celles de Jimmy, il y avait des photos de Leanne qui ressemblait étrangement à Scarlett. J'ai réussi à remarquer quelques différences, mais uniquement parce que je les cherchais.

— Ça ne lui fait pas bizarre, à Jimmy, d'avoir quelqu'un qui te ressemble à ce point ? Parce que franchement la ressemblance est vraiment surprenante.

Elle a avalé une bouchée de pâtes en secouant la tête.

— Non, ça a pas l'air de le déranger. Si on est toutes les deux dans la pièce, il sait que je suis sa mère. J'ai lu quelque part que les bébés se repèrent grâce à l'odorat, et pas seulement grâce à la vue. Apparemment, j'ai pas la même odeur que Leanne. Elle pue l'Irlandaise à plein nez…, a-t-elle ajouté avant de voir la tête que je faisais. Je plaisante, Steph. Tu gobes tout ce qu'on te dit !

— Surtout quand ça vient de toi… C'est super que Jimmy soit à l'aise avec Leanne. Et Joshu ?

— Il a l'air de prendre ça plutôt bien. Il peut sortir avec une femme à son bras quand il ne bosse pas. Et comme on passe plus notre temps à s'engueuler, ça va un peu mieux entre nous. Donc c'est bien sur tous les plans. Il faut juste que je fasse attention à ce que personne découvre notre petit arrangement.

— Tu vas continuer comme ça pendant combien de temps ?

Scarlett a regardé son assiette en fronçant les sourcils.

— Faudra bien que ça s'arrête, c'est sûr, a-t-elle répondu.

— Oui, évidemment. Mais quand ? Est-ce que tu as déjà tout prévu ?

— Tu demandes ça pour plaisanter ?

— Pas du tout ! Si j'ai appris quelque chose sur toi, c'est que tu n'en finis pas de me surprendre. On pourrait s'attendre à ce que tu n'aies pas du tout pensé à la suite. Mais je te connais suffisamment maintenant pour être convaincue que tu n'aurais pas manigancé tout ça sans savoir précisément où ça allait te mener. Je n'aurais pas dû te demander si tu avais déjà tout prévu. J'aurais dû te demander : « Alors, qu'est-ce que tu as prévu ? »

Scarlett a avalé une nouvelle bouchée de pâtes.

— Ouais, j'ai plus ou moins prévu quelque chose, a-t-elle fini par lâcher.

— Tu veux pas m'en dire un peu plus ? Ou bien tu vas encore nous faire la surprise ?

— Je veux lancer mon émission de télé. Il est temps de montrer aux gens qui je suis vraiment. Qu'ils comprennent que je suis différente de ce qu'ils pensent. Et quand ils commenceront à s'en rendre compte, je demanderai à Leanne de sortir un peu moins, m'a-t-elle expliqué en esquissant ce sourire narquois que je connaissais bien. Ensuite, tu pourras écrire des tas d'articles en racontant que je suis une nouvelle femme, que j'ai changé. Que j'ai été transformée par la maternité. Je vais devenir tellement ennuyeuse que les journalistes me ficheront peut-être la paix.

— Et Leanne, qu'est-ce qu'elle va devenir à ce moment-là ?

— Je lui ai acheté une jolie maison en Espagne, dans la montagne. Il y a une grosse communauté d'expatriés là-bas. Elle pourra monter un salon de manucure. Être son propre patron. Évidemment, il faudra qu'elle redevienne brune, peut-être qu'elle se coupe les cheveux, aussi.

Elle a haussé les épaules. Son plan avait quelque chose d'impitoyable que j'admirais presque. Mais pas complètement non plus. J'ai poussé mon assiette.

— Et tu crois qu'elle acceptera ça ?

— Pourquoi pas ? Une coupe de cheveux et une couleur, c'est pas un grand sacrifice. En échange, elle aura une bonne situation.

— Non, je veux dire, est-ce qu'elle acceptera de renoncer à la fête ? D'après ce que je vois, ça représente tout pour elle. Elle a trouvé sa vocation, Scarlett. Sortir s'amuser aux frais de quelqu'un d'autre, c'est sa raison de vivre. Pourquoi est-ce qu'elle abandonnerait ça au profit d'un groupe d'expatriés dans les montagnes espagnoles ?

Scarlett a affiché une expression de dédain qui lui donnait l'air d'une ado.

— Parce que c'est le deal. Elle savait dès le début que ça n'allait pas durer éternellement. Et elle l'a accepté.

— Si tu le dis, ai-je répondu pas entièrement convaincue.

Il se trouve que j'avais raison de penser que Leanne pouvait poser problème. Sauf que les problèmes se sont avérés différents de ce que j'imaginais.

*

Trois semaines plus tard, je suis arrivée à l'hacienda sans prévenir. Je revenais du Suffolk où j'avais discuté avec une comique qui cherchait quelqu'un pour rédiger ses mémoires retraçant cinquante ans dans le monde du rire (c'était son expression, pas la mienne...) et on avait terminé plus tôt que prévu. Notamment parce que j'avais pris cette femme en grippe au bout de cinq minutes et que je n'avais aucune envie d'accepter ce travail. Comme le livre de Scarlett se vendait toujours bien, même en format poche, et que celui sur la traversée de l'Atlantique devait sortir bientôt, je n'avais pas de problème d'argent. En plus, Maggie m'avait parlé d'un entrepreneur qui voulait écrire un livre sur le leadership et ça s'annonçait bien plus intéressant.

Je m'étais donc rapidement éclipsée de cette maison étouffante remplie de bibelots où vivait la comique. Au lieu de rentrer directement chez moi, j'ai décidé de passer dire bonjour à Jimmy et son harem. Je n'ai pas eu de chance. Marina l'avait emmené jouer avec d'autres enfants et Scarlett devait faire un dernier essayage de tenue pour *Télé-vérité*. Joshu n'était pas là non plus. Leanne ne savait pas où il se trouvait. Elle était seule à la maison et son accueil chaleureux m'a surprise. On s'entendait bien, mais ce jour-là elle paraissait à la fois heureuse et soulagée de me voir en tête à tête.

Elle a préparé un café et a fouillé les placards en quête de biscuits.

— Je suis contente que tu sois passée.

Elle a sorti un paquet de biscuits complets bio en forme de bonshommes.

— Tu en veux un ? Jimmy les adore, a-t-elle commenté d'un air méfiant.

— Non, ça ira, merci. Comment ça va ?

— Hé ben, justement, a-t-elle dit comme si elle avait besoin de vider son sac. En apparence, tout marche comme sur des roulettes. Je suis en photo dans les journaux, Scarlett peut dormir autant qu'elle veut la nuit et personne ne se doute de rien.

— Mais… ? J'ai l'impression qu'il y a un « mais ».

Leanne a tripoté la poignée de son mug.

— On peut aller dehors ? J'ai envie d'une clope et Scarlett aime pas qu'on fume dans la maison. À cause de Jimmy, tu sais ?

Je l'ai suivie dans le jardin. La lueur pâle du soleil nous donnait à toutes les deux un teint blafard. Mais c'était mieux que d'être enfermée à l'intérieur à respirer la fumée de cigarette. On s'est assises sur un banc en bois posé devant une mare où des poissons rouges avaient l'air de s'ennuyer au milieu des nénuphars. Je me suis demandé s'il ne fallait pas mettre une barrière autour de la mare, maintenant que Jimmy se déplaçait.

— Joshu, lui, il s'en fiche, a-t-elle repris. Il fume ce qu'il veut, où il veut. Et Scarlett le laisse faire. Elle le gâte encore plus qu'elle gâte Jimmy.

— Peut-être parce qu'elle sait que Jimmy est encore petit, qu'il peut prendre de bonnes habitudes.

Leanne m'a regardée en expirant la fumée.

— Tu n'aimes pas trop Joshu, on dirait.

J'ai haussé les épaules.

— Je ne vivrais pas avec lui, mais apparemment, Scarlett lui trouve des qualités que je ne vois pas.

Elle a tiré sur sa cigarette comme si elle n'en avait pas vraiment envie.

— C'est un peu mon problème, a-t-elle dit.

— Il t'a fait des avances ?

Ce n'était pas très difficile à imaginer.

— Non, il oserait pas. J'ai été très claire dès le début. Quand Scarlett m'a parlé de cette idée, on en a discuté tous les trois et on a mis les points sur les « i ». On a le droit de se tenir la main et de se faire un bisou pour les photographes, mais je lui ai dit que s'il essayait de mettre sa langue ou sa main là où il n'avait pas le droit, je lui coupais la bite. Et Scarlett a dit qu'elle lui couperait les couilles pour s'en faire des boucles d'oreilles. Elle peut faire vachement peur, quand elle s'y met.

— Alors, il a été sage ?

— Avec moi, oui, a-t-elle répondu en écrasant sa cigarette à moitié fumée. Le problème, c'est que je suis pas la seule fille en boîte, si tu vois ce que je veux dire.

J'ai fermé les yeux un instant. Je voyais très bien ce qu'elle voulait dire. Ce que je voulais savoir, c'était le degré de gravité de la situation.

— Dis-moi ce que tu sais et on réfléchira à la meilleure solution.

Elle a eu l'air soulagé. Malgré la ressemblance étonnante avec sa cousine, elle n'avait pas la force qui avait permis à Scarlett de quitter son milieu pour devenir célèbre. Leanne n'avait qu'une envie : vider son sac, et j'étais la bonne poire.

— Quand on sort, on est toujours dans les trucs VIP, tu sais ? On croise toujours les mêmes gens, et la plupart des filles sont des garces de première. Une ou deux fois, j'ai remarqué que des filles ont abordé Joshu mais, dès qu'elles m'ont vue, elles sont parties. Elles ont dû comprendre qu'il était déjà pris. Et puis je me suis dit qu'elles pouvaient pas ne pas savoir qu'il était pris.

J'ai hoché la tête. C'est le genre de filles qui lit les journaux people et les tabloïds aussi religieusement qu'une nonne son missel. C'est leur guide pour savoir qui est in ou out, qui est célibataire ou maqué, qui vaut le coup ou est complètement *has been*. Elles avaient toutes entendu parler du mariage, du bébé et de la joyeuse petite famille qui vivait à l'hacienda. Elles savaient que Joshu était intouchable.

Sauf si elles avaient des raisons de penser le contraire.

— Ça a dû te pousser à te poser quelques questions.

— Carrément ! Je me suis mise à l'observer plus attentivement. J'ai levé le pied sur la boisson, tu sais, pour garder un peu de lucidité. J'ai essayé de me faire plus discrète. Et j'ai commencé à me rendre compte que ces pétasses lui tournaient un peu trop autour, si tu vois ce que je veux dire. Elles flirtaient avec lui, elles le touchaient. C'est difficile à expliquer. Difficile de mettre vraiment des mots dessus. Mais quand on a couché avec quelqu'un on se conduit différemment, pas comme avec quelqu'un qui nous plaît ou avec un ami. Tu comprends ?

— Je crois, oui.

J'avais déjà vu ce genre d'attitudes lors de soirées données par des éditeurs. Il y a des gens qui se tiennent un peu trop près les uns des autres. Ils essaient de se toucher de façon faussement anodine. Sauf qu'ils le font beaucoup plus souvent que s'ils étaient simplement amis ou collègues. C'est dur d'isoler un geste en particulier, mais il suffit d'être attentif. Je me souviens même avoir regardé une saison de *MasterChef* où j'étais persuadée que deux participants couchaient ensemble, rien qu'à leur façon de se frôler. Je ne pense pas m'imaginer des choses. Je suis douée pour repérer ce genre de trucs. C'est en partie pour ça que je suis bonne dans mon travail.

— Je ne pense pas que tu te fasses des idées.

Leanne a esquissé une moue dédaigneuse.

— Moi non plus. Au début, je savais pas, mais maintenant je suis sûre de moi. Il y a deux soirs, j'avais un peu mal au ventre. Je suis restée aux toilettes pendant une dizaine de minutes. On était dans un club où il faut traverser un couloir pour accéder à la salle VIP, et il y a une espèce d'entrée qui la sépare de la grande salle. Quand je suis sortie des toilettes, j'ai vu une fille qui n'était pas là dix minutes plus tôt. Elle m'a pas vue et lui non plus. Ils étaient en train de s'engueuler, là, dans le couloir. Elle lui a dit qu'il pouvait pas la prendre et la jeter comme si elle était un kleenex. Qu'elle en avait marre d'entendre parler des autres meufs qu'il baisait, marre qu'il lui dise qu'il allait quitter sa femme, marre de pas pouvoir lui faire confiance.

Elle s'est tue, visiblement émue, et a allumé une autre cigarette.

— Qu'est-ce que tu as fait ?

— J'ai eu envie de la claquer, cette fille, pour défendre l'honneur de Scarlett. Mais je savais que si je faisais ça, y aurait un scandale et je serais en une des journaux. Et Scarlett a pas besoin de ça. C'est Joshu qui devrait être humilié, pas elle. Alors j'ai fait demi-tour et je suis ressortie une nouvelle fois des toilettes, en faisant beaucoup de bruit. J'ai fait semblant de crier un truc à quelqu'un derrière moi. Quand je suis arrivée dans l'entrée, ils étaient partis. La meuf était dans la salle VIP, mais Joshu, lui, il devait être dans la salle principale parce qu'il est revenu seulement vingt minutes plus tard. Il a fait son show derrière les platines en se la jouant super DJ, comme d'habitude.

Coudes posés sur les genoux, Leanne a soupiré en regardant la mare.

— Je peux pas supporter qu'il la fasse passer pour une conne.

— Il va falloir que tu le dises à Scarlett.

Elle m'a regardée comme si j'étais devenue folle puis a vigoureusement secoué la tête.

— Pas question. Elle me croira jamais. Elle va penser que c'est moi qui ai essayé de le draguer ou un truc comme ça.

— Tu vas être obligée de lui en parler, parce que tôt ou tard, la presse va l'apprendre. Et elle se prendra ça en pleine figure. Ils vont exagérer les faits et tout déformer. Elle va être humiliée. Ça sera encore pire. En plus, elle finira par se douter que tu étais au courant. Elle se sentira doublement humiliée et trahie, par Joshu et par toi. Elle t'en voudra plus à toi qu'à lui, parce que même si c'est un con, elle est amoureuse.

— Putain…, a-t-elle murmuré.

— Tu n'as pas le choix. Il faut que tu lui en parles rapidement. Parce que cette connasse qui lui tourne autour ne va pas lâcher l'affaire.

20

J'ai vraiment essayé de me défiler pour ne pas être là quand Leanne annoncerait à Scarlett la triste vérité au sujet de son mari. Mais peu à peu, j'ai compris que sans moi, elle n'aurait jamais le courage de le faire. Je ne pouvais pas lui en vouloir. Personne n'avait envie d'entendre ce genre de nouvelles. Quand Marina est revenue avec Jimmy, j'ai pris un billet dans mon portefeuille et lui ai donné un supplément pour qu'elle le surveille pendant la soirée, dans sa chambre.

Il était presque dix-neuf heures quand Scarlett est rentrée à bord d'une voiture de la production. Elle était tout excitée d'avoir passé l'après-midi à essayer des robes sexy. Elle était contente que je sois là, m'a-t-elle dit en se dirigeant directement vers le frigo pour ouvrir une bouteille de prosecco. Elle a servi trois verres malgré mes protestations et m'a déposé un bisou sur le front en me donnant le mien.

— Détends-toi, Steph. Tu peux toujours dormir ici si tu veux boire un verre avec Leanne et moi. C'est pas vrai, Lee ?

Ça ne servait à rien de retarder la conversation. Ce qu'on avait à lui annoncer ne pouvait pas attendre.

— Tu n'auras peut-être plus envie de nous voir ici une fois que tu auras entendu ce qu'on a à te dire, ai-je déclaré.

Elle s'est arrêtée et a froncé les sourcils.

— Il y a un problème ?

Elle nous a regardées l'une après l'autre. Un flash de panique est passé dans ses yeux.

— C'est Jimmy ? Il est couché à cette heure-ci, non ?

— Ne t'inquiète pas, Jimmy va bien. Marina le surveille dans sa chambre. On voulait pas qu'il te voie fâchée.

— Alors il reste plus que Joshu, a-t-elle lâché avec amertume en s'asseyant lourdement. Allez-y, dites-moi. Est-ce qu'il a foncé dans un arbre avec sa bagnole ?

— Non, non, pas du tout, ai-je répondu avant de jeter un coup d'œil à Leanne. Mais une fois que tu auras entendu notre histoire, tu lui souhaiteras peut-être d'avoir un accident.

— Vas-y, crache le morceau, Steph, putain ! Ça te ressemble pas de tourner autour du pot.

— Ok, ai-je dit en prenant une profonde inspiration même si ça ne servait à rien. Apparemment, Joshu a couché avec d'autres filles.

Scarlett n'a pas bougé. Elle est restée immobile, figée, à regarder devant elle sans ciller pendant un temps incroyablement long. Je pouvais imaginer à quel point elle se sentait blessée. Tous les gens censés l'aimer et s'occuper d'elle l'avaient systématiquement déçue. Et malgré ça, elle continuait à donner de l'amour autour d'elle. Je ne pouvais pas ne pas l'admirer.

Elle a fini par détourner les yeux en essuyant de l'index son rouge à lèvres. C'était un geste étrange, comme si elle voulait se débarrasser du goût de Joshu.

— Dites-moi ce que vous savez, a-t-elle fini par articuler avec un accent du Yorkshire prononcé.

Leanne lui a raconté ce qu'elle m'avait déjà dit. Elle est allée jusqu'au bout de son histoire nerveusement, en s'interrompant de temps à autre. Scarlett a écouté, impassible, en buvant des gorgées de boisson avec la régularité d'un métronome. À la fin, elle a esquissé une brève moue, comme si elle avait perdu le contrôle d'elle-même l'espace d'une seconde. Et puis elle s'est ressaisie.

— Tu sais qui c'est, cette salope ?

— Je crois que j'ai entendu quelqu'un l'appeler Tiffany. Mais j'en suis pas sûre.

— Ah non ! s'est écriée Scarlett avec amertume. Pas Tiffany. Toffany. Elle a inventé ce prénom, cette conne. Toffany Banks.

Elle a toujours flashé sur lui. Eh ben elle peut l'avoir, maintenant. Venez les filles, on a du boulot.

Ce soir-là, Scarlett a prouvé qu'il valait mieux ne pas la mettre en colère. D'abord, elle a appelé Joshu, en faisant comme si de rien n'était.

— Salut, mon chéri, tu travailles ce soir ?

Après avoir raccroché, elle nous a dit :

— Il mixe au Stagga. Ensuite il va à une fête à Fulham. On a toute la nuit devant nous.

Elle a téléphoné à une entreprise de location d'utilitaires avec laquelle travaillait Joshu.

— Il loue des camionnettes pour des festivals ou des fêtes chez des particuliers, nous a-t-elle expliqué.

Elle a demandé à l'entreprise de déposer un Transit devant l'hacienda, sur le compte de Joshu. Ensuite, on est montées dans leur chambre avec des sacs poubelles. Scarlett a sorti les vêtements de Joshu des placards et des tiroirs pour les jeter dans des sacs. Quand les sacs ont été pleins, elle a versé de l'eau de Cologne, de l'après-rasage et d'autres cosmétiques onéreux qui occupaient la moitié de la salle de bains.

— Il a toujours aimé sentir bon, a-t-elle commenté avec un sourire satisfait tandis qu'on transportait les sacs qui empestaient dans le garage.

Quand le van est arrivé, on a chargé tout son équipement d'enregistrement, ses cartons de vinyles et de CD ainsi que les sacs de vêtements. Il était une heure passée quand on a terminé. On a fait le tour de la maison pour s'assurer qu'on avait éliminé toute trace de ce petit branleur.

— Où est-ce qu'on conduit la camionnette maintenant ? ai-je demandé.

— C'est lui qui paie, a répondu Scarlett. Je crois qu'on devrait la conduire jusqu'au Stagga et laisser la clé à un videur. Qu'est-ce que tu en penses, Steph ?

— Ça me paraît une bonne idée. Tu conduis le van, je te suis avec ta voiture et ensuite je te ramène.

— Je viens avec toi dans le van, a dit Leanne. Pour te tenir compagnie.

On l'a toutes les deux regardée en écarquillant les yeux.

— Sûrement pas, a répliqué Scarlett. J'ai pas envie que les vigiles me voient en double.

Leanne s'est frappé le front en éclatant de rire.

— Merde, j'avais oublié ! Je suis quoi ?

— Débile ! a gloussé Scarlett. Allez Steph, on y va.

Je l'ai suivie. Elle a garé la camionnette devant le club et dit aux gorilles qui gardaient l'entrée :

— Joshu m'a demandé de lui déposer son matos. Je peux vous donner les clés ? J'ai pas mis ma tenue de soirée, a-t-elle ajouté en indiquant son jogging et son tee-shirt. J'ai pas envie de casser ma réputation.

Sur le trajet du retour, elle n'a pas dit grand-chose.

— Je lui ai laissé un mot sur le volant. Je lui ai dit de foutre le camp chez Toffany s'il voulait un lit pour dormir et de ne pas revenir.

— Il faudra que tu lui parles de la garde de Jimmy, ai-je commenté.

— Y a des avocats pour ça. Il s'est jamais occupé de son fils pendant qu'ils vivaient sous le même toit. Il pourra continuer à le voir, mais hors de question qu'on partage la garde.

On a roulé pendant un moment.

— Il va essayer de t'arnaquer pour avoir du fric aussi, ai-je dit.

— Qu'il essaie. Mon comptable a placé la majorité de mon argent en sécurité. En plus, on avait fait un contrat de mariage. Il garde ce qui est à lui et je viendrai pas lui demander de pension. J'arrive pas à croire qu'il m'ait fait ça. Toffany Banks, putain. C'est vraiment insultant, tu sais. Elle est encore plus bête qu'un poisson rouge. À côté d'elle, je suis érudite !

À ce moment-là, elle a fondu en larmes. Elle s'est mise à pleurer bruyamment en laissant échapper de gros sanglots qui ont résonné dans la voiture.

Comme je ne savais pas quoi faire, j'ai simplement continué à conduire. Au bout de quelques minutes, elle s'est calmée. Son visage était barbouillé de larmes et de morve. Elle a reniflé et s'est essuyé les yeux puis le nez d'un revers de main.

— C'est tout, a-t-elle déclaré. Je vais pas pleurer davantage pour ce connard.

Je n'étais pas sûre qu'elle y arrive, mais j'imagine que sur le coup, ça l'a aidée à se sentir mieux. Pendant les mois qui ont suivi, elle a souvent pleuré à cause de lui. Malgré tout, elle l'avait aimé et elle était tombée de haut quand elle avait su qu'il l'avait trompée. Mais ce soir-là, elle était bien décidée à tenir bon.

— Est-ce que tu voudrais bien rester à la maison avec nous pendant quelques jours ? Il va revenir, c'est sûr. Et puis il va y avoir les médias. Je vais avoir besoin d'un peu de renfort.

Je ne pouvais pas lui dire non. À sa place, j'aurais aimé pouvoir compter sur une copine. Mais je ne savais pas que la soutenir m'entraînerait jusque-là.

21

Il n'a pas fallu attendre longtemps. Une heure après notre retour, Joshu est arrivé devant l'hacienda et s'est mis à crier à tue-tête. Scarlett avait changé le code d'accès et désactivé l'interphone. On était assises dans la cuisine à boire du thé, trop nerveuses pour dormir, quand on a entendu la camionnette se garer.

— Les ennuis commencent, a annoncé Leanne.

Le klaxon de la camionnette a résonné dans le petit matin.

— Ça va pas plaire aux voisins, a commenté Scarlett. Tant pis pour eux.

— Tu devrais lui parler, ai-je suggéré. Même si c'est juste pour lui dire que c'est terminé.

Scarlett a regardé au loin en direction du jardin.

— J'ai vraiment pas envie.

Elle s'est quand même levée de son tabouret pour s'approcher de la porte. Elle s'est retournée vers nous et, de la tête, nous a fait signe de la rejoindre.

— Venez. Il me faut des témoins. Et du courage pour pas me dégonfler en le voyant.

Leanne et moi, on s'est regardées. Elle avait l'air aussi ravie que moi de faire ça. Se retrouver au milieu d'une dispute conjugale, ce n'était pas la meilleure place qui soit. J'avais l'impression d'être dans un film avec Michael Douglas et Kathleen Turner, mais sans le côté comique. On a quand même suivi Scarlett et Leanne a attaché ses cheveux avant d'enfiler une casquette de baseball. C'était un piètre déguisement, mais il avait déjà fonctionné par le passé.

À première vue, la scène donnait envie de rire. Celui qui avait conduit Joshu jusque-là avait collé l'avant de la camionnette contre le portail, et Joshu était monté sur le capot. Il était appuyé sur le portail et avait passé les bras à travers les pics en métal qui le surmontaient.

— Pas trop tôt, salope ! a-t-il crié en tanguant légèrement de gauche à droite.

Il avait l'air défoncé et l'était probablement. Comme à son habitude, il avait bu et ingéré des substances diverses et variées pendant toute la soirée. Le seul aspect positif de tout ça, c'est qu'on était en pleine nuit et que les paparazzis étaient chez eux, au fond de leurs lits.

— Tu crois que c'est le meilleur moyen de régler ça, lui a-t-elle répondu sur le même ton. De venir ici en m'insultant ?

— Qu'est-ce qui se passe, putain ? a-t-il demandé d'un air innocent.

— Il se passe que t'as laissé traîner ta bite là où t'aurais pas dû. J'en ai marre. Je pensais que t'allais changer en ayant un enfant, mais t'es toujours le même. Sale con ! Tu couches avec cette truie de Toffany et après tu rentres à la maison ? Je vais devoir faire des analyses pour vérifier que j'ai pas chopé un putain de virus sexuellement transmissible. T'es un vrai connard.

Joshu a essayé d'intervenir mais elle ne l'a pas laissé en placer une. Maintenant qu'elle était lancée, elle ne voulait pas lui laisser la possibilité de la faire changer d'avis.

— J'ai emballé tes affaires et maintenant t'as plus qu'à foutre le camp. Je veux plus te revoir ici, je veux divorcer. Je veux plus jamais entendre parler de toi.

— Tu peux pas faire ça ! a-t-il répliqué pendant qu'elle reprenait sa respiration.

— C'est trop tard, connard.

Ils se sont mutuellement fusillés du regard.

— Elle a menti, Toffany, a-t-il lancé.

— T'es minable. Tu crois que je vais gober ça ? Tu me prends pour une conne ou quoi ?

— Tu peux pas me foutre dehors. Et notre fils ? Je suis son père.

— Son père ? T'arrives même pas à l'appeler par son prénom parce que c'est pas toi qui l'as choisi. Tu crois que j'ai pas remarqué que tu dis toujours « mon fils » ou « le gamin » ou « petit » ? Il s'appelle Jimmy, connard. Et il remarquera même pas que t'es parti. Steph lui manque quand elle s'absente quelques jours. Leanne aussi. Mais toi, non.

— Oh ouais, Steph lui manque, a-t-il répété d'un air moqueur. Steph, ta putain de copine gouine.

Je suis restée bouche bée. Littéralement. Je n'en ai pas cru mes oreilles.

Scarlett a éclaté de rire.

— T'es pathétique et tellement prévisible. Vous êtes tous les mêmes. Si on n'aime pas les mecs aussi virils que toi, c'est forcément qu'on est des grosses gouines. C'est ce que tu penses parce que t'as pas le courage d'affronter la vérité. Hé bien, la vérité, c'est ça, mon pote : tu me dégoûtes parce que t'es toujours bourré, ou défoncé, ou que tu pues la sueur et la clope. Pas parce que t'es un homme. C'est plutôt parce que t'agis pas assez comme un homme.

Il a écarquillé les yeux, blessé. Elle avait réussi à le toucher dans son orgueil.

— Mais je t'aime ! a-t-il dit d'une voix aiguë.

— Pas moi, a-t-elle répondu la gorge serrée. T'as tout gâché, Joshu. T'as tout gâché.

— Tu peux pas faire ça, Scarlett.

Il avait les larmes aux yeux. J'ai eu presque pitié de lui et puis je me suis rappelé à quel point il m'était antipathique.

— J'ai pas le choix. En restant avec toi, je suis sûre d'être malheureuse. Et je veux pas faire subir ça à Jimmy. Il sera mieux sans père qu'avec un bon à rien comme toi.

Il s'est agrippé aux barreaux du portail.

— Espèce de connasse ! Tu crois que tu peux dicter ta loi comme ça ? Tu vas avoir des surprises, je te le garantis.

C'était frappant de constater que sous l'effet de la colère, son faux jargon des rues avait disparu pour révéler le vrai Joshu : un type bien éduqué de la classe moyenne.

— Tu me fais pas peur, Joshu. Je suis plus la même que quand je suis tombée amoureuse de toi.

Il a adopté un ton dédaigneux à son tour.

— T'oublies à qui tu parles. Rappelle-toi que je connais tous tes petits secrets. Comment tu crois que tes fans vont réagir quand ils apprendront que tu t'es foutue d'eux pendant toute cette année ? Toi et ta cousine… vous tiendrez pas cinq minutes quand je raconterai tout.

De là où je me trouvais, j'ai vu Scarlett se raidir. L'espace d'un instant, j'ai cru qu'elle avait abattu toutes ses cartes. Mais une fois de plus, je l'avais sous-estimée. Elle a avancé de quelques pas vers le portail et a penché la tête en arrière pour regarder Joshu droit dans les yeux.

— Tu crois ça ? C'est moi que le public aime, pas toi. Mes fans comprendront que j'ai fait ça parce que t'étais un con. C'est toi qu'ils traiteront de porc. Et puis t'es autant dans la merde que moi : c'est toi qui as sorti Leanne tous les soirs comme si c'était ta femme. Soit t'étais au courant et dans ce cas, tu vaux pas mieux que moi. Soit t'es même pas foutu de voir que la fille que tu traînes en boîte n'est pas ta femme. Alors essaie pas de me menacer, espèce de pauvre merde.

Il a essayé d'escalader le portail, mais il a glissé sur le pare-chocs et a disparu de notre champ de vision en poussant un juron. On a entendu un bruit de chute, puis il a lâché un cri suivi de nouveaux jurons.

— T'as pas fini d'entendre parler de moi, salope !

La portière de la camionnette a claqué, le moteur a ronflé et les pneus ont crissé sur la route. Quelques secondes plus tard, on n'entendait plus que le chant habituel des oiseaux à l'aube et la rumeur de la circulation au loin. Scarlett a donné un violent coup de pied dans le portail.

— Salaud !

Puis elle s'est retournée vers nous et nous a lancé un sourire narquois.

— Premier round pour moi, j'ai l'impression.

Le premier, et certainement pas le dernier.

22

La première chose que fit l'inspecteur Nick Nicolaides en arrivant à sa voiture fut de dresser une liste. Il aimait bien les listes. Grâce à elles, il arrivait presque à croire qu'il pouvait dompter le monde.

— Parler à Charlie
— Trouver Pete Matthews
— Vérifier que Megan, la fan obsessionnelle, est toujours internée
— Re-vérifier que la mère et la sœur de Scarlett sont bien là où elles sont censées être
— Est-ce que Leanne est toujours en Espagne ? Demander à Steph quelle est sa relation avec Jimmy
— Jeter un œil à la famille de Joshu

Le premier élément de cette liste était quelque chose qu'il ne voulait pas faire au bureau. Le Dr Charlie Flint était psychiatre et ancien profiler ; elle venait d'être réhabilitée après une suspension controversée. Aux yeux de la police, Charlie était devenue une paria. C'est pour ça qu'il ne voulait pas l'appeler depuis son bureau, de peur que Broadbent ne surprenne la conversation. Nick et Charlie se connaissaient depuis long-temps. À l'époque où Nick étudiait la psychologie à l'univer-sité, en étant dealer à mi-temps, Charlie s'était mise en travers de sa route et lui avait donné un ultimatum. Il devait tout arrêter sans quoi elle le dénonçait à la police. Elle avait sauvé Nick et il savait que c'était grâce à elle qu'il menait maintenant cette existence qu'il adorait.

— Je n'avais pas spécialement d'affection pour toi, lui avait-elle dit plus tard. Mais je ne supportais pas l'idée de voir quelqu'un d'intelligent gâcher son talent.

Elle le taquinait, bien entendu. En dépit de son passé compliqué (ou peut-être grâce à ça), ils étaient devenus amis. Il avait beaucoup d'amis. Parmi eux, il y avait quelques flics et beaucoup de musiciens, professionnels ou amateurs. Charlie était la seule personne à savoir qu'il aurait pu mener une vie radicalement différente de celle-ci. Quand la situation devenait difficile, c'était précieux de pouvoir compter sur une personne de confiance. Et c'était exactement le genre d'affaires où les idées de Charlie pouvaient s'avérer utiles.

Tandis qu'il composait son numéro et attendait qu'elle décroche, il songea qu'il n'aurait peut-être pas fait appel à elle s'il s'était agi d'une affaire banale. Il se sentait impliqué parce que la personne qui était actuellement dans le bureau du FBI, c'était Stephanie.

Ils s'étaient rencontrés deux ans plus tôt et il s'était senti immédiatement attiré par elle. Mais aucune occasion ne s'était présentée à eux. En plus, il n'aimait pas l'idée de mélanger vie professionnelle et vie privée. Dans son métier, les gens qu'il rencontrait ne laissaient généralement pas de très bons souvenirs. Les flics étaient là pour gérer les problèmes, et ce n'était pas propice à faire naître des relations heureuses. Il y avait un déséquilibre entre eux. S'il devait se passer quelque chose entre eux, il fallait qu'ils soient sur un pied d'égalité ; il ne voulait pas être un héros qui séduit une jeune femme en détresse.

Et puis, un beau jour, elle lui avait téléphoné. Pour des raisons professionnelles, certes, mais elle aurait très bien pu contacter le commissariat de son quartier. Qu'elle lui fasse suffisamment confiance pour s'en remettre à lui l'avait flatté. Une fois que son problème avait été réglé, il était passé chez elle pour lui faire savoir qu'il aimerait bien la revoir, si elle en avait envie. Il ne pouvait pas nier qu'il ressentait quelque chose pour elle. Même s'il avait décidé de ne plus s'engager avec des femmes qui avaient des vies compliquées, il ne pouvait pas résister à Stephanie.

Ils avaient commencé doucement. Ils s'étaient vus pour déjeuner, pour aller au cinéma, avaient dîné ensemble trois fois et emmené Jimmy voir la Tour de Londres. Ils s'appelaient au téléphone tard le soir et communiquaient via Facebook et Twitter. Ils avaient attendu deux mois avant de coucher ensemble, ce qui était rare, à notre époque. Ce n'était pas dû à une absence de désir, du moins pas de la part de Nick. Il ne savait pas exactement pourquoi ils avaient attendu, sûrement parce qu'ils ne voulaient pas prendre ça à la légère. Et peut-être aussi à cause de l'enfant. Quand il y a des enfants, on fait plus attention.

Charlie décrocha son téléphone à la deuxième sonnerie.

— Salut, Nick. Quelle bonne surprise ! Comment ça va ?

— J'ai connu mieux, Charlie. Et toi ? Je te dérange pas ?

— Non. Maria prépare un festin dans la cuisine et je bois un verre de vin en attendant. Qu'est-ce qui t'arrive ?

— Je t'ai parlé de Stephanie, non ?

— Oui, le jour où on a pris un petit déjeuner dans ce charmant café de Paddington. Est-ce qu'il y a un problème ?

Malgré la distance qui séparait Londres de Manchester, il entendit nettement de l'inquiétude dans sa voix.

— Oui, mais pas entre elle et moi, répondit-il. C'est bien plus grave que ça, Charlie. J'ai besoin de ton aide.

— Bien sûr, avec plaisir, tu le sais bien.

— Jimmy, le fils de Scarlett Higgins, a été kidnappé. Stephanie l'a emmené en vacances aux États-Unis et il a été enlevé à l'aéroport.

Charlie retint sa respiration.

— Là-bas ? Il a été kidnappé là-bas ? demanda-t-elle.

— Oui. Le FBI est en train d'interroger Stephanie. Pour en apprendre un peu plus sur son histoire. Ils m'ont demandé de les aider dans leur enquête, mais il n'y a aucune piste pour l'instant.

— C'est pour ça que tu m'appelles. Et tu as raison. Dis-moi tout ce que tu sais au sujet de l'enlèvement.

Il s'exécuta en se demandant une nouvelle fois pourquoi il se sentait toujours aussi soulagé de se confier à Charlie. Il fit de son mieux pour répéter ce que lui avait appris l'agent Vivian McKuras sans donner aucune interprétation personnelle des faits. Quand il eut terminé, elle poussa un petit grognement.

— Intéressant.

— Oui, là-dessus je suis d'accord avec toi, Charlie.

— J'essaie juste de réfléchir, Nick.

— Est-ce que tu veux que je te laisse le temps d'y penser et je te rappelle après ?

— Je vais d'abord te dire une ou deux choses qui me viennent à l'esprit. Premièrement, Jimmy connaissait la personne qui l'a enlevé. Le kidnappeur n'a pas eu le temps de lui parler pour le convaincre de le suivre. Même avec des figures d'autorité comme les flics, les gamins de son âge montrent généralement une certaine réticence. Il est très probable que le coupable soit quelqu'un qu'il connaît.

— Merde, lâcha Nick. Alors il faut enquêter de ce côté-ci de l'Atlantique. Sur les gens qui connaissent Jimmy et Stephanie.

Charlie poursuivit lentement comme si elle pesait ses mots :

— C'est intéressant de constater que Stephanie ne l'a pas reconnu. Si c'était quelqu'un de son entourage, elle aurait peut-être reconnu sa carrure, sa démarche, ses gestes, même sans voir son visage. Donc ce n'est peut-être pas quelqu'un dont elle est proche.

— Mais ce quelqu'un doit connaître des choses à son sujet. Il doit savoir qu'à cause de sa jambe, elle déclenche toujours les détecteurs. Et il doit savoir qu'elle avait prévu des vacances.

— C'est vrai. Celui qui a enlevé Jimmy a été en contact avec lui récemment. Le garçon va à l'école, non ? Tu devrais jeter un œil aux instituteurs, aux assistants de vie scolaire, au personnel de l'école. Tous ceux qui sont susceptibles d'avoir créé une relation de confiance avec Jimmy.

Nick nota ses remarques.

— Mais dans ce cas, pourquoi attendre que l'enfant soit aux États-Unis ? Pourquoi ne pas le kidnapper ici, ce serait plus facile, non ? C'était très risqué là-bas, Charlie. Il aurait pu y avoir une multitude de problèmes.

— Je sais, j'allais justement y venir. Celui qui a enlevé ce gosse a une grande capacité d'organisation et beaucoup de sang-froid. Mais pour en revenir à ce que tu as dit : pourquoi les États-Unis ? C'est une bonne question, commenta-t-elle en poussant un bref soupir. Je ne connais pas la réponse, mais peut-être que le ravisseur a agi pour le compte de quelqu'un d'autre. Et peut-être que cette personne se trouve aux États-Unis.

Comme d'habitude, discuter avec Charlie permettait d'envisager de nouvelles pistes.

— Alors je devrais commencer par enquêter sur tous ceux qui ont été en contact avec Jimmy récemment ?

— Oui, ou bien sur des gens qui connaissent le gamin depuis longtemps. Sa famille ?

— Non, je ne crois pas qu'on trouvera quoi que ce soit de ce côté-là. D'après ce que m'a dit Stephanie, les deux parents sont morts, son grand-père paternel ne veut pas entendre parler de lui mais il faut que je vérifie si c'est toujours d'actualité. Il a peut-être envie d'avoir un héritier…

— Oui, ça pourrait être une option. Et dans ce cas, il ne réfléchirait pas vraiment de façon rationnelle. Et la famille de sa mère ?

— Scarlett a toujours mis un point d'honneur à ce qu'ils ne connaissent pas Jimmy. La grand-mère est alcoolique et la tante est toxico. D'après Stephanie, elles ont pris un avocat à la mort de Scarlett en croyant que Jimmy toucherait un héritage. Dès qu'elles ont su qu'elle avait légué tous ses biens à une association caritative et que Jimmy n'était qu'une charge financière, elles n'ont plus fait parler d'elles. Elles n'ont pas les ressources financières ou intellectuelles pour monter un truc pareil, même si elles voulaient le récupérer. Jimmy a une autre tante, Leanne, mais elle vit en Espagne et Stephanie n'a pas eu de ses nouvelles depuis la mort de Scarlett. Elle n'a pas cherché à rester en contact avec l'enfant.

— Donc tu élimines la famille de sa mère. Et la famille du père, ça paraît peu probable. Des employés de maison ?

— Des employés de maison ? Stephanie n'en a pas. Elle est écrivain, pas star de cinéma.

Nick ne put s'empêcher de trouver cette idée amusante, en dépit de la gravité de la situation.

— Je sais que ça paraît ridicule, mais je ne vois pas comment les appeler autrement : une femme de ménage, une nourrice, un ouvrier qui vient réparer des trucs. Des gens qui viennent chez elle ou chez qui Jimmy peut aller.

Nick nota cette nouvelle idée.

— Il n'a pas de nourrice. C'est Stephanie qui va le chercher à l'école. Elle a changé ses habitudes de travail pour se rendre disponible. Elle dit qu'avec tout ce qu'il a vécu, il lui faut de la stabilité. Et quand elle doit partir faire des interviews pour un livre, elle ne travaille que de dix à quatorze heures, ajouta-t-il en souriant avec affection. Elle dit que c'est bien mieux comme ça.

— Ok. Une femme de ménage ?

Nick esquissa une moue.

— Je sais qu'elle en a une, mais je crois qu'elle vient quand Jimmy est à l'école.

— Une baby-sitter ?

— Emily, la fille de l'agent de Stephanie. Je ne crois vraiment pas qu'elle puisse être impliquée là-dedans.

— Tu as sans doute raison. Tu as dit que le garçon avait cinq ans ?

— Oui.

— Est-ce qu'il y avait quelqu'un qui s'occupait régulièrement de lui, du vivant de Scarlett ? Parce qu'il pourrait avoir un souvenir assez fort de cette personne, suffisamment pour lui faire confiance.

Nick se remémora l'époque où il avait découvert cette famille plutôt chaotique. Mais il s'était peu à peu rendu compte qu'elle n'était pas si chaotique que ça, en réalité.

— La personne qui s'occupait de tout s'appelait Marina. Elle faisait office de femme de ménage, de cuisinière, de nourrice. Sans elle, tout se serait cassé la figure. Mais elle est complètement sortie de leurs vies.

— De quelle façon ?

— Scarlett a légué sa fortune à une association caritative qui gère un orphelinat en Roumanie. D'après Stephanie, quand elle a su qu'elle était mourante, Scarlett a renvoyé Marina en Roumanie (son pays d'origine) afin de représenter l'association au sein de l'orphelinat. Pour gérer l'institution, en gros. Scarlett voulait quelqu'un qui connaisse bien le fonctionnement du pays sans pour autant que son salaire dépende de l'État roumain.

— Et tu es sûr qu'elle est toujours là-bas ?

Nick gribouilla de nouveau. Sa liste commençait à devenir horriblement longue.

— Je peux vérifier. Mais pourquoi est-ce qu'elle serait impliquée dans un truc pareil ?

— Peut-être que Jimmy lui manque. Si elle s'est occupée de lui pendant les quatre premières années de sa vie, ça a dû être déchirant de le quitter. Peut-être qu'elle trouve que Stephanie n'est pas capable de l'élever. Il faut vérifier cette piste, Nick. Jimmy lui ferait confiance sans se poser de questions. Si elle a trouvé un moyen de le revoir, elle a pu lui présenter son ravisseur. Elle n'aurait pas eu de mal à le faire.

— Ça me paraît un peu tiré par les cheveux, objecta-t-il.

— Toute cette histoire est tirée par les cheveux. Ça s'est passé sous les yeux de tout le monde, c'est un acte très audacieux.

— C'est pour ça que je penchais vers Pete Matthews avant de t'appeler. Il est violent, il ne lâche pas le morceau et il aime tout contrôler. Il est bien organisé et il est crédible.

— Il connaît bien Jimmy ?

— Je n'en suis pas sûr. Je crois que le garçon était assez jeune quand Stephanie s'est séparée de Pete. Mais ce type l'a harcelée, il a pu trouver le moyen de se lier avec Jimmy.

— C'est vrai. Je ne l'éliminerais pas de notre liste. Mais ne perds pas de vue les autres possibilités.

Nick soupira.

— Si ce sont là juste les idées qui te viennent comme ça, spontanément, je ne suis pas sûr d'avoir le courage d'écouter une réponse plus réfléchie.

Charlie gloussa.

— Ne t'en fais pas. Je n'aurai peut-être pas grand-chose de plus pour toi.

— Une dernière chose : quel est le but de cet enlèvement, à ton avis ? Est-ce que c'est quelqu'un qui veut Jimmy, ou qui cherche à obtenir une rançon ?

Il y eut un silence à l'autre bout du fil. Il savait qu'elle était en train de réfléchir et attendit donc pendant un temps qui lui parut très long.

— Je ne pense pas que la motivation soit l'argent. Parce qu'il n'y en a pas. On a affaire à un esprit calculateur et, s'il voulait de l'argent, il aurait choisi une cible bien plus prometteuse que Jimmy. Et c'est un bon point.

— Pourquoi ? Si c'est Jimmy qu'ils veulent, on ne le retrouvera peut-être jamais.

— Je sais. Mais il y a de fortes chances qu'ils le gardent en vie. Et c'est quand même mieux comme ça, non ?

23

Avec Joshu, rien n'était jamais agréable ou facile. Chaque entrevue avec lui ou ses avocats s'avérait éprouvante et pénible. Je ne sais pas comment Scarlett s'en serait sortie sans Leanne et moi. On a servi de souffre-douleur, de défouloir, de cellule psychologique. Marina gérait l'aspect pratique des choses, mais pour le reste, Scarlett s'en remettait à nous. Nous étions sa soupape de sécurité. Les jours où elle était occupée à enregistrer son émission de télé, elle consacrait toute son énergie à maintenir son image publique. Quand elle rentrait à la maison, elle avait juste envie de se blottir dans le canapé avec Jimmy, regarder des trucs débiles à la télé en buvant du prosecco. D'autres fois, elle avait envie de vider son sac, et nous étions là pour ça. Leanne sortait de temps en temps en ville. Elle était devenue « Scarlett la courageuse » pour les médias, ce qui était un progrès par rapport à « Scarlett la pétasse ».

— Il t'a rendu service, tu sais, lui ai-je dit un soir.

Je sentais que je prenais un risque en affirmant ça. Elle n'avait pas encore tourné la page, loin de là. Mais tôt ou tard, j'allais devoir lui dire le fond de ma pensée.

— Ouais, c'est ça. En me brisant le cœur. Ça m'a vraiment rendu service, a-t-elle répliqué. Comme si j'avais besoin d'un truc qui me pousse à devenir alcoolique comme toute ma famille.

Je me suis redressée et je l'ai regardée droit dans les yeux.

195

— C'est ton choix. Et c'est assez lâche, comme réaction, si tu veux mon avis. Je crois que tu vaux mieux que ça. Que tu es plus forte que ça. Tu le prouves tous les jours, quand tu entres sur ce plateau de télé en étant sobre. Cette habitude de boire à la maison, c'est rien d'autre que de la faiblesse.

— Je croyais que t'étais censée être mon amie, a-t-elle répondu en boudant un peu plus.

— Qui va te dire la vérité, à part moi ? Joshu t'a rendu service. Maintenant, la presse te considère comme une victime, c'est un grand progrès.

J'ai attendu qu'elle admette que j'avais raison, mais je me suis rendu compte qu'elle n'allait pas le faire, alors j'ai poursuivi.

— Il te traitait comme de la merde, Scarlett. Tu mérites mieux que ça. Mais ça ne risquait pas d'arriver tant que tu vivais avec Joshu qui ne pensait qu'à frimer. Tu l'as dit toi-même un million de fois, c'était un mauvais père. La vérité, c'est que c'était aussi un mauvais mari. Tu n'arrêtes pas de parler de ton grand projet, de devenir quelqu'un. Regarde les choses en face, Scarlett, ça ne pouvait pas arriver avec lui. Il ne fera jamais rien de sa vie. Si tu veux continuer à avancer, t'es bien mieux sans lui.

— C'est facile à dire pour toi.

Son ton était aigre mais elle a remis la bouteille dans le frigo sans se resservir.

— Je sais, mais ça n'en est pas moins vrai. Tu es mieux sans lui.

Ce qui me mettait mal à l'aise, c'est que je donnais à Scarlett des conseils que je semblais incapable de m'appliquer à moi-même.

Pour moi, ça ne faisait pas grande différence d'être à l'hacienda ou à la maison. Quand je n'étais pas en interview, je pouvais travailler n'importe où tant que j'avais un peu de calme. Maintenant que les affaires de Joshu n'étaient plus là, l'abri de jardin aménagé était vide. Le matin, quand je me réveillais dans la chambre d'amis, j'y emmenais mon ordinateur portable et mes écouteurs pour retranscrire mes conversations. Si Scarlett était en tournage, je rentrais chez moi après le déjeuner et j'y restais un jour ou deux. C'était assez aléatoire et je me suis vite rendu compte que ça ne plaisait pas du tout à Pete.

Il a commencé à critiquer tout ce que je faisais. Les légumes que j'achetais n'étaient jamais savoureux, la viande n'était pas de bonne qualité, le vin était mal choisi. Il faisait trop chaud ou trop froid dans la maison. Peu à peu, il est passé aux attaques personnelles. J'avais besoin d'aller chez le coiffeur ou la pédicure ou de refaire toute ma garde-robe. Au lit, j'étais trop exigeante, trop passive, trop critique vis-à-vis de ses performances. Je marchais sur des œufs et c'était rien de le dire. Quand j'étais avec lui, je me sentais stressée et anxieuse. Et évidemment, quand une personne que vous aimez vous critique sans arrêt, vous finissez par la croire.

Quand j'y repense aujourd'hui, je comprends que c'était une relation de pouvoir et de contrôle. Pete ne voyait mon amitié avec Scarlett que de son point de vue à lui. À ses yeux, chaque soirée que je passais avec elle nuisait à notre relation. Comment est-ce que je pouvais passer du temps avec quelqu'un qu'il méprisait alors que j'aurais pu rester seule à la maison en attendant qu'il rentre du travail ? Je faisais tout mon possible pour le comprendre. Il travaillait beaucoup et quand il avait un peu de temps libre, il voulait le passer avec moi. La plupart des hommes que j'avais fréquentés ces dernières années n'avaient même pas envie de ça, alors j'étais contente. Il était encore capable de se montrer affectueux et drôle ; ces moments-là me faisaient oublier ses remarques désagréables et me persuadaient qu'en effet, tout était ma faute.

Quand j'ai commencé à prendre l'habitude de travailler chez Scarlett, l'agressivité de Pete est montée d'un cran. Si je n'étais pas disponible en même temps que lui, il m'envoyait des textos désagréables. Je lui ai dit qu'il était le bienvenu à l'hacienda.

— Pourquoi je voudrais passer mes soirées avec une assemblée de sorcières ? m'a-t-il répondu un jour. Vous avez jeté votre malédiction sur Joshu, pas question que vous fassiez la même chose avec moi.

197

Je pouvais encaisser tout ça. En fait, il me faisait de la peine. On ne pouvait pas se montrer si affectueux et si dur en même temps sans raison. Et la seule raison qui me venait à l'esprit, c'était qu'il avait souffert lui aussi. Alors je lui pardonnais systématiquement. Je me reprochais constamment de manquer de compassion.

C'est ce que les femmes – et les enfants – battus font tout le temps. Ils trouvent un moyen de s'accuser eux-mêmes, parce qu'ils sont gentils et parce que la personne qui abuse d'eux les y pousse. Je me sentais responsable de la colère de Pete.

Mais quand il s'est mis à me crier dessus parce que je n'étais pas à la hauteur de ses désirs irréalistes, j'ai ouvert les yeux. Je suis une femme chanceuse, voyez-vous. J'ai grandi dans une famille où les adultes se respectaient. Ils m'ont appris à me respecter moi-même. Et j'ai compris que Pete était allé trop loin. Quelles que soient les raisons expliquant sa conduite, il dépassait les bornes. J'ai essayé de le lui expliquer, mais il a refusé d'écouter. Il a continué de crier. Je lui appartenais et il était temps que je me conduise correctement. J'allais arrêter de traîner avec ces salopes lesbiennes. J'allais devoir marcher droit. Ou sinon… C'était flippant. J'ai vraiment cru qu'il allait me frapper. Je n'avais jamais ressenti ça auparavant.

Je suis sortie. J'ai quitté ma propre maison, j'ai pris ma voiture et je suis partie. Je suis allée à l'hacienda, évidemment. C'était l'option la plus facile. Je m'étais déjà plainte de l'attitude exagérée de Pete à Scarlett et Leanne. Si j'avais choisi d'aller chez d'autres amis, j'aurais dû tout expliquer et je n'en avais pas le courage. « C'est juste pour une nuit, me suis-je dit. Je reste une seule nuit et je rentre demain matin. » Je savais que Pete devait être au studio le lendemain. Même s'il passait la nuit chez moi, il serait parti à dix heures au plus tard.

Scarlett n'a pas été surprise de me voir, hélas.

— Je le sentais venir, m'a-t-elle dit. C'est un chieur, celui-là. Un sacré con. J'me souviens d'une fois où je t'ai déposée et il t'attendait sur le pas de la porte. Il tirait une gueule de six pieds de long.

— Tu vas le quitter ? m'a demandé Leanne en mettant l'eau à bouillir.

On essayait de réduire le prosecco et renouer avec la grande tradition britannique du thé.

J'ai eu les larmes aux yeux.

— J'ai pas envie, mais je ne peux plus supporter ça, ai-je répondu.

— On a l'impression qu'il voudrait que tu sois prisonnière pour qu'il vienne te libérer, a commenté Scarlett.

— Prisonnière de l'amour, a résumé Leanne. Tu pourrais en faire un article et le vendre à un magazine.

— J'ai pas envie d'écrire un article sur moi. J'aime être nègre. Je suis comme un fantôme. Invisible. Anonyme.

— T'es pas comme moi, a gloussé Scarlett. Envoie-le se faire foutre, Steph. Tu vaux vachement mieux que lui. C'est ce que tu me dis sans arrêt. Tu trouveras jamais l'homme de ta vie si tu restes coincée avec un con.

Je n'ai pas eu peur de rentrer chez moi le lendemain matin. Je pensais que Pete se serait calmé.

— T'as eu une enfance protégée, m'a dit Scarlett. Là où j'ai grandi, y avait des brutes comme Pete à tous les coins de rue. Ils pensent que tu leur appartiens. Ils croient que t'existes juste pour eux. Les mecs comme ça, ils lâchent pas l'affaire aussi facilement. Attends-toi à ce que ça empire.

Je n'y ai pas vraiment prêté attention. Je pensais que je savais ce que je faisais. Mais en fait, je ne savais rien des hommes et de la violence dont ils sont capables.

24

Ma première surprise a été de voir que Pete était encore là. Sa voiture était garée devant chez moi et les rideaux de la chambre étaient toujours fermés, alors qu'il était dix heures et demie.

— Mauvais signe, a commenté Scarlett. Je croyais qu'il était censé être au travail ce matin.

— C'est ce qu'il m'a dit.

Apparemment, il avait changé d'avis. Peut-être à cause de moi.

— Est-ce que tu veux que je vienne avec toi ?

Pour être honnête, je n'étais pas sûre d'avoir envie d'y aller tout court. La colère de Pete m'avait perturbée et effrayée. Le fait qu'il soit encore là indiquait que je m'étais trompée : il ne s'était pas calmé. Je ne voulais pas avoir une nouvelle confrontation avec lui. Jamais. Je n'avais jamais été aussi sûre de quoi que ce soit. Dans ma tête, c'était fini entre nous. Aucune excuse ne pouvait effacer ces moments de rage et la violence dont il avait fait preuve.

— Attendons un peu, ai-je suggéré.

— Ok.

Scarlett a reculé son siège et fermé les yeux. Depuis la naissance de Jimmy, elle avait développé la capacité enviable de faire la sieste n'importe où, n'importe quand. Moi j'étais stressée, mais elle, elle s'est endormie en quelques minutes. J'ai écouté la radio et la respiration régulière de Scarlett en essayant de calquer la mienne sur son rythme.

Il était presque onze heures quand la porte d'entrée s'est ouverte d'un seul coup et que Pete est sorti. Même de loin, il avait l'air hagard et mal rasé. J'ai été surprise de le voir sortir dans cet état, mais ce qui m'a vraiment estomaquée, c'est qu'il parte en laissant la porte grande ouverte derrière lui. Il est monté dans sa voiture et s'est éloigné dans un crissement de pneus qui a tiré Scarlett du sommeil.

— Qu'est-ce qu'y a? a-t-elle marmonné. Qu'est-ce que c'est?

— Connard! me suis-je exclamée, en bondissant de mon siège.

Elle m'a rattrapée sur le perron.

— Il a laissé la porte ouverte?

— Pour tenter d'éventuels cambrioleurs, ai-je répondu en pénétrant à l'intérieur.

Je me suis arrêtée net. Le couloir donnait l'impression que le cambriolage avait déjà eu lieu. Et qu'il avait été particulièrement ravageur. Les tableaux avaient été arrachés du mur et jetés par terre. Du verre brisé et des morceaux de cadres gisaient sur la moquette. Deux photos avaient été déchirées et piétinées.

— Oh merde, a fait Scarlett derrière moi.

J'étais sans voix.

Je n'avais pas envie d'entrer dans les autres pièces parce que j'avais peur de ce que j'allais y trouver. Un mélange d'odeurs nauséabond m'a donné une idée de ce qui m'attendait. Mais l'incertitude était encore pire. J'ai pénétré dans ce qui avait été ma magnifique cuisine américaine ouverte sur le salon et mes jambes se sont dérobées sous moi. Scarlett m'a retenue pour que je ne m'effondre pas au milieu de ma cuisine en ruines. À présent je savais ce que Pete avait fait pendant la nuit.

Apparemment, il avait vidé chaque placard et chaque tiroir sur le sol. De la vaisselle, des bouteilles et des pots cassés étaient visibles au milieu d'un amas indistinct de farine, riz, confiture, pâtes, ketchup, olives, huile, glace fondue et alcool.

Côté salon, les livres et les CD étaient répandus sur le sol, ainsi que d'autres cadres cassés. J'ai cru que j'allais vomir.

— Putain, je vais l'tuer, a dit Scarlett. J'te jure.

Elle a remis en place un fauteuil et m'y a fait asseoir.

— Mais avant ça, je vais appeler les flics, a-t-elle repris.

— Non, ne fais pas ça. Il réussira à s'en sortir quand même.

— Non, on l'a vu s'enfuir.

— Moi je l'ai vu, toi tu dormais.

— Et alors ? Il n'en sait rien. Je dirai à la police que je l'ai vu sortir en laissant la porte ouverte.

— Il mentira sur l'heure à laquelle il est parti. Il a des copains qui le couvriront. C'est ce que font les types comme lui. Ils se liguent contre nous. Il va te traîner là-dedans. Il racontera qu'on est qu'une bande d'hystériques qui détestent les hommes, j'en suis sûre.

Je me suis pris la tête dans les mains.

— Tu ne peux pas le laisser s'en tirer comme ça, a protesté Scarlett. Les ordures comme lui, il faut leur résister.

— Je préfère laisser quelqu'un d'autre s'en charger, lui ai-je répondu au bord des larmes. Moi, j'ai pas la force. Il va gagner et je me sentirai encore plus mal. Si c'est possible.

Elle avait l'air révoltée, mais elle s'est calmée.

— Tu reviens chez moi, a-t-elle annoncé sur un ton décidé. Je vais monter te prendre quelques affaires. Pas la peine de discuter.

Je suis restée assise là, sonnée. Le saccage de ma maison me laissait une impression affreuse, qui s'étalait en moi comme une nappe de pétrole sur le sol d'un entrepôt, recouvrant tout sur son passage. J'adorais cette maison et la façon dont je l'avais aménagée. Il l'avait vandalisée, tout ça parce que je l'avais blessé dans sa fierté masculine. Comment est-ce que j'avais fait pour ne pas voir cette rage qui se cachait en lui ? Comment est-ce que j'avais pu aimer quelqu'un de si sombre ?

Scarlett est revenue, l'air secoué.

— J'ai pris des vêtements, ton ordinateur et tous les papiers qui étaient sur ton bureau. Allez, on y va.

Je l'ai suivie sans rien dire jusqu'à la voiture après avoir fermé la porte à clé derrière moi, même si ça ne servait à rien.

Je l'ai laissée conduire. J'avais beau être traumatisée, je n'avais pas envie de mourir et c'était dangereux que je prenne le volant dans cet état.

De retour à l'hacienda, elle m'a donné du thé et du Valium avant de m'envoyer me coucher. J'ai dormi par intermittence pendant presque vingt heures et quand j'ai émergé, je me sentais à peu près dans mon état normal.

J'ai trouvé Leanne et Scarlett dans la cuisine, leurs agendas ouverts sur le comptoir pour programmer leur semaine. Scarlett s'est levée et m'a prise dans ses bras.

— Comment tu te sens, Steph ?

— Mal, mais je survivrai, ai-je répondu en me détachant d'elle pour me diriger vers la machine à café. Il faut que j'envoie un serrurier là-bas pour changer les serrures. Ce connard n'avait pas les clés de chez moi, mais il a très bien pu se servir et prendre mon double.

— Pas besoin, a répondu Leanne, c'est réglé.

— Comment ça ?

— J'ai appelé un serrurier dès qu'on est rentrées, hier, a expliqué Scarlett. Et une équipe de nettoyage. Tu n'auras pas à revoir ta maison dans cet état-là.

J'ai fondu en larmes. Quand j'y repense aujourd'hui, je suis contente d'avoir craqué à ce moment-là, parce que j'étais émue de sa gentillesse, et non à cause de lui.

Pete avait tout fait pour contester l'amitié de Scarlett. Cet épisode prouvait que j'avais eu raison de ne jamais douter d'elle. Scarlett et moi étions liées pour la vie, je le savais.

Je regrette seulement qu'on n'ait pas pu en profiter plus longtemps.

25

Même si Vivian n'était pas vraiment une femme d'intérieur, elle comprenait que Stephanie ait perçu l'acte de Pete Matthews comme une violation. Cet homme avait un sérieux problème. Restait à savoir s'il était capable d'éprouver encore du ressentiment pour Stephanie, quatre ans plus tard.

— Je comprends que vous ayez jugé inutile d'avertir la police. Mais vous avez sûrement eu envie de lui faire payer ça quand même, non ?

Stephanie soupira.

— Pour être honnête, j'avais surtout envie qu'il disparaisse de ma vie. Je ne voulais plus avoir le moindre contact avec lui. C'est plutôt mon entourage qui a eu envie de se venger. Scarlett, Leanne, Maggie, mes autres amis. Mon ami Mike a voulu rassembler une bande de copains et rendre une petite visite à Pete. Saccager son appartement et lui casser la gueule. Mais je leur ai interdit de faire ça, dit-elle en secouant la tête. Je ne me serais pas sentie mieux pour autant. J'étais décidée à ne pas m'abaisser à son niveau. Vous comprenez ?

Vivian n'était pas sûre qu'un policier puisse comprendre le choix de Stephanie.

— Dans mon métier, je recherche la justice, répondit-elle. Je pense que ceux qui agissent mal doivent être punis.

— Mais vous ne pensez pas que les victimes ont leur mot à dire sur la punition ? Je voulais tirer un trait sur tout ça et ne plus avoir à penser à lui. Tout contact avec lui aurait été mauvais pour moi. Voilà l'état d'esprit dans lequel j'étais à cette époque. En fait, j'ai sans doute pris la mauvaise décision. Mais j'avais besoin de faire ce choix-là à ce moment-là, pour mon bien.

— J'en conclus qu'il a de nouveau fait parler de lui par la suite ?

Vivian voulait en venir à ce qui l'intéressait : savoir si Pete Matthews était le genre d'homme qui, après plusieurs années, rêvait toujours de prendre sa revanche.

Stephanie hocha la tête vigoureusement.

— C'est rien de le dire. Je pensais qu'il avait agi sous le coup de l'émotion et que je n'entendrais plus jamais parler de lui. Mais apparemment, il avait autre chose en tête. J'étais chez Scarlett depuis quelques jours quand il a commencé à m'envoyer des textos. Comme si rien ne s'était passé. Il m'écrivait après le travail pour me raconter sa journée et me demander où est-ce qu'on allait se retrouver pour dîner.

— C'est très bizarre.

— Vous trouvez ?

Vivian se demanda si Stephanie était aussi intelligente qu'elle le paraissait. On ne pouvait pas ne pas trouver la réaction de Pete Matthews étrange.

— Pas vous ? répliqua-t-elle.

— Réfléchissez-y : il ne savait pas que je l'avais vu quitter la maison en laissant la porte ouverte. Il ne savait même pas si j'étais retournée chez moi ou non. J'en ai conclu qu'il essayait de me soutirer des informations pour découvrir si j'étais au courant de tout ça ; et si oui, est-ce que je le tenais pour responsable. Il devait quand même s'inquiéter un peu et craindre que je le dénonce à la police.

Une fois de plus, Stephanie l'étonna. Cette femme était très fine. Ses histoires étaient longues à raconter mais apportaient beaucoup d'éléments utiles.

— En effet, c'est intéressant, reconnut-elle. Qu'est-ce que vous avez fait après avoir reçu ces messages ?

— Je n'en ai pas tenu compte. Je ne les ai même pas lus, pour la plupart. J'ai commencé par les effacer, mais Scarlett m'a fait remarquer que si un jour je devais me rendre au commissariat, ils me serviraient à prouver son harcèlement. Alors je les ai gardés mais je n'y ai pas prêté attention. Et puis il s'est mis à m'envoyer des e-mails. Des messages où il exprimait son chagrin et son désarroi, en disant qu'il ne comprenait pas pourquoi je ne lui répondais plus alors que sa seule faute, c'était de m'aimer, dit-elle en levant les yeux au ciel. Je suis sûre que vous avez déjà rencontré ce genre d'attitudes.

Vivian hocha la tête. Elle ne jugea pas nécessaire de préciser qu'en général c'était à la suite d'une mort violente.

— Je vois de quoi vous voulez parler. Et alors, est-ce que vous avez appelé la police ?

— Je n'en voyais pas l'utilité. Il n'y avait rien de menaçant dans ses textos ou ses e-mails. En dehors de leur nombre, j'imagine. Scarlett pensait qu'il fallait que j'aille voir la police mais moi je répétais qu'on ne me prendrait pas au sérieux. Parce qu'il n'y avait aucune menace apparente.

— Est-ce que la situation a évolué ensuite ?

— Après qu'il a vandalisé ma maison, je suis restée chez Scarlett pendant quatre ou cinq jours. Franchement, j'appréhendais de rentrer chez moi. Le souvenir de ce qu'il avait fait était encore très présent. Je ne voyais pas comment l'agence de nettoyage avait pu arranger ça. Mais je me trompais. Scarlett ne s'était pas contentée de leur demander de nettoyer. Un jour, alors que je pensais qu'elle était en tournage, elle avait dévalisé les magasins. Bien entendu, elle n'avait pas pu remplacer tout ce que j'avais perdu, mais elle s'était drôlement bien débrouillée pour trouver des choses équivalentes. Vous connaissez la théorie que les physiciens quantiques ont développée, au sujet des univers parallèles ? Hé bien quand j'ai ouvert la porte de chez moi, j'ai eu l'impression de pénétrer dans une version parallèle de ma maison. En apparence, c'était à peu près la même, mais il y avait beaucoup de petites différences. C'était très bizarre. C'est seulement en montant à l'étage que j'ai pu noter de grosses différences, parce que Scarlett n'y avait quasiment jamais mis les pieds. Elle s'était bien débrouillée pour choisir, cependant. Même quand elle avait choisi un style très éloigné de celui du meuble ou de l'accessoire d'origine, elle avait acheté quelque chose qui me plaisait. J'ai été très touchée.

Scarlett s'était montrée très généreuse, c'était incontestable. Vivian imagina que si Pete l'avait découvert, ça l'aurait rendu fou.

— Est-ce que Pete a su ce qu'elle avait fait ?

— Je ne sais pas s'il a compris que c'était Scarlett qui était à l'origine de tout ça, mais il surveillait la maison. Dans ses e-mails, il écrivait des choses comme : « Tu peux essayer d'effacer toute trace de moi dans ta maison mais tu ne pourras jamais m'effacer de ton cœur. Tu sais que tu m'aimes, tu ne peux pas dire le contraire. Tu peux mettre de nouveaux tableaux au mur, mais ce sera toujours mon visage que tu verras en fermant les yeux, le soir. »

Elle s'interrompit un instant et Vivian remarqua que ses traits étaient tendus.

— On peut trouver ça très romantique, commenta-t-elle, ou y voir une menace. Je comprends pourquoi vous pensiez qu'on ne vous prendrait pas au sérieux. Est-ce que vous avez réussi à retourner vivre chez vous ?

Stephanie tripota son gobelet.

— Oui. Et pendant quelques semaines, tout s'est bien passé. Je ne sortais pas beaucoup parce que je transcrivais des interviews. Quand je suis dans cette phase de travail, je suis très concentrée sur ce que je fais. Je m'assieds, je mets mes écouteurs et j'oublie le monde extérieur. Je me fais livrer des courses pour ne pas avoir à sortir du cocon créé par l'histoire de mon client. C'est de l'immersion totale.

Son visage se détendit et elle esquissa un sourire. Vivian entrevit alors la personne que Stephanie devait être quand elle n'était pas en proie à la peur et à l'anxiété.

— Ça m'aide à me familiariser avec leur ton quand je dois écrire, ensuite. Pendant cette période, Pete aurait pu passer ses journées assis sur le muret du jardin, je ne m'en serais pas rendu compte depuis mon petit bureau sous les toits.

— Vous pensez qu'il était là, devant chez vous ?

Le stress et l'inquiétude réapparurent sur son visage.

— Probablement, répondit-elle en soupirant. Enfin, pas assis sur le muret, mais je sais qu'il passait devant la maison plusieurs fois par jour en voiture. Il se garait de façon à pouvoir m'observer et il faisait les cent pas sur le trottoir. Je me suis aperçue de ça quand j'en ai eu fini avec les retranscriptions. Chaque fois que je regardais par la fenêtre, il était là. Ou bien sa voiture était garée devant. J'ai essayé de continuer à vivre normalement, mais c'était quasiment impossible. Quand je sortais, il me suivait et se mettait à me parler. Je ne lui répondais pas, mais il insistait. Si je prenais le bus ou le métro, il était là, debout dans l'allée ou assis sur un siège. Un jour, il a même essayé de monter dans le taxi avec moi. J'ai été presque obligée de lui coincer les doigts dans la portière pour le forcer à reculer. Mais ce n'est pas le pire. Il y a eu un autre incident qui m'a vraiment fait peur.

— Qu'est-ce qui s'est passé ?

Stephanie frissonna.

— Vous allez surinterpréter ça… C'était moi qu'il visait, pas Jimmy.

— Qu'est-ce qui s'est passé, Stephanie ?

Maintenant que Vivian était plongée dans l'histoire, elle n'avait aucun mal à exploiter l'intimité qui s'était créée entre elles pour obtenir des informations.

— Scarlett avait emmené Jimmy en ville. Ils étaient allés voir les dinosaures au Muséum d'histoire naturelle et je les ai retrouvés à Regent's Park. Jimmy est allé jouer et nous, on s'est assises sur un banc pour discuter. On le surveillait du coin de l'œil, vous savez, comme on le fait dans ces cas-là. Et on s'est aperçu qu'il y avait un homme à côté du toboggan qui s'intéressait un peu trop à Jimmy. Je l'avais déjà remarqué et j'avais pensé qu'il était avec d'autres enfants plus âgés, donc je n'avais pas vraiment fait attention. Mais il s'est retourné et j'ai vu que c'était Pete. Avec les cheveux courts. Il avait l'air différent, mais c'était bien lui.

— Ça a dû être terrible pour vous. Qu'est-ce que vous avez fait ?

— On a bondi comme des furies, Scarlett et moi. Lui, il a simplement souri et il s'est éloigné. Rapidement, mais sans faire quoi que ce soit qui puisse paraître suspect. J'ai eu l'impression qu'il voulait me faire passer un message : « Je peux te retrouver où je veux, quand je veux. » Ça m'a vraiment inquiétée.

— Est-ce que ça a fait peur à Jimmy ?

Elle secoua la tête.

— Pas du tout. Quand on a accouru vers lui, il a eu l'air surpris l'espace d'un instant. Scarlett l'a pris dans ses bras et on est partis dans la direction opposée. Mais pour moi, ça a été la goutte d'eau qui a fait déborder le vase. J'ai cherché sur Google les recours qui existaient contre le harcèlement. Il y a une loi qui stipule que les coupables peuvent être poursuivis par un tribunal criminel et que les victimes peuvent entamer des démarches civiles contre eux. Les convoquer au tribunal et tout ça. Ça m'a un peu remonté le moral. J'ai pris un rendez-vous avec le commissariat de mon quartier. L'agent qui m'a reçue était vraiment à l'écoute, mais le problème, c'est que Pete avait pris soin de ne rien écrire de compromettant dans ses textos et ses e-mails. Dans la rue, il n'avait rien fait qui puisse être qualifié d'agression ou de menace. En tout cas, pas selon la loi. L'agent n'a rien pu faire pour moi.

— Même pas lui donner un avertissement.

Elle esquissa un sourire amer.

— C'est là toute l'ironie de la chose. Si les policiers parlaient à Pete sans raison légale, c'étaient eux qui risquaient d'être accusés de harcèlement. C'est fou, vous ne trouvez pas ?

Vivian connaissait bien la frustration que pouvaient provoquer les procédures judiciaires. Mais ce n'était ni le moment ni le lieu pour en débattre.

— Alors vous n'avez rien pu faire ?

— L'agent de police m'a suggéré de m'adresser à un avocat. Les tribunaux civils n'ont pas les mêmes critères, vous savez. Alors j'ai pris rendez-vous avec une avocate spécialisée dans ce genre d'affaires et il s'est avéré que, même pour un tribunal civil, je n'avais pas assez d'éléments contre Pete pour le poursuivre. J'aurais dû signaler le saccage de ma maison quand il avait, eu lieu. L'avocate m'a conseillé de déménager et de conserver tous ses messages. Puis de revenir la voir trois mois

plus tard pour un nouveau rendez-vous hors de prix, ajouta-
t-elle en secouant la tête. Bien sûr, elle n'a pas exactement dit
ça. C'est moi qui suis cynique. En gros, j'étais toute seule,
quoi. La loi n'était pas de mon côté.

— J'imagine qu'il a persisté.

— Oh oui, il a persisté.

26

Scarlett m'attendait dans la voiture quand je suis sortie de chez l'avocate. Je lui ai annoncé le verdict et elle a juré comme un hooligan avant de s'exclamer :

— C'est n'importe quoi ! Il peut faire tout ce qu'il veut, putain. Et toi t'as aucun recours ? Il faut qu'on s'occupe de lui, franchement. Tu sais, Steph, je connais des types de Leeds qui seraient contents de venir lui casser la gueule.

— Non, je te l'ai déjà dit, je ne veux pas réagir comme ça. En plus, qu'est-ce qui se passera si un de tes copains te filme pendant que tu leur en parles et qu'il vend ça aux journaux ? Tous les efforts de ces dernières années n'auront servi à rien. En plus, on t'arrêtera pour complicité. Il faut qu'on trouve un autre moyen de se venger.

Scarlett a fait une moue.

— Jusqu'à maintenant, t'as rien trouvé.

— Oui, c'est vrai, mais j'y ai pas mal réfléchi. Je vais vendre la maison. Discrètement, sans publicité ni rien de tout ça. Je vais simplement dire à l'agence immobilière d'en informer leurs clients, sans mettre aucun panneau. Et un jour, quand Pete le connard arrivera devant chez moi pour me suivre, ce sera une autre personne qui franchira le seuil de la maison.

Scarlett a eu l'air abasourdi.

— Tu vas faire ça ?

— Ça va pas être facile, mais oui, je crois. Chaque fois qu'il y aura une visite de la maison, je ferai diversion. J'irai me promener en ville et comme il me suit, il tombera dans le panneau. La veille du déménagement, j'irai prendre l'Eurostar pour passer quelques jours à Paris.

Scarlett a éclaté de rire.

— T'es vraiment futée, Steph ! Et t'iras vivre où, après ça ?

— Je me suis dit que je pouvais squatter chez toi pendant quelques mois. Qu'est-ce que tu en dis ?

Elle a esquissé un petit mouvement de danse avec le bras.

— Cool, cool ! a-t-elle répondu. On va bien se marrer. Attends, tu lui as jamais parlé de Leanne ?

J'ai secoué la tête.

— Non, bien sûr que non. Ça a toujours été notre petit secret. Il ne sait rien à ton sujet qui peut te nuire, ne t'inquiète pas. J'ai toujours été très discrète. C'est comme ça que je protège mon investissement, ai-je ajouté en lui donnant un petit coup sur le bras. Est-ce que ça te va si j'emménage avec toi quelque temps ?

— Aussi longtemps que tu veux. J'aime bien t'avoir à la maison.

— Et j'aime bien y passer du temps. Honnêtement, le gros avantage pour moi en habitant chez toi, comparé à mes autres amis, c'est que je peux avoir un endroit pour travailler. Un endroit où je ne gêne personne, où je me sens la bienvenue, me suis-je empressée d'ajouter pour qu'elle ne croie pas que je préfère venir chez elle uniquement parce que c'était plus pratique.

— Sans parler du mur d'enceinte et du portail sécurisé, a-t-elle ajouté à son tour. Pete pourrait rester planté devant pendant des jours sans t'apercevoir.

— Il ne sait même pas où se trouve la maison. Pas précisément en tout cas.

— Il finira par trouver. Tout ce qu'il aura à faire c'est demander dans les pubs. Il faudra peut-être qu'il lâche un petit pourboire, mais ce sera facile, y a plein de gens qui sont prêts à se faire du fric sur mon dos. Il sera pas plus avancé ensuite. Comme j'ai dit, il pourra rien te faire à l'intérieur de la propriété. Surtout maintenant qu'on a mis du verre brisé sur le mur.

Elle a fait semblant de grimacer de douleur.

— Merci Scarlett, c'est gentil.

— Je suis sincère, tu restes aussi longtemps que tu veux. Pour toujours, si tu en as envie, a-t-elle ajouté en haussant les épaules.

— C'est super. Ne le prends pas mal, mais j'aime bien avoir un chez-moi. J'ai juste besoin de temps pour réfléchir à ce que je veux avant de trouver la maison qui me convient. Si je peux me poser chez toi entre-temps, ça m'évitera de me précipiter, de faire un mauvais choix et de lui donner une chance de me retrouver.

On s'est lancées dans la circulation de l'après-midi en espérant regagner l'Essex avant les bouchons. La proposition de Scarlett était généreuse, mais en toute franchise, je ne supportais pas l'idée de vivre pour toujours dans cette région. Sans compter que je ne verrais jamais mes autres amis, ceux pour qui l'Essex était un terrain vague dénué de culture, de gastronomie et d'intérêt. Je n'avais pas encore décidé du coin que j'allais choisir, mais ce ne serait ni Londres ni l'Essex.

— Il te faut un nouveau téléphone, aussi, m'a dit Scarlett. Et une nouvelle adresse e-mail. Juste pour tes amis et Maggie. Ça t'évitera d'avoir à lire ses conneries tous les jours mais en même temps, il faut que tu conserves ses messages.

Elle avait raison. J'avais l'intention de m'occuper de ça dès le lendemain. J'avais espéré autre chose de cette journée. J'avais espéré voir Pete interrogé par la police ou convoqué au tribunal. Mais ce n'était pas la fin du monde. D'une façon ou d'une autre, j'étais bien décidée à ne pas laisser ce type régir ma vie.

Quand j'ai pris conscience que je n'étais pas la seule à être harcelée par un individu tordu, ça n'aurait pas dû me rassurer et pourtant, c'est l'effet que ça a eu sur moi. Quelques jours après mon installation chez Scarlett, Leanne est rentrée de soirée très énervée. J'ai vite compris que sous sa colère se cachait un certain malaise.

Elle était assise dans la cuisine à fumer une cigarette et à boire du thé, l'air furieux. Elle n'a pas levé les yeux quand je me suis assise en face d'elle après avoir préparé un café.

— La nuit a été dure ? lui ai-je demandé.

— T'imagines même pas.

— Qu'est-ce qui s'est passé ? Quelques cocktails de trop ?

— Si seulement... Non, je me suis fait emmerder par une fille complètement tarée qui pense que Scarlett est sa meilleure copine juste parce qu'elle a donné quelques flacons dédicacés de Scarlett Smile à sa putain d'association caritative. J'avais à peine mis un pied dans la boîte qu'elle a commencé à me suivre en me disant : « Tu te souviens pas de moi ? » C'est toujours un peu chiant quand les gens font ça, parce que je sais pas s'ils connaissent vraiment Scarlett ou pas, tu vois ? Alors je suis obligée de feinter. Je dis que j'ai pas la mémoire des visages. Enfin bref, à un moment j'ai pensé qu'elle allait se barrer, mais non.

— Ça a dû être pénible.

— Plus que ça ! C'était carrément flippant. Elle arrêtait pas de me coller. Je pouvais pas m'en débarrasser. Et vu qu'elle faisait comme si on était copines, je pouvais pas lui dire devant tout le monde d'aller se faire foutre. Parce que c'est le genre de trucs qu'on aurait retrouvé le lendemain dans les jour-aux et sur Internet. « Scarlett envoie balader une association caritative. » Tu les connais.

— Qu'est-ce que t'as fait, alors ?

Leanne semblait mal à l'aise. Elle a écrasé sous la table sa cigarette qu'elle n'avait pas le droit de fumer, elle savait que ça aurait exaspéré Scarlett.

— J'en avais marre. Impossible d'être tranquille une minute. Elle me répétait qu'on allait faire la fête chez elle ensuite. Elle insistait. Alors je me suis dirigée vers les toilettes VIP en sachant qu'elle allait me suivre. Sauf qu'au lieu d'entrer dans les toilettes, je suis sortie par la porte de secours qui donne sur un petit escalier. Elle m'a rejointe quelques instants plus tard. J'ai allumé une cigarette et je l'ai écrasée dans son cou. Après, je l'ai poussée dans l'escalier.

J'étais choquée et ça a dû se voir.

— Qu'est-ce que je pouvais faire d'autre ? Elle voulait pas me foutre la paix. Elle me saoulait. Je me suis débarrassée d'elle sans nuire à la réputation de Scarlett. Elle devrait me remercier. Ça fait une fan cinglée de moins.

Bien sûr, je savais que Scarlett et Leanne avaient appris à se battre dans la rue. Mais c'était la première fois que je voyais vraiment ce qui pouvait arriver quand on énervait les filles Higgins. Même si je savais que les fans pouvaient être pénibles.

Toutefois, je n'étais pas du tout convaincue par la façon dont Leanne avait réglé le problème.

27

— Est-ce que ça a marché ? demanda Vivian en tapotant sur le clavier de son ordinateur pour répondre à un message urgent du bureau de Chicago. Est-ce que vous avez réussi à échapper à Pete Matthews ?

— Oui, aussi étonnant que ça puisse paraître. Il s'est présenté chez Scarlett une ou deux fois mais on n'a pas répondu à l'interphone et il ne m'a jamais vue là-bas, pour autant que je sache. Plusieurs de mes amis m'ont appelée pour me dire qu'il me cherchait, mais personne n'a vendu la mèche. Je suis restée à peu près six mois chez Scarlett. Pendant ce temps-là, ma maison a été vendue et j'ai pu réfléchir à la suite. Finalement, j'ai…

Vivian leva le doigt.

— Est-ce que vous pouvez patienter une seconde ? Il faut absolument que je réponde à ce message.

L'e-mail venait de son chef.

Vivian,

J'ai reçu un message de nos collègues au secrétariat d'État. Notre ambassade à Londres croule sous les questions des médias concernant l'enfant pour qui vous avez lancé l'Amber Alert. Ils ont appris que c'était le fils d'une star de la téléréalité qui est morte l'année dernière et ils veulent des infos. Je leur ai dit quelles étaient les circonstances de l'enlèvement, mais j'aurais besoin que vous me fassiez une mise à jour.

Si j'ai bien compris votre compte-rendu, la personne qui a la garde de Jimmy Higgins est écrivain ? Est-ce que tout ça pourrait être un coup de pub ? Abbott dit que cette femme a eu la garde de l'enfant sans hériter d'argent. Elle cherche peut-être à faire parler d'elle ?

Inutile de vous rappeler que vous devez gérer cette affaire sans fausse note. Cette histoire ne pourrait pas tomber plus mal, du point de vue de notre calendrier. Je ne peux pas me permettre d'envoyer quelqu'un vous assister. Nous devons régler ce dossier au plus vite.

Succinct et sans détours. Elle n'était pas encore en mesure de lui fournir les réponses qu'il attendait et ne voulait surtout pas qu'il vienne mettre son nez dans son enquête. Elle devait donc lui présenter les choses sous un jour positif, autant que possible. Elle se mordit la lèvre en se disant qu'il valait mieux rester vague.

Nous suivons toutes les pistes qui pourraient nous permettre de retracer les mouvements de Jimmy et son ravisseur, lequel portait une tenue de faux agent de sécurité et a, d'après nos informations, quitté l'enceinte de l'aéroport. Nous travaillons également avec des inspecteurs de Scotland Yard afin de faire progresser l'enquête des deux côtés de l'Atlantique. Stephanie Harker, qui a la garde de Jimmy, coopère entièrement avec nous et nous œuvrons tous à retrouver le garçon sain et sauf. Toute personne détenant des informations devrait contacter, etc.

Voilà les éléments dont nous disposons à l'heure actuelle. Nous n'avons pas affaire à un kidnapping classique contre rançon. Pour l'instant, le mobile n'apparaît pas clairement, mais il est probable que l'enfant ait été enlevé par quelqu'un qu'il connaît. Dès que j'aurai de plus amples informations, je vous les transmettrai.

Elle n'avait rien de plus à dire et ça n'allait pas rassurer sa hiérarchie, mais mieux valait être franche plutôt que de faire des promesses qu'elle ne pourrait pas tenir. Elle le relut et ôta le mot « faux » parce qu'il était inutile.

Quant à savoir si Stephanie Harker était complice, Vivian sentait d'instinct que c'était une fausse piste. Quand les hommes invoquaient l'instinct, on les prenait au sérieux. Les femmes, elles, étaient condamnées à « l'intuition féminine », comme s'il s'agissait de quelque chose d'inférieur. L'expérience avait prouvé à Vivian que les femmes avaient plus souvent raison que les hommes, peut-être parce que les filles étaient habituées dès l'enfance à écouter les autres, contrairement aux garçons.

Les craintes et les inquiétudes de Harker semblent sincères. Quand le garçon a été enlevé, elle a réagi de façon épidermique. Personne ne se soumettrait volontairement à un deuxième coup de taser. Par ailleurs, elle n'est pas le genre d'écrivain à courir après la publicité. C'est même contraire à son métier de nègre littéraire. Si elle voulait faire parler d'elle, elle essaierait plutôt de montrer qu'elle est une mère modèle, à mon avis. Elle se serait donné le beau rôle et n'aurait pas laissé l'enlèvement se produire. De plus, elle nous a fourni beaucoup d'informations, notamment les coordonnées d'un inspecteur de Scotland Yard qui les connaît personnellement, elle et le garçon. Pour toutes ces raisons, je ne pense pas que ce soit un coup monté ni qu'elle ait quelque chose à voir avec cet enlèvement.

Elle envoya le message en espérant que ça calmerait son chef. Il aurait dû être trop occupé à protéger le président pour s'inquiéter de son enquête à elle ou remettre en question son instinct au sujet de Stephanie Harker.

Vivian reporta son attention sur Stephanie, qui commençait à fatiguer.

— Les médias anglais sont au courant de l'affaire, malheureusement...

Stephanie soupira.

— Est-ce que je peux récupérer mon téléphone ? J'ai dû recevoir une centaine de messages et de textos. Pas seulement de la part de la presse, mais de mes amis et ma famille. Ils doivent se faire un sang d'encre. Il faut que je leur parle.

— Je comprends et je n'ai pas l'intention de vous empêcher de leur parler. Mais j'ai besoin que vous me racontiez tout, c'est la vie de Jimmy qui est en jeu. Je dois être sûre qu'on a envisagé toutes les possibilités qui pourraient nous mener à son ravisseur. De toute façon, il commence à se faire tard au Royaume-Uni et je suis certaine que vos proches ne s'attendent pas à ce que vous les contactiez à cette heure-ci.

Stephanie eut l'air dubitatif.

— On voit bien que vous ne connaissez pas mon agent. Ni ma mère. Je peux leur passer un coup de fil ? Je veux simplement rassurer ma mère et mon agent, qui est également ma meilleure amie. Les autres peuvent attendre. Vous pouvez écouter la conversation si vous le souhaitez, je n'ai rien à cacher.

Vivian réfléchit. D'habitude, on n'autorisait pas ce genre de choses, mais cette affaire n'avait rien d'habituel : pas de violence, pas de demande de rançon, pas de mobile apparent. Et Stephanie était un témoin, pas un suspect. C'était difficile de continuer à la couper du monde. Même si elle s'avérait indirectement liée au kidnapping, il y avait peu de chances que sa mère ou son agent soient elles aussi impliquées. De plus, elle était certaine que Stephanie avait encore des choses à lui apprendre. Vivian avait besoin de la garder de son côté. Deux coups de téléphone, ce n'était pas bien méchant. Et il était possible qu'en discutant avec elles, Stephanie se souvienne d'un détail auquel elle n'avait pas pensé. Enfin, l'argument définitif pour autoriser ces appels, c'était qu'ils dissiperaient les craintes de son chef : si toute cette histoire était un coup de pub, sa conversation avec son agent leur en apporterait la preuve. Ces gens-là n'étaient pas des criminels professionnels, après tout.

Vivian jeta un œil au téléphone posé sur le bureau. Il était équipé d'un haut-parleur. Elle regarda longuement Stephanie.

— Rien ne m'oblige à vous laisser appeler vos proches, surtout en plein milieu d'une enquête aussi importante. Mais c'est d'accord. Je vais mettre le haut-parleur pour pouvoir entendre la conversation et si vous abordez un sujet que je considère inapproprié, j'interviendrai. C'est clair ?

Stephanie parut soulagée.

— Vous voulez dire que si j'insulte une star de Hollywood, vous me ferez taire ?

Vivian ne put s'empêcher de sourire.

— Je pensais plutôt à des phrases du genre « le FBI fait ceci ou cela ». Qui voulez-vous appeler en premier ?

— Mes parents. Maintenant que la nouvelle a été diffusée, ma mère doit être dans tous ses états.

— Vous devez composer le 9 pour la ligne extérieure.

Vivian poussa le téléphone vers elle et la regarda composer le numéro. Elles entendirent les sonneries retentir. Une fois, deux fois, puis un bref silence caractéristique d'une communication transatlantique.

— Allô ?

C'était la voix d'une femme d'un certain âge, hésitante et frêle.

— Bonjour maman, c'est Stephanie.

— Dieu merci ! Robert, c'est Stephanie ! On était morts d'inquiétude, on a vu aux infos de dix heures que Jimmy avait été kidnappé. On n'a pas pu y croire. On ne s'attend pas à ce que ce genre de choses arrive à des gens qu'on connaît.

Elle semblait scandalisée, comme si cet enlèvement était une insulte personnelle.

— Oui, ça a été un vrai choc, dit Stephanie.

— Pour nous aussi. Tu dois être bouleversée. Comment est-ce que ça s'est passé ? On détourne les yeux cinq minutes et...

— J'étais dans une cabine, au contrôle de sécurité, j'attendais qu'on me fouille. J'ai déclenché le détecteur, tu sais, à cause de ma jambe. Et un type est parti avec lui.

— C'est incroyable ! Typique des États-Unis ! Une chose pareille n'arriverait pas chez nous, tu sais.

Stephanie fit une moue désolée à l'intention de Vivian, qui sourit en haussant les épaules.

— Ça aurait pu se passer n'importe où, maman.

— Et toi, ma chérie, comment est-ce que tu te sens ?

— Ça va. J'aide le FBI à y voir un peu plus clair.

— Le FBI ? Oh Robert, elle est avec le FBI. Je n'aurais jamais cru qu'un de mes enfants aurait un jour affaire au FBI. Tu dois être morte d'inquiétude. J'espère qu'ils te traitent correctement. On entend toutes sortes de...

— Ne t'inquiète pas, maman. Je vais bien. C'est pour Jimmy que tu devrais t'inquiéter.

Malgré la distance, elles entendirent clairement un petit soupir de dédain.

— Je savais bien que ça te causerait des ennuis de prendre ce garçon.

Stephanie se pinça l'arête du nez. Elle n'avait pas besoin de ça.

— On ne va pas revenir là-dessus. Pour le moment, quelqu'un a enlevé Jimmy et oui, je suis morte d'inquiétude. Il n'a que cinq ans, maman. Essaie de t'en souvenir. Il faut que j'y aille, maintenant. Je voulais juste que vous sachiez que vous n'avez pas de souci à vous faire pour moi. Je vous appelle dès que j'ai du nouveau.

Sans attendre sa réponse, Stephanie raccrocha. Elle poussa un profond soupir, les yeux rivés sur la table.

— Ma mère pense que j'aurais dû confier Jimmy aux services sociaux, expliqua-t-elle d'un ton grave. Elle n'est pas très ouverte d'esprit.

Vivian songea à sa propre mère. Elle avait été commandant des services secrets de l'armée et n'avait jamais caché qu'elle jugeait le FBI comme une agence subalterne. Peut-être que si sa mère avait été comme Mrs Harker, Vivian n'aurait pas ressenti le besoin de prouver constamment de quoi elle était capable.

— Les mères..., commenta-t-elle. Leurs filles ne sont jamais à la hauteur de leurs espérances.

Stephanie la regarda, surprise, et hocha la tête.

— Mon agent ?

Vivian tendit la main.

— Je vous en prie.

Cette fois, on n'entendit pas la moindre hésitation dans la voix qui répondit.

— Maggie Silver, annonça-t-elle d'un ton décidé.

— Maggie, dit Stephanie. J'ai pensé qu'il fallait que je t'appelle.

— Ma *chérie* ! s'exclama-t-elle. Je suis *tellement* contente d'entendre ta voix. Je t'ai laissé un message quand j'ai appris la nouvelle. C'est *affreux*. Pauvre enfant. On ne parle *que* de ça sur Twitter, tu sais. Sans compter les chaînes d'info. Dis-moi qu'ils l'ont retrouvé sain et *sauf*.

— J'aimerais bien, mais on n'a aucune piste pour le moment.

Stephanie semblait être au bord des larmes.

— C'est vraiment horrible, Maggie, reprit-elle. Il était là et en un clin d'œil il a disparu.

— Je ne comprends *pas* comment ça a pu se passer. Personne ne le surveillait pendant que la sécurité te fouillait ?

— Non, apparemment.

— C'est *vraiment* terrible. Mais ça ne sert à rien d'accuser qui que ce soit, ce n'est pas le moment. Le *plus* important, c'est de retrouver Jimmy. Est-ce qu'ils veulent de *l'argent* ? Ou est-ce que c'est un de ces groupuscules politiques *insensés* qui veulent faire parler d'eux ?

— On ne sait pas. Il n'y a pas eu de demande de rançon. Je suis en train de parler avec le FBI pour leur donner le plus d'informations possible sur Jimmy. Et sur moi.

— Tout va *bien* se passer, ma chérie. J'espère qu'ils t'ont donné un beau profiler comme William Petersen dans *Le Sixième Sens*.

Les deux femmes se regardèrent et échangèrent un sourire.

— Bon, écoute, les journaux ne vont parler *que* de ça, reprit Maggie sur un ton très professionnel. Je vais avoir *besoin* que tu m'écrives un article dès que tu auras cinq minutes. C'est trop tard pour les journaux de demain, mais je suis sûre que je peux te trouver un bon emplacement dans le *Mail* ou le *Mirror*. Quand est-ce que tu pourras me faire ça ?

— Je ne sais pas. Ce n'est pas ma priorité, franchement.

— Ma *chérie*, ça te fera du bien de mettre de l'ordre dans tes idées plutôt que de rester là à broyer du noir. Fais-moi confiance. Appelle-moi demain matin et on en reparlera. Et prends soin de toi. Dors un peu, d'accord ?

— Je vais essayer. À demain.

Elles raccrochèrent. Il ne faisait pas de doute que Maggie Silver voyait dans la disparition de Jimmy une source potentielle de revenus. Néanmoins, la nouvelle semblait l'avoir réellement surprise, autant que Stephanie elle-même.

Comme si Stephanie pouvait lire dans les pensées de Vivian, elle dit :

— Maintenant que vous avez entendu Maggie, vous serez d'accord avec moi : si j'avais voulu faire un coup de pub, elle aurait été l'agent idéal. Mais je vais vous rassurer, je n'ai aucune intention d'écrire quoi que ce soit pour le *Daily Mail* demain. Ni un autre jour, si je peux l'éviter. Tout ce que je veux, c'est serrer Jimmy dans mes bras. Le reste n'a aucune importance.

Vivian hocha la tête. Elle la croyait.

— Bien sûr. Maintenant, est-ce qu'on peut revenir à Pete Matthews ? Est-ce que vous pensez qu'il puisse encore vous en vouloir aujourd'hui ? Est-ce que vous le croyez capable d'enlever Jimmy simplement pour se venger de vous ?

Stephanie fronça les sourcils.

— Ce n'est pas aussi simple. Si Pete était coupable, il aurait agi pour une autre raison. Pas pour se venger de moi mais plutôt pour me récupérer.

28

Quand je parlais de Pete à mes copines, j'avais parfois du mal à leur faire comprendre à quel point il était devenu étouffant. Quand je leur disais qu'il m'envoyait constamment des textos et des messages, qu'il faisait livrer des fleurs dans le bureau de Maggie pour moi, qu'il me suivait dans la rue, une ou deux d'entre elles m'ont dit :

— Et tu continues de lui résister ? Moi j'adorerais qu'un mec soit aussi fou de moi.

Comme il ne m'avait jamais ouvertement menacée, c'était difficile d'expliquer en quoi son attitude me terrifiait. Scarlett, elle, me comprenait très bien. Vu son expérience avec les médias, elle comprenait que ça me terrorise de devenir « prisonnière de l'amour », comme l'avait dit Leanne pour plaisanter. C'est l'une des raisons pour lesquelles il était beaucoup plus facile pour moi de vivre à l'hacienda.

Mais je ne pouvais pas y rester pour toujours. Après avoir bien réfléchi, j'ai décidé de déménager à Brighton. J'avais toujours bien aimé la mer, malgré des souvenirs de vacances déprimantes à Cleethorpes et Skegness, battues par le vent d'est. Certains quartiers de Brighton me rappelaient la ville de mon enfance : les petites rues sinueuses, les larges avenues bordées de maisons, les espaces verts du centre-ville. Il y avait une vie culturelle dynamique et c'était facile de se rendre à Londres. Mais le plus important peut-être, c'était que je n'avais jamais parlé de cette ville avec Pete. Même pas de façon anodine, au détour d'une conversation. Je n'avais jamais dit : « J'aimerais bien passer une journée à Brighton » ou « L'un de mes auteurs préférés participe au festival de Brighton, allons-y pour le week-end ». Il n'avait absolument aucune raison de venir me chercher là-bas.

J'ai fini par trouver une jolie petite maison victorienne, mitoyenne, à dix minutes de la mer. Il y avait des magasins à proximité, quelques pubs animés où il semblait facile de rencontrer des gens et un petit parc pour aller prendre l'air quand j'avais besoin d'une pause. L'habitation était haute et étroite, avec un grenier aménagé que je pouvais utiliser comme bureau. Depuis la chambre, j'apercevais la mer entre deux maisons et les précédents propriétaires avaient installé une agréable véranda pour profiter du soleil. Elle était parfaite, au bout d'une petite rue tranquille avec stationnement réservé aux riverains. Je m'y sentais en sécurité.

Pendant que je m'installais dans ma nouvelle maison, je n'ai pas beaucoup vu Scarlett. J'ai été occupée à peindre les murs, choisir le tissu des rideaux, faire recouvrir les canapés et arpenter les petites rues de Brighton pour remplacer les objets que Pete avait cassés pendant son saccage. Elle m'a rendu visite deux fois avec Jimmy, qui adorait la plage. Il pouvait passer des heures à choisir ses galets préférés et les empiler à côté de lui. Mais Scarlett n'avait pas beaucoup de temps libre.

Sur le plan professionnel, elle s'épanouissait. Son émission consacrée aux ex-stars de téléréalité faisait des adeptes. Elle était très appréciée des étudiants qui y décelaient une certaine ironie. Elle remportait également les faveurs des téléspectateurs plus âgés, accros aux programmes télévisés de l'aprèsmidi. L'audience était bonne, tous âges confondus. Les publicitaires aimaient l'émission et les téléspectateurs adoraient Scarlett. Elle était à présent en pourparlers pour animer un talkshow en deuxième partie de soirée sur une chaîne numérique populaire. De temps en temps, je tombais sur un article qui lui était consacré dans un journal sérieux, lequel commentait son irrésistible ascension avec une certaine perplexité. Elle n'avait pas pour autant renié ses fans. Le magazine *Yes !* continuait de parler d'elle et Leanne alimentait certains ragots, de temps en temps. Scarlett avait même été invitée pour présenter une émission de relooking spéciale célébrités. Elle était en train de devenir une icône de sa génération.

Ce succès avait cependant des inconvénients. J'ai eu l'occasion de m'en rendre compte par moi-même un jour qu'elle m'a convaincue d'assister à une séance de dédicaces dans un grand magasin d'Oxford Street. Bien entendu, la personne qui avait réellement rédigé *Témoignage pour Jimmy* n'allait pas signer les exemplaires, mais ça ne me dérangeait pas. Je n'ai jamais eu envie d'être sous les feux de la rampe

On nous a fait entrer par la porte de service pour éviter la foule que j'avais aperçue en passant dans la rue à bord de notre Mercedes aux vitres teintées. La queue s'étendait de l'entrée du magasin jusqu'au coin de la rue.

— Il y a du monde, ai-je commenté en passant.

— Oui, ils sont toujours nombreux ici, a-t-elle dit fièrement avant de me lancer un petit sourire. Les gens adorent le livre, Steph. T'as fait un super boulot en m'aidant à le mettre en forme.

C'était toujours agréable d'entendre un petit compliment. Bien entendu, ils étaient toujours petits. Scarlett avait beau être plus généreuse que la plupart de mes clients, mon travail n'était jamais reconnu à sa juste valeur.

Toutefois, le champagne et les canapés qui nous attendaient étaient un témoignage de reconnaissance bienvenu. La dédicace était organisée conjointement par notre éditeur et le parfumeur qui avait créé Scarlett Smile. Ils avaient fourni des stylos spéciaux conçus pour écrire sur l'emballage en papier glacé du parfum. Le magasin avait mis un employé à la disposition de Scarlett pour s'assurer qu'elle ait toujours le stylo adapté sous la main. Cette condescendance m'a irritée, mais Scarlett, elle, n'a pas semblé gênée qu'on la traite comme une idiote.

Une fois qu'on lui a montré comment signer les livres et les boîtes de parfum, on nous a conduites vers l'espace dédicace aménagé au rayon cosmétiques. L'espace était bourré à craquer de fans, en grande majorité des femmes, qui se sont mises à pousser des cris de joie et à applaudir quand elles l'ont aperçue. Les responsables du magasin avaient tenté de contenir la foule à l'aide de cordons reliés à des piliers en métal, mais ce système n'a pas tenu plus de quelques minutes.

Les flashs des appareils photo crépitaient, les clients criaient et se pressaient contre la table qui les séparait de Scarlett. Pour moi, ce spectacle était terrifiant ; j'avais l'impression qu'elle pouvait, d'un moment à l'autre, être engloutie sous cette masse de gens. Ce brouhaha me cassait les oreilles. J'avais envie de m'enfuir en courant. J'avais du mal à imaginer ce que ça devait être pour elle.

Quand l'hystérie a atteint son paroxysme, les vigiles sont intervenus. D'un geste ferme mais calme, ils ont fait reculer la foule de quelques centimètres afin de mettre un peu de distance entre Scarlett et son public. À présent, la foule semblait plus ou moins contenue. Scarlett a pu commencer à signer.

Une heure plus tard, ça ne semblait pas avoir désempli. Mais quand je me suis éloignée pour jeter un œil à la foule, j'ai vu que les gens étaient moins nombreux. À la périphérie du groupe, j'ai repéré trois fans munis d'appareils photo qui prenaient des clichés sans s'arrêter. Ce n'était pas des paparazzis, ils n'avaient pas le matériel ni le look adéquats. Mais ils paraissaient obsédés. À la fin de la séance, alors qu'il ne restait plus que quelques personnes, ces trois-là (une femme et deux hommes) se sont avancés vers la table de dédicace et ont sorti des classeurs remplis de photos visiblement téléchargées sur Internet pour que Scarlett les signe. Ils avaient l'air malsain. Je les imaginais, seuls dans leur petit studio, imprimer les photos à la recherche de celle qui leur donnerait l'impression d'avoir enfin capturé Scarlett.

« Capturer » est le mot qui convenait. Ça me donnait la chair de poule d'imaginer ces fans obsédés la suivre aux quatre coins du pays, persuadés d'être leurs amis. Le plus flippant, c'est que Scarlett les connaissait. Elle leur souriait, même si moi je voyais bien que c'était un sourire plus retenu que d'habitude. On ne pouvait cependant pas douter de sa sincérité.

D'une certaine façon, Scarlett a très bien orchestré sa carrière, mais ça a fonctionné uniquement parce qu'elle était dénuée de tout cynisme. La vraie Scarlett était celle qu'elle commençait peu à peu à dévoiler au public et au fond, cette personne-là avait bon cœur. Elle savait d'où elle venait et mesurait la chance qu'elle avait d'avoir pu échapper à son milieu ; contrairement à d'autres qui avaient suivi le même parcours, elle était décidée à tendre la main à ceux qui, comme elle, voulaient changer leur destin.

C'est ainsi qu'elle a accompli l'acte le plus généreux de son existence. Alors que Jimmy avait à peu près trois ans, elle a été invitée à participer à une émission baptisée *Un espoir pour les enfants*. L'idée était d'envoyer Scarlett en Roumanie afin de montrer comment les orphelinats qui avaient choqué tout le monde au moment de la chute du régime de Ceauşescu avaient été transformés. Il y avait beaucoup de vérité là-dedans. L'argent récolté au Royaume-Uni à l'époque avait permis de changer la vie de milliers d'enfants et de jeunes handicapés qui avaient vécu jusque-là dans des conditions sordides. La Roumanie avait assuré que toutes ses institutions étaient désormais décentes, et c'est ce que Scarlett était censée célébrer. Le but était de montrer aux téléspectateurs comment leurs dons avaient été utilisés.

Mais un journaliste de la BBC avait entendu dire que la situation n'était pas aussi bonne que le prétendaient les autorités roumaines. Sous couvert d'anonymat, il avait révélé que, même si la plupart des orphelinats les plus insalubres avaient été fermés, il existait encore des zones où les conditions étaient telles que les directeurs auraient été accusés de crime contre l'humanité s'il s'était agi d'une zone de guerre.

Avant que ce reportage ne soit diffusé, Scarlett avait été invitée pour une projection privée. Plus tard, elle m'a confié qu'elle n'avait jamais rien vu d'aussi horrible.

— Dans une pièce, il y avait une vingtaine d'adolescents handicapés attachés à leurs lits, baignant dans leurs excréments, maigres comme des squelettes. J'en ai eu la nausée, Steph. On voyait aussi des petits enfants jouer dehors dans la neige avec des cailloux et des bâtons parce qu'ils n'avaient pas de jouets. Leurs vêtements étaient en lambeaux. Ils étaient tout sales, certains avaient même des blessures ouvertes. Ils avaient tous été abandonnés par leurs parents. Beaucoup d'entre eux étaient atteints du sida, m'a-t-elle raconté, bouleversée. À ce moment-là j'ai pensé à mon père et je me suis dit que j'aurais pu naître avec le virus moi aussi, comme ces bébés. Mais j'ai une super vie, j'ai Jimmy, une belle maison, un job et de l'argent sur mon compte en banque. Alors je me suis dit : putain, il faut que je fasse quelque chose.

Plutôt que de peindre un tableau idyllique de la Roumanie, elle a donc décidé de se rendre sur place avec ce journaliste afin de témoigner de l'existence atroce que des centaines d'enfants continuaient à mener. Elle ne voulait pas s'attarder sur ce qui avait été accompli mais plutôt montrer les efforts qui restaient à faire. Elle préférait laisser à d'autres le soin de mettre en avant le bon côté des choses ; elle, elle voulait affronter la dure réalité.

Elle a surpris tout le monde. Celle qu'on avait toujours jugée stupide avait subi une transformation totale. Elle ne se contentait pas de compatir avec la douleur des autres. Elle était prête à monter au créneau. Elle s'est donc rendue à l'orphelinat de Timonescu dans les montagnes de Transylvanie afin de témoigner de l'horreur de la situation. Elle a parlé devant la caméra tandis que des larmes coulaient sur ses joues, en jurant qu'elle ferait tout ce qui était en son pouvoir pour changer les choses.

— Je veux que mon fils soit fier de sa maman. Pas parce qu'elle passe à la télé, mais parce qu'elle a aidé à améliorer la vie de ces enfants, a-t-elle déclaré avec des sanglots dans la voix.

Quand le reportage a été diffusé dans *Un espoir pour les enfants*, ça a fait sensation. Le choc a été double : le reportage lui-même et le fait qu'il soit présenté par quelqu'un comme Scarlett. J'étais à l'hacienda avec elle et Leanne ce soir-là et elle n'était pas peu fière.

— Je vais créer un fonds pour soutenir Timonescu financièrement, nous a-t-elle annoncé. J'en ai parlé à George, il va s'occuper des papiers. Je vais leur donner un dixième de mes revenus et je vais nommer quelqu'un pour organiser des collectes de fonds. Toutes ces femmes qui suivent des cours de gym, je vais leur demander de se mobiliser pour récolter des fonds par le biais du sport.

Même moi, qui savais pourtant que Scarlett était bien différente du personnage que le public connaissait, ça m'a surprise. Quant aux médias, ils se sont emballés. Scarlett n'avait jamais été aussi haut dans les sondages de popularité. Il y avait des articles sur elle partout et son passé houleux avait été relégué au rang d'erreur de jeunesse. Étonnamment, vu la capacité des médias britanniques à attaquer au vitriol tous ceux qui essaient de sortir du lot, aucun tabloïd n'a cherché à la traîner dans la boue.

C'est ce que j'ai dit à George pendant qu'on buvait du champagne en dégustant des canapés à l'occasion du lancement de TOmorrow, l'association caritative créée par Scarlett pour aider l'orphelinat de Timonescu.

— Ils essaient de fouiner dans son passé pour en sortir un scoop, m'a-t-il répondu. Mais Scarlett a complètement coupé les ponts avec sa famille, si bien que sa mère et sa sœur n'ont vraiment rien à vendre aux journaux. Cette portion de son histoire personnelle est déjà connue, grâce à ton excellent livre, a-t-il ajouté en trinquant avec moi. Tu as révélé suffisamment d'éléments sordides pour satisfaire la curiosité des gens et pour décourager la famille de Scarlett. Les tabloïds ne peuvent pas la faire passer pour une fille sans cœur vu qu'elle a offert à sa mère une maison tout à fait convenable. Et elle continue de payer les impôts locaux et les factures. Elle a très bien assuré ses arrières.

— Il reste toujours Joshu, ai-je fait remarquer. Il ne t'inquiète pas ?

— Avec son addiction à la drogue ? Je pense que Scarlett est capable de le faire taire.

Je l'espérais. Pour la première fois de sa carrière, Scarlett était célèbre pour de bonnes raisons ; ça aurait été dommage que quelqu'un vienne tout gâcher. Mais il s'est avéré que le désastre n'est pas venu de là où je l'attendais.

29

Nick savait d'expérience que personne n'aimait qu'un flic vienne sonner à la porte à une heure tardive, sauf si c'est une question de vie ou de mort. Il pressentait que les parents de Joshu, eux, désapprouveraient sa visite quelle que soit l'heure de la journée. Ils n'étaient pas dans l'obligation de répondre à ses questions et Nick supposait qu'ils ne le feraient pas ; notamment parce qu'il avait enquêté sur la mort de leur fils, quelques années plus tôt.

Il disposait néanmoins d'autres sources susceptibles de lui donner des renseignements sur la famille Patel. Pendant l'enquête sur la mort de Joshu, Nick avait interrogé ses deux sœurs. À la différence de leur frère, Asmita et Ambar avaient réalisé le rêve de leurs parents : Asmita était comptable pour une agence internationale ; quant à Ambar, elle était à l'époque sur le point de devenir avocate, spécialisée dans la fiscalité. Cette dernière avait été consternée mais pas surprise par la mort de son frère ; elle avait parlé de lui avec un air de dégoût – chose désolante chez une personne si jeune et privilégiée – comme si Joshu était destiné à mal tourner.

— On a arrêté de se préoccuper de lui il y a longtemps, avait-elle dit. Il nous a clairement fait comprendre qu'il nous méprisait et, franchement, j'en avais assez de son attitude. Quand il s'est mis à sortir avec cette fille horrible, ça a été la goutte d'eau. Je n'ai jamais dit à mes amis qu'on était de la même famille.

C'était une triste épitaphe pour un jeune homme qui avait été, selon Nick, relativement inoffensif. C'était peut-être une épave mais ce n'était pas un mauvais bougre, comparé aux gens que Nick avait l'habitude de rencontrer.

Asmita, elle, avait été plus bouleversée.

— Je me souviens qu'il était très amusant quand il était enfant, avait-elle dit. Mon petit frère. Je regrette que mes parents aient coupé les ponts avec lui. On aurait dû être là pour lui.

Elle était dévorée par le remords. Ce que Nick avait trouvé déprimant, plus encore que le cynisme de sa sœur, c'était que cette jeune femme adulte n'ait pas eu le courage de défier ses parents pour garder contact avec son frère. Nick n'était pas un sentimental ; il ne pensait pas qu'Asmita aurait pu sauver Joshu de sa course effrénée vers l'autodestruction. Mais il ne croyait pas que ce jeune homme méritait d'être traité de cette façon et Asmita avait semblé du même avis. Si quelqu'un dans la famille Patel était disposé à lui parler aujourd'hui, c'était elle.

Ce n'était pas le moment idéal pour aller sonner chez elle, mais dans les cas d'enlèvements d'enfants, toutes les règles étaient bouleversées. Il espérait qu'elle se montrerait compréhensive. D'après les informations des services fiscaux, elle vivait toujours à la même adresse. Alors qu'il approchait de chez elle, la guitare d'Adrian Legg résonnant dans sa voiture, des souvenirs de l'appartement d'Asmita lui revinrent en mémoire. Le bâtiment où elle vivait était une ancienne école primaire, construite l'année du jubilé de diamant de la reine Victoria, ce qui expliquait sans doute l'extravagance de l'architecture. Il ressemblait plus à une église, voire à une cathédrale, qu'à un endroit destiné à éduquer les pauvres de Londres. Nick se gara sur le parking qui avait jadis été une cour de récréation pour filles.

L'appartement d'Asmita se trouvait dans l'ancienne école maternelle, au premier étage ; si le bâtiment avait été une église, cet appartement aurait occupé l'emplacement de la nef. Il se souvenait des grandes fenêtres cintrées, du plafond en lattes de bois rappelant la coque d'un bateau et du bois qui couvrait toutes les surfaces : parquet, murs lambrissés, meubles aux teintes assorties. Il appuya sur l'interphone et patienta. La voix qui lui répondit était ferme, légèrement agacée.

— Oui ?

— Mlle Patel ? Je suis l'inspecteur Nicolaides, de la Met. Je vous ai interrogée après la mort de votre frère. Je suis désolé de vous déranger aussi tard, mais j'ai besoin de vous parler.

— Ça ne peut pas attendre demain ? Vous savez l'heure qu'il est ?

Nick s'excusa tout en insistant :

— Je suis désolé, mais c'est urgent. Sinon, je ne serais pas venu à cette heure-ci.

Pour toute réponse, il entendit la sonnerie d'ouverture de la porte. Elle fut si brève qu'il faillit rater le coche. La lumière s'alluma dans la cage d'escalier qui menait à l'appartement. Les murs étaient peints dans des tons chauds, accueillants et de bon goût.

Asmita l'attendait, porte ouverte. Elle était vêtue d'une longue tunique à capuche. Nick avait déjà vu des Arabes porter ce vêtement mais il n'en connaissait pas le nom. Le tissu était dans les teintes safran, cannelle et chocolat, entremêlé de fils d'or qui scintillaient quand elle bougeait. Ses cheveux étaient attachés par un chouchou au sommet de sa tête. Coiffée ainsi, elle ressemblait encore plus à son frère. Elle avait des cernes sous les yeux et ses traits étaient tirés. Elle était démaquillée, prête à aller se coucher.

— Entrez, dit-elle.

Son ton suggérait plutôt un « foutez le camp ! ».

Il la suivit dans le salon. Des canapés confortables étaient installés devant un écran plasma géant. Derrière, il y avait une grande table poussée contre le mur, qui servait apparemment de bureau. Des piles de papier bien rangées étaient posées dessus, à côté d'un ordinateur portable. Deux petites enceintes diffusaient un air de piano minimaliste. Le genre de musique d'ascenseur que Nick méprisait au plus haut point.

Asmita se tenait à côté d'un des canapés, une main sur la hanche, lèvres pincées. Elle n'allait manifestement pas l'inviter à s'asseoir. Peut-être qu'il n'était pas si facile de lui parler, après tout.

— Qu'est-ce que vous voulez ? demanda-t-elle.

— Je travaille sur une enquête qui…, commença-t-il en haussant les épaules. Bon, c'est un peu compliqué, mais nous n'avons aucune piste, alors j'ai décidé de venir vous parler.

Nick essaya de lui lancer son plus beau regard de chien battu, dont on lui avait dit qu'il faisait des ravages. Asmita ne parut pas émue.

— Je ne comprends pas.

— Je vais aller droit au but. Votre neveu a été enlevé.

Elle écarquilla les yeux et entrouvrit la bouche.

— Rabinder ? fit-elle en posant les mains sur ses joues. Oh mon Dieu, qu'est-ce qui lui est arrivé ?

Nick fut décontenancé.

— Qui est Rabinder ?

— Comment ça ? C'est mon neveu, répondit-elle en fronçant les sourcils d'un air surpris. Vous venez de dire qu'il avait été enlevé. Comment est-ce que vous pouvez avoir oublié son nom ?

— Je ne veux pas parler de Rabinder, s'empressa-t-il d'ajouter. On s'est mal compris. Je parle de Jimmy. Le fils de Joshu. Je ne sais pas qui est Rabinder.

Sur le visage d'Asmita, la panique céda la place à la colère.

— Vous m'avez vraiment fait peur. Je n'arrive pas à croire que vous ayez fait ça.

— Je suis désolé. Je ne savais pas que vous aviez un autre neveu. Est-ce qu'Ambar a eu un enfant ?

Asmita se détourna en secouant la tête.

— Où est-ce que vous apprenez votre métier, vous autres ? Vous débarquez chez moi en plein milieu de la soirée et vous me faites une peur bleue, tout ça parce que vous n'êtes pas fichus de vous renseigner correctement. Et après, vous voulez qu'on bavarde comme si on était de vieux amis ? Vous n'avez vraiment aucun tact.

— Je le répète, je suis désolé.

Elle lui fit de nouveau face, entièrement maître d'elle-même à présent.

— Ambar s'est mariée environ six mois après la mort de Jishnu.

Nick dut réfléchir un instant pour comprendre de qui elle parlait puis se rappela que Joshu ne s'était pas toujours appelé Joshu.

— Rabinder est né un an plus tard, à peu près. Il a sept mois, ajouta-t-elle avec un sourire. On l'adore. C'est pour ça que j'ai

234

eu tellement peur quand vous m'avez dit ça. C'est mon seul neveu.

— Mais Jimmy est aussi votre neveu, que ça vous plaise ou non.

— Je ne le connais pas. Il n'a jamais fait partie de ma vie. Je le regrette, mais je dois respecter le souhait de mes parents. Ils ont souhaité n'avoir aucun lien avec lui. Ma mère est persuadée que Jimmy n'est même pas le fils de Jishnu, expliqua-t-elle avec un sourire navré cette fois. Elle a une très mauvaise opinion de Scarlett Higgins et de sa moralité.

— Donc ils ne considèrent vraiment pas Jimmy comme un membre de la famille ?

Asmita croisa les bras.

— Biologiquement, il l'est peut-être. Mais non, il ne fait pas partie de la famille, ni de notre culture, ni de nos traditions. Il n'a pas sa place parmi nous.

— Il vous ressemble, pourtant. Il tient plus des Patel que des Higgins.

— Peut-être, mais la ressemblance physique, ça ne veut rien dire, répondit-elle avant de s'éclaircir la voix. Vous dites qu'il a été enlevé ? Qu'est-ce qui s'est passé ?

— La personne qui a obtenu sa garde l'a emmené en vacances aux États-Unis. Pendant qu'elle attendait d'être fouillée au contrôle de sécurité, un homme est parti avec Jimmy. Le temps que quelqu'un se rende compte de ce qui se passait, ils avaient disparu.

Il y eut un long silence. Asmita avança jusqu'à une grande fenêtre d'où l'on voyait scintiller les gratte-ciel de la City.

— Qu'est-ce que ça a à voir avec ma famille ?

Ce n'était pas facile de répondre à cette question sans heurter certaines sensibilités.

— Comme je vous l'ai dit, je suis venu ici à tout hasard… Vous avez plus ou moins répondu à ma question en parlant de Rabinder, de toute façon.

Elle lui décocha un regard noir.

— J'ai compris, dit-elle en secouant la tête. Vous nous prenez pour une tribu primitive qui a besoin d'avoir un héritier masculin pour préserver sa lignée. Vous vous rendez compte de l'insulte que vous nous faites ?

— Ce n'est pas une insulte, bien au contraire. J'essaie de prendre en compte cette question en me plaçant du point de vue d'une autre tradition culturelle. Je ne suis pas expert dans ce genre de choses, je suis juste un inspecteur qui essaie de faire son travail. Et en ce moment, mon travail c'est de retrouver un petit garçon qui a été arraché à la personne qui le connaît le mieux. Si je vous ai blessée, je suis désolé, mais j'ai d'autres problèmes plus urgents à régler.

Il se dirigea vers la porte.

— Attendez, lui dit Asmita. Je crois qu'on s'est mal compris. Je suis désolée d'apprendre ce qui est arrivé à Jimmy, comme je l'aurais été pour n'importe quel autre enfant. Je ne peux pas prétendre éprouver de l'affection pour un enfant que je ne connais pas.

— Je comprends.

Il ne put s'empêcher de penser qu'il aurait suffi qu'Asmita passe un après-midi avec Jimmy pour changer d'avis.

— Mais vous avez raison de croire que pour mon père, il est important d'avoir un héritier masculin. Même s'il a refusé de l'admettre, il a été bouleversé par la mort de Jishnu. Et la naissance de Rabinder a été pour lui un grand soulagement. Ça a atténué son chagrin et ça lui a redonné espoir. Mais même avant la naissance de Rabinder, Jimmy n'était pas un des nôtres. Vous devez me croire.

Elle semblait dire la vérité. Nick n'avait aucune raison de ne pas la croire. Il n'était pas fâché que cette piste ne soit pas concluante. Le principal suspect restait pour lui Pete Matthews. Tout ce qui lui restait à faire, c'était de mettre la main sur cette ordure.

30

C'est terriblement ironique, mais c'est parce que Scarlett était célèbre que son cancer a été diagnostiqué aussi vite. Une émission quotidienne lui a demandé de présenter un sujet consacré au dépistage du cancer du sein chez les jeunes femmes. On avait pris l'habitude de se retrouver une fois par mois pour prendre le thé dans un hôtel chic de Londres et elle était très excitée de me parler de son nouveau projet.

— On dirait vraiment qu'ils commencent à me prendre au sérieux, m'a-t-elle dit. Ils me demandent plus seulement de parler de cosmétiques ou de donner des conseils sur la meilleure façon de draguer un mec quand on est maman. Là, c'est un vrai sujet.

Elle était fière d'elle et, à moins d'avoir un cœur de pierre, personne n'aurait eu le courage de ruiner son enthousiasme en lui faisant remarquer que la production l'avait sûrement choisie pour sa poitrine parfaite et entièrement naturelle.

Dans cette nouvelle émission, Scarlett avait pour tâche de montrer que même si elles étaient moins touchées, les jeunes femmes étaient aussi concernées par le cancer du sein. Elle allait travailler avec une spécialiste qui lui expliquerait comment examiner ses seins. Elles parleraient des signes avant-coureurs, non seulement des kystes mais aussi des changements de texture ou de poids. Ensuite, elles parleraient des examens qu'une femme devait subir en cas d'anomalie. Scarlett avait bossé son sujet et notre goûter a été ponctué de descriptions détaillées de mammographies, d'échographies et de biopsies. Elle savait tout sur le bout des doigts.

Ça ne l'a pas empêchée d'apprendre une très mauvaise nouvelle. Ils venaient tout juste de commencer le tournage dans une clinique privée quand il y a eu un problème. L'infirmière qui devait montrer à Scarlett comment examiner ses seins s'est arrêtée soudainement en plein milieu d'une phrase, le visage grave. Scarlett a d'abord cru que c'était une blague, que l'infirmière était de mèche avec l'équipe et qu'ils lui jouaient un tour. C'est le genre d'humour noir fréquent sur les plateaux télévisés, paraît-il.

Scarlett s'est mise à rire. Ça n'avait rien d'anormal, c'était ce qu'elle faisait spontanément quand elle ne comprenait pas quelque chose. Elle pensait vraiment qu'on la faisait marcher. Mais tout à coup, elle s'est aperçue qu'elle était la seule à rire. L'infirmière semblait préoccupée et l'équipe était silencieuse. Le réalisateur a fini par baisser la caméra pour demander :

— Quel est le problème ?

L'infirmière a regardé autour d'elle d'un air désemparé, comme si elle ne connaissait pas la marche à suivre dans ce genre de situations. Puis elle s'est ressaisie et a dit :

— Est-ce que tout le monde peut évacuer la pièce, s'il vous plaît ?

Toute l'équipe s'est exécutée, mais le réalisateur a été un peu plus long à obéir :

— On est en plein tournage. Ça peut sûrement attendre qu'on ait terminé, non ?

L'infirmière était décidée à lui tenir tête, ce qui n'était pas très difficile, d'après Scarlett.

— Vous aussi, s'il vous plaît, a-t-elle dit fermement en avançant vers lui.

— On s'était mis d'accord, a-t-il protesté. On a réservé cette salle pour la matinée.

Elle s'approchait toujours de lui. Il n'a pas eu d'autre choix que de reculer vers la porte.

— Je vais parler au directeur de la clinique ! a-t-il tonné. Vous étiez censés coopérer avec nous !

Pendant ce temps, Scarlett a essayé de garder son calme.

— Quand j'ai compris que ce n'était pas une blague, j'ai su que c'était grave, m'a-t-elle raconté plus tard. Vu la tête que faisait l'infirmière et la façon dont elle les a tous chassés de là, c'était pas parce qu'elle voulait un autographe.

Dès que le directeur est sorti, l'infirmière est revenue auprès de Scarlett, très sérieuse.

— Je ne voulais pas vous alarmer, mais il y a quelque chose qui n'est pas normal ici, lui a-t-elle annoncé en palpant délicatement sous son sein gauche. La texture de la peau est inhabituelle et si je presse un peu plus fort, je sens de tout petits kystes, très durs.

— Est-ce que j'ai le cancer ?

Elle n'était pas du genre à tourner autour du pot, Scarlett.

— Je ne peux pas le dire. Mais il faut que vous passiez des examens, a-t-elle répondu en lui tapotant l'épaule. C'est la meilleure chose qui pouvait vous arriver, cette émission de télé.

Puisque Scarlett était déjà sur place, on lui a immédiatement fait passer toute une série d'examens : mammographie, échographie, IRM, biopsie, la totale. Le plus affreux, c'est qu'elle était tellement sous le choc qu'elle leur a donné l'autorisation de filmer tout ça. Elle est rentrée chez elle dans une voiture de la production, encore chancelante. Leanne m'a appelée furieuse pour m'informer de ce qui venait de se passer.

Deux heures plus tard, on avait l'impression d'être revenues à la pire période de la notoriété de Scarlett : les médias étaient agglutinés devant le portail. Des camionnettes de télévision équipées de satellite, des photographes avec téléobjectifs, des reporters s'agitant derrière leurs micros. Ils étaient tous là, plantés devant chez elle. Rien ne voyage plus vite qu'une mauvaise nouvelle au vingt et unième siècle.

J'ai cru que j'allais devoir en écraser un ou deux pour pouvoir franchir le portail, mais ils m'ont laissée passer au dernier moment. La plupart d'entre eux ne savaient pas qui j'étais, ce qui ne les a pas empêchés de photographier mon visage, ma voiture, ma moue dédaigneuse, au cas où je me serais avéré être une personnalité importante.

J'ai retrouvé les filles dans la chambre de Jimmy. Scarlett jouait aux pirates avec lui. Elle manœuvrait son bateau de pirate sur l'océan du tapis afin de l'abriter dans le port représenté par le dressing où il défendait en hurlant son château viking contre Scarlett. Leanne était allongée à plat ventre sur le bord du lit, d'où elle les bombardait de balles en plastique. Quand je suis entrée, Scarlett m'a lancé un regard terriblement triste, mais elle a continué à attaquer le château. Après que son bateau s'est écrasé contre l'enceinte, elle a fait semblant de chavirer.

— J'ai perdu, Jimmy. T'as gagné.

Elle a avancé à quatre pattes jusqu'à lui et l'a pris dans ses bras en le couvrant de bisous pendant qu'il gigotait en riant.

— C'est l'heure du bain maintenant, mon petit clown.

— Non ! s'est-il écrié. On joue encore une fois. Je veux être le pirate.

Elle l'a porté jusqu'à la salle de bains en lui chatouillant le ventre.

— Tu pourras être un pirate dans le bain.

Il a rigolé en se débattant et en criant :

— Le coffre maudit ! Le coffre maudit !

— Je vous retrouve en bas dans un moment, nous a lancé Scarlett par-dessus son épaule.

J'ai suivi Leanne dans la cuisine. On n'était pas d'humeur à boire du prosecco. On s'est dirigées tout droit vers le brandy.

— Qu'est-ce qu'ils lui ont dit, exactement ? lui ai-je demandé.

— Ils ne veulent pas se prononcer tant qu'ils n'ont pas les résultats des examens. Mais vu qu'ils ont pris ça vachement au sérieux, c'est pas bon signe.

— Tu ne crois pas qu'ils ont exagéré un peu parce qu'elle était filmée ?

— Non, pas d'après Scarlett.

On est sorties dans le patio pour que Leanne puisse fumer. Scarlett nous a rejointes un peu plus tard alors qu'on buvait nos verres à la tombée de la nuit. Elle a pris une cigarette et s'est assise à côté de nous.

— Tu fumes pas, lui ai-je fait remarquer doucement.

— Avant, je fumais.

— Comme un pompier, a ajouté Leanne.

— J'ai arrêté avant d'auditionner pour *L'Aquarium*. Je savais que ça allait déjà être suffisamment dur comme ça sans avoir envie d'une clope toutes les cinq minutes.

Elle a tiré sur sa cigarette comme si elle n'avait jamais arrêté.

— Si j'ai déjà le cancer, je peux bien m'en griller une.

— C'est pas la méthode la plus efficace pour le combattre, ai-je répliqué.

— Je le sais, m'a-t-elle répondu sèchement. T'as oublié que j'étais pas complètement conne ?

Elle a fermé les yeux en prenant une profonde inspiration par le nez.

— Je suis désolée. J'ai pas l'intention de me remettre à fumer. Sauf si je suis en phase terminale, a-t-elle ajouté en me lançant un faible sourire. Dans ce cas-là, j'ai bien l'intention de faire tout ce qui est mauvais pour la santé. Ce soir, je veux juste fumer une cigarette. Me fais pas chier avec ça, Steph. Pas ce soir.

Elle s'est penchée vers moi et a posé la tête sur mon épaule. J'ai repoussé les mèches de cheveux de son visage, sentant les larmes qui coulaient sur ses joues.

— Qu'est-ce qu'on va faire, Scarlett ? lui ai-je demandé.

— Je sais pas c'que t'en penses, mais j'ai bien l'intention de me battre jusqu'au bout, putain.

*

Et c'est exactement ce qu'elle a fait. Le diagnostic était sans appel : elle avait un cancer invasif lobulaire. Je n'avais jamais entendu parler de ça. Très vite, je suis devenue plus calée sur ce type de cancer que sur n'importe quelle autre maladie puisqu'il a tout de suite été question d'écrire un livre sur « le combat de Scarlett contre la maladie ». Tout le monde supposait qu'elle allait gagner, bien entendu. Pour l'éditeur, cependant, l'issue de ce combat n'avait pas d'importance. Ce qui comptait, c'était de livrer une histoire poignante qui prendrait la forme d'une deuxième lettre adressée à Jimmy.

Naturellement, j'ai dû rester à ses côtés en permanence. J'aime bien penser qu'elle aurait de toute façon souhaité ma présence auprès d'elle, mais moi, j'aurais préféré ne pas avoir à suivre d'aussi près toutes les étapes du traitement.

La première a été un rendez-vous avec le médecin qui allait l'accompagner tout au long du parcours. Simon Graham était à l'opposé de l'image classique du médecin. Pas de costume sur mesure, pas d'eau de toilette coûteuse, pas de sac de golf dans le coffre de sa voiture. Ce jour-là, il portait un jean noir et une chemise à rayures blanches et roses, sans cravate. Aux pieds, il portait une paire de magnifiques santiags. Ses pas résonnaient quand il marchait.

Il paraissait trop jeune pour être médecin spécialiste. Il avait ce visage juvénile qui donne à certains hommes l'air d'avoir toujours une vingtaine d'années. Des hommes comme Alan Bennett qui, à soixante ou soixante-dix ans, donnent l'impression d'être de grands enfants. Il faut s'approcher tout près d'eux pour remarquer les petites rides et les tempes grisonnantes qui trahissent leur âge. Simon avait des cheveux bruns épais coiffés à la mode des Beatles à leurs débuts, c'est-à-dire plutôt courts et légèrement ébouriffés. Il avait les yeux bleus et des lunettes en métal comme celles que portaient les profs de science dans les films américains des années cinquante. Il paraissait toujours sur le point de sourire. Et quand il souriait, une fossette se creusait dans sa joue gauche. C'était un médecin taillé pour la téléréalité. Je me suis demandé s'il avait été choisi pour suivre Scarlett au moment où il était encore question de filmer son traitement.

Oh oui, il avait été question de ça. George avait tenté de convaincre Scarlett de laisser l'équipe télé réaliser un documentaire pris sur le vif. On pourrait objecter que je n'avais pas vraiment de leçon de morale à lui donner, vu l'argent que j'allais gagner en racontant la maladie de Scarlett, mais ça m'a quand même scandalisée. La différence entre le livre et le documentaire, c'était que Scarlett pouvait contrôler ce que j'écrivais à son sujet, alors qu'elle était complètement à la merci de la production qui était seule à décider de ce qui passait à l'écran.

Je n'ai pas eu l'indécence de dire à Scarlett que si elle mourait, ce serait à moi de décider du contenu du livre, pas à elle. Elle était assez intelligente pour y penser toute seule.

George a essayé de la convaincre que ce documentaire était l'occasion de lever des fonds pour TOmorrow, mais elle ne s'est pas laissé embobiner.

— J'ai pas envie de me demander pendant tout le traitement ce que les gens vont penser de moi. Si j'ai besoin de pleurer, de jurer ou de hurler à la mort, je veux pouvoir me laisser aller. J'ai pas envie qu'on demande à un pauvre infirmier de me répéter trois fois de suite une mauvaise nouvelle parce que la première prise n'était pas bonne. Hors de question. Je contrôle ce qui se passe et comment ça se passe. J'ai pas envie de laisser un réalisateur faire ça ; il sera plus préoccupé par son audimat que par ma santé.

J'espérais vraiment qu'ils n'avaient pas choisi Simon parce qu'il était télégénique. J'espérais qu'ils l'avaient choisi parce qu'il était le meilleur dans son domaine. C'était ce que méritait Scarlett.

Ce matin-là, il nous a fait asseoir dans son bureau très épuré avant de se présenter.

— La première chose dont je veux vous parler aujourd'hui, c'est le diagnostic auquel nous sommes arrivés et ce que ça signifie pour vous. Ça ne va pas être facile et je veux que vous sachiez que le but de mon équipe est de vous aider à guérir complètement. Si vous avez besoin de quoi que ce soit, à n'importe quelle heure du jour et de la nuit, vous pouvez contacter l'un d'entre nous, a-t-il dit en nous tendant une carte. Il y a un numéro de portable ici, exprès pour cela. Il y a toujours quelqu'un au bout du fil. Mon numéro personnel y figure également.

Scarlett a pris la carte et l'a mise dans sa poche sans la regarder.

— C'est pour ça qu'on paie, non ? Un traitement cinq étoiles.

Simon a souri en plissant des yeux, comme s'il était ébloui par le soleil.

— Je vous le promets. Nous ferons tout notre possible pour vous.

Il était très bon. Moi, je me sentais rassurée. Mais je n'étais pas dans la situation la plus difficile.

— Très bien. C'est noté, a dit Scarlett. Alors, qu'est-ce que j'ai, exactement ?

— Je ne vais pas y aller par quatre chemins, Scarlett. Vos analyses indiquent que vous avez un cancer du sein invasif lobulaire.

— Et ça veut dire quoi ?

Elle a croisé les jambes et posé les mains sur son genou. On aurait dit qu'elle essayait de se protéger physiquement, pour éviter de s'effondrer.

— Vous avez des glandes qui produisent du lait dans vos seins. Vous vous rappelez sûrement, après la naissance de votre fils, que vos seins avaient grossi et qu'ils n'étaient pas complètement lisses ?

Elle a hoché la tête.

— Oui, on aurait dit des sacs remplis de salade de pâtes.

— C'est une image très juste, a répondu Simon sans condescendance. Ce cancer se forme dans ces glandes-là et fait gonfler vos seins par endroits. Il peut également modifier légèrement la texture de la peau. Vous avez pris l'exemple des pâtes. La plupart des cancers du sein se manifestent sous forme de kystes. C'est comme une boulette de viande au milieu du plat de pâtes, on la repère assez facilement. Mais ce type de cancer dont je parle ressemble plutôt à une cuillerée de bolognaise qu'on aurait mélangée aux pâtes. Les kystes sont petits, difficiles à repérer. Si vous n'étiez pas venue ici pour tourner ce reportage, vous ne vous en seriez sans doute aperçue que bien plus tard, à un stade beaucoup plus avancé.

Il s'est penché en avant, a posé les coudes sur ses genoux et a serré les mains.

— C'est rare, en particulier chez une personne aussi jeune que vous. Il ne représente que cinq pour cent des cancers du sein. Je ne l'ai rencontré que quelques fois, et à chaque fois, il était à un stade beaucoup plus avancé. Puisque le diagnostic a été fait très tôt, je crois que vous avez de grandes chances de guérir.

— Qu'est-ce que ça veut dire, « de grandes chances » ?

Elle avait l'air agressive, mais c'était simplement parce qu'elle avait peur. J'espérais qu'il avait suffisamment d'expérience pour le comprendre.

— Je vais vous donner des chiffres : cinq ans après le diagnostic, quatre-vingt-cinq pour cent des femmes atteintes de ce type de cancer sont toujours en vie.

Il s'est tu, attendant qu'elle réagisse.

Cette information n'a pas eu l'air de réjouir Scarlett.

— Ça veut dire que quinze pour cent d'entre elles sont mortes, a-t-elle répliqué.

— C'est vrai. Mais vous avez ce qu'on appelle un cancer de niveau deux. Cela signifie que sur l'échelle de la gravité, vous êtes à peu près au milieu.

— Qu'est-ce que vous allez me faire ?

Simon a tendu le bras et a posé la main sur la sienne.

— Nous allons mettre en place le traitement le mieux adapté afin que vous ayez toutes les chances de voir votre fils grandir.

C'est à ce moment-là qu'on a fondu en larmes, Scarlett et moi.

31

Le gamin le rendait fou. La patience n'était pas le fort de Pete Matthews et il avait atteint ses limites très vite après avoir pris l'enfant avec lui. Dans la voiture, il avait déjà commencé à lui taper sur les nerfs. Il n'avait cessé de chanter faux sur les morceaux préférés de Pete. Ensuite il avait réclamé d'aller aux toilettes. Puis il s'était plaint qu'il avait faim. Puis il avait chouiné parce qu'il avait soif. Est-ce que ça allait continuer longtemps comme ça ?

Ce fut un soulagement de revenir dans la maison de Corktown. Il enferma le gamin avec un sandwich, une bouteille d'eau et la télé pour le divertir dans le grenier aménagé en chambre. Avec un peu de chance, il allait la fermer et s'endormir. Pete détestait la manière dont ce gosse le regardait ; ce mélange d'adoration et de crainte le mettait mal à l'aise.

Pete avait l'habitude d'obtenir ce qu'il voulait. Dans son travail, il avait développé toutes sortes de mécanismes subtils pour s'assurer que l'enregistrement final soit satisfaisant. La plupart des artistes avec qui il travaillait pensaient que les meilleures idées venaient d'eux, mais lui savait qu'il avait une influence indéniable sur le résultat final ; le morceau que les gens écoutaient était le fruit de son talent, son expérience et sa créativité. Ici à Detroit, il travaillait avec des musiciens expérimentés qui fréquentaient déjà les studios d'enregistrement à une époque où les artistes avec qui ils jouaient n'étaient pas encore nés. Ces musiciens savaient qu'ils avaient affaire à un vrai pro et ils réagissaient aux idées de Pete avec enthousiasme. Ils ne lui posaient aucun problème.

Les plus jeunes croyaient toujours tout mieux connaître que lui et, parfois, Pete mettait du temps à leur faire accepter sa propre vision des choses. Quand ils n'étaient pas d'accord avec lui, il continuait d'avancer selon son idée et prétendait que c'était ce qu'on lui avait demandé. La plupart de ces musiciens ignoraient tout des subtilités de la production et ne cherchaient pas à en savoir plus. Tout ce qu'il lui fallait, c'était du temps et de la persévérance.

Il prit une bière dans le frigo et se prépara un sandwich. Il adorait la nourriture américaine. Le jambon en tranches hyper fines, les œufs en salade, le fromage fondu à étaler sur des toasts. Divin. Avant de s'asseoir pour manger, il alla dans le couloir et tendit l'oreille. Il perçut le son distant de la télé, mais rien de plus. Le gamin ne pleurait pas, c'était l'essentiel. Il ne voulait surtout pas que les voisins appellent la police parce qu'un enfant hurlait.

Il retourna à sa bière et à son sandwich puis examina les options qui s'offraient à lui. Il lui restait une semaine de travail ici à Detroit avant de reprendre l'avion pour le Royaume-Uni. Il n'avait pas réglé ses comptes avec Stephanie et voulait faire ça bientôt.

Après la séparation, Pete s'était retrouvé désemparé. Il ne comprenait pas pourquoi elle n'était pas revenue vers lui. Sa place était auprès de lui. Il lui était entièrement dévoué. Personne ne pouvait l'aimer autant que lui. Il lui avait offert tout ce qu'une femme pouvait désirer et pourtant elle avait continué de se voiler la face. Mais maintenant qu'elle avait la garde du petit, il était sûr qu'elle changerait d'avis. Il fallait être deux pour élever un enfant. Elle devait se rendre à l'évidence.

C'est vrai qu'il en avait voulu à Jimmy, au départ, mais c'était simplement parce que Stephanie passait trop de temps avec Scarlett et son fils. Du temps qu'elle aurait dû consacrer à leur relation de couple. Tous ses copains le comprenaient. La place de Stephanie, c'était dans sa maison à elle, pas dans cette espèce de manoir en toc perdu au milieu de l'Essex à garder un gosse dont le père était trop occupé à jouer les DJ pour assumer ses responsabilités. Il était allé jusque là-bas pour jeter un œil à cette maison. Juste par curiosité. Il n'avait pas eu de mal à la trouver et elle s'était avérée aussi laide qu'il l'avait imaginée. Il ne comprenait pas comment une femme qui avait autant de goût que Stephanie pouvait supporter ça.

Mais les choses avaient changé à présent. Certes, ce n'était pas comme d'avoir un fils à lui. Ça, ça viendrait plus tard, quand ils formeraient une vraie famille. Néanmoins, il pouvait élever Jimmy correctement. Lui montrer ce que ça signifiait d'être un homme. Cet enfant avait été pourri gâté depuis sa naissance. On l'avait câliné et materné alors qu'il lui fallait de la discipline. Et quel était le résultat ? Un gamin pleurnichard. Mais Pete allait changer ça. Il allait lui apprendre à être un vrai petit homme. Fort et résistant. Stephanie serait fière quand elle verrait qu'il pouvait donner le bon exemple à ce garçon. Il s'imaginait la famille qu'ils allaient former dans quelques années, quand Jimmy serait capable de bien se tenir.

Il avait commencé par établir avec lui un contact fondé sur le respect de la discipline et l'obéissance. À l'époque où Scarlett la pétasse était encore en vie, il avait proposé d'enseigner la musique à la crèche de Jimmy. Tout le monde avait été charmé par cet homme qui venait une fois par semaine accompagné de divers musiciens. Les enfants tapaient sur tous les instruments et Pete les enregistrait patiemment puis il arrangeait les morceaux obtenus en un semblant de musique. Il publiait le résultat sur YouTube pour que des parents gagas se prennent à rêver que le petit Orlando ou la petite Keira deviennent un jour le jeune talent de l'année.

Le chouchou du prof de musique, c'était Jimmy Higgins. En réalité, il semblait un peu plus éveillé à la musique que la plupart des autres enfants, sans doute parce qu'il avait été exposé à des rythmes assourdissants depuis sa naissance, grâce à son bon à rien de père. Pete avait exploité ce talent et poussé Jimmy à s'investir un peu plus. Ça avait été gratifiant de le voir progresser. Peut-être que quand Pete aurait convaincu Stephanie, il pourrait aider Jimmy à devenir un vrai musicien.

Lignes de fuite

Des pleurs étouffés le tirèrent de sa rêverie. Il claqua sa main violemment sur la table et se leva pour se diriger vers l'escalier. L'envie de lui donner une bonne baffe le démangeait. Il fallait bien qu'il comprenne, ce gamin, après tout.

32

Tout a commencé par une intervention chirurgicale. Simon a appelé ça une « large incision locale », une opération censée ôter le moins de tissu possible sur le sein. Comme le diagnostic avait été établi tôt, il pensait pouvoir enlever le tissu cancéreux et empêcher le cancer de s'installer. En plus des glandes cancéreuses, ils ont aussi enlevé le ganglion lymphatique situé tout près de cette partie du sein.

— On l'appelle le ganglion sentinelle, parce qu'il nous donne une image de votre système immunitaire. S'il est sain, il y a de grandes chances pour que votre corps soit sain, nous a expliqué Simon.

Scarlett a bien supporté la chirurgie. Sa bonne condition physique l'y a aidée. Même après la naissance de Jimmy, elle avait continué à nager tous les jours. Elle avait acheté un vélo elliptique et courait cinq kilomètres trois ou quatre fois par semaine. Simon lui a dit qu'en dehors du cancer, elle était en bonne santé et l'a encouragée à reprendre son entraînement le plus vite possible.

Mais ça n'a pas suffi à la protéger contre la douleur et la peur. Elle n'est pas restée très longtemps sous morphine et je voyais qu'elle souffrait.

— Tu n'as pas à souffrir, lui ai-je dit. Ils vont te donner quelque chose pour apaiser la douleur. Ça ne sert à rien d'avoir mal.

Elle a fait une grimace.

— Les antidouleurs me rendent folle. J'aime pas les médocs. Ça m'a toujours mise dans un état bizarre. C'est supportable, Steph, vraiment. Je peux le supporter parce que je sais que je vais aller mieux. Ça durera pas très longtemps, a-t-elle ajouté avant de pousser un gros soupir. Et Simon a dit que la chirurgie avait bien marché. Il me reste plus qu'à faire la chimio et perdre mes cheveux.

Et en effet, c'est ce qui s'est produit. Après sa première chimio, journée maussade durant laquelle on lui a injecté des produits toxiques par intraveineuse, elle s'est sentie de plus en plus déprimée et ses cheveux se sont raréfiés. Au bout de la troisième séance, elle les perdait par poignées. On aurait dit qu'elle sortait d'une bagarre.

De retour à l'hacienda ce soir-là, elle a pris la décision courageuse de se raser la tête. Mais avant, il lui fallait trouver un chapeau. Comme elle n'avait rien de satisfaisant dans sa garde-robe, elle a envoyé Leanne faire un tour au centre commercial de Lakeside, le long de l'A13, parce que les magasins là-bas fermaient tard.

Quand elle est revenue chargée de paquets, j'avais coupé les cheveux de Scarlett à ras.

— Qu'est-ce que j'en fais, Steph ? m'a-t-elle demandé les yeux pleins de larmes en soupesant son tas de cheveux. Je les garde ? En souvenir de ce que j'ai perdu ?

— C'est toi qui décides, mais ils vont repousser, tu sais. Chez certaines personnes, ils repoussent même plus épais qu'avant.

— T'as raison.

Elle s'est dirigée vers la poubelle de la cuisine, mais juste avant de les jeter, elle s'est arrêtée.

— Où est-ce que j'ai la tête ? Il faut que tu prennes une photo. Il y a un article à faire là-dessus, pour un magazine féminin quelconque, m'a-t-elle dit en secouant la tête. Putain, Steph, on réfléchit pas comme il faut. Sors l'appareil photo.

J'ai obéi. Je l'ai photographiée sous toutes les coutures avec ses cheveux courts, regardant tristement la touffe de cheveux qu'elle tenait à la main, puis j'ai photographié son crâne luisant après le passage du rasoir et enfin je l'ai prise en train d'essayer les différents chapeaux que Leanne avait rapportés.

— C'est celui-ci que je préfère, a-t-elle annoncé en s'admirant devant le miroir.

C'était un chapeau cloche vert clair avec un revers en polaire. Il lui allait bien, surtout quand elle souriait.

— Bon choix, a commenté Leanne. Ils l'ont en trois ou quatre tissus différents et au moins dix couleurs. Je peux y retourner demain et faire une razzia dans le magasin. Tu auras des chapeaux pour chacune de tes tenues.

Scarlett m'a regardée.

— Ça va être mon nouveau moi, a-t-elle annoncé sans parvenir à dissimuler sa tristesse. Je vais être comme la reine, je ne sortirai plus jamais sans mon chapeau.

— Tu vas devenir une icône de la mode, ai-je renchéri pour la rassurer.

— Peut-être. Mais pour le moment, l'icône a besoin d'aller se coucher, a-t-elle répondu en bâillant et en ôtant le chapeau. Pauvre Jimmy, il va flipper en me voyant demain matin.

Mais ça n'a pas été le cas. Il a à peine remarqué le changement. J'ai été très surprise. Comme Scarlett, je m'attendais à ce qu'il soit apeuré ou au moins étonné. J'en ai parlé à Simon lors de la chimio suivante.

— C'est surprenant, m'a-t-il dit, mais les enfants réagissent à la personne qu'ils ont en face d'eux sans tenir compte de leur physique. J'ai vu des cas dans lesquels les parents étaient terrifiés de laisser l'enfant voir le patient de peur que cela ne le traumatise. Mais ça ne fonctionne pas comme ça. Même quand le cancer ou le traitement défigure l'individu de façon importante, les enfants du patient en question ne sont ni apeurés ni dégoûtés. Ils comprennent que ce qui compte, c'est ce que nous sommes à l'intérieur, pas notre apparence, nous a-t-il expliqué en esquissant un sourire triste. Si seulement on pouvait continuer à penser comme ça en grandissant…

Scarlett a bien pris note de l'explication de Simon. Alors que nous étions en voiture pour retourner dans l'Essex, elle est revenue sur le sujet.

— Je suis contente que Jimmy n'ait pas peur de mon nouveau look, m'a-t-elle dit.

— Il sait qui tu es et il t'aime.

— Il a toujours su qui j'étais. Contrairement à tous ces cons qui se font embobiner par Leanne depuis tout ce temps.

— Les gens voient ce qu'ils veulent voir. C'est pour ça que les témoins oculaires sont si peu crédibles lors d'un procès au tribunal. Nos yeux aperçoivent quelque chose et notre cerveau fait le reste en se fondant sur nos souvenirs et les informations dont il dispose. Dans une boîte, dans un défilé de mode ou en coulisses d'un concert, les gens s'attendent à voir Scarlett, alors leur cerveau leur envoie l'information. Tu aurais pu avoir des problèmes si Joshu s'était mis à tout raconter et si les gens y avaient regardé d'un peu plus près. Parce qu'à ce moment-là, ils auraient commencé à chercher les différences. Mais heureusement, ça n'est pas arrivé.

— Même pas besoin que Joshu vende la mèche, tu sais. Regarde-moi : j'ai pris du poids, mon visage est tout rond et j'ai plus de cheveux. Je peux pas continuer à demander à Leanne de se balader comme avant.

Je n'avais jamais vraiment envisagé ce problème.

— Tu veux dire qu'il est temps pour elle de redevenir brune ?

Scarlett a soupiré.

— Pour commencer, oui. Elle va devoir changer de coiffure aussi. Se couper les cheveux courts, pour changer la forme de son visage. Mais ça ne va peut-être pas suffire. Je me dis qu'il est temps qu'elle parte en Espagne.

J'ai été choquée par sa façon de dire ça. Leanne vivait avec elle depuis deux ans. Elle avait recollé les morceaux quand Scarlett avait divorcé. Elle avait joué un rôle crucial dans l'éducation de Jimmy. Elle l'avait soutenue quand Scarlett avait appris son cancer, et pendant toute cette période de chimiothérapie alors qu'elle se sentait déprimée et épuisée. Et voilà que Scarlett pensait à envoyer sa cousine en exil sans s'émouvoir plus que ça.

— Tu ne crois pas que tu vas avoir besoin de son aide pour la suite du traitement ? Tu peux vraiment compter sur elle.

Scarlett a fouillé dans son sac pour prendre sa bouteille d'eau. Elle a bu une longue gorgée avant de me répondre.

— La chimio, c'est moins dur que ce que je craignais. Bon, c'est vrai que je me sens super mal après les séances, mais j'arrive à tenir le coup. J'ai Marina qui s'occupe de la cuisine, de Jimmy et qui gère l'équipe d'entretien. Et t'as été fantastique, a-t-elle ajouté en me tapotant la cuisse. J'aurais pas pu m'en sortir sans toi, Steph. La dernière chose dont j'aie besoin en ce moment, c'est que Leanne se balade dans les centres commerciaux en donnant une image de moi en bonne santé. Il suffit qu'une personne prenne une photo et la poste sur Twitter, ou une vidéo de quelques secondes sur YouTube, et la presse people va commencer à se poser des questions.

Elle a enlevé son chapeau pour se gratter le crâne.

— Je veux pas d'un truc comme ça, a-t-elle conclu. Hors de question.

Elle n'avait pas tort. Leanne ne pouvait pas se plaindre non plus. Elle avait rempli son contrat, bien entendu. Même quand elle avait bu, même en fin de soirée quand les journalistes faisaient semblant d'être ses amis, même dans les toilettes VIP quand on lui proposait de la coke en provenance directe de Colombie, elle avait gardé le secret.

Mais d'un autre côté, elle avait vécu une vie qu'elle n'aurait jamais pu avoir si elle était restée au fin fond de sa cité pourrie de Dublin. Elle avait été nourrie et logée, elle avait eu de l'argent pour se payer des vêtements, du maquillage et des séances au spa. Elle avait été invitée à toutes les fêtes les plus cool dans les clubs les plus en vue qu'elle aimait et, à la différence de la plupart des bimbos de son genre, elle n'avait même pas eu à coucher avec qui que ce soit pour ça. Elle avait eu l'occasion de passer du temps avec Jimmy, un garçon globalement plus agréable que la plupart des enfants en bas âge.

Scarlett n'avait pas prévu de se débarrasser d'elle sans compensation. Leanne avait déjà visité la villa en Espagne que Scarlett lui avait offerte. Elle avait lancé les travaux destinés à reconvertir le poolhouse en salon de manucure où Leanne pourrait dispenser des soins. Quand elle arriverait là-bas, elle aurait une maison et une entreprise déjà créée. Elle n'avait vraiment pas de quoi se plaindre.

Et pourtant. Et pourtant… je ne pouvais pas m'empêcher de redouter que les choses tournent mal. Scarlett, elle, ne partageait pas mes craintes.

— Oui, a-t-elle conclu. Je vais attendre deux semaines et puis je lui dirai qu'il est temps de réfléchir à l'avenir.

Il peut se passer beaucoup de choses en l'espace de deux semaines. Quand ce délai a expiré, Scarlett avait bien d'autres soucis en tête pour s'occuper de congédier Leanne.

33

Stephanie s'interrompit pour boire une gorgée d'eau. Vivian jeta un coup d'œil à sa montre. Elle avait manqué le déjeuner et devrait sans doute faire l'impasse sur le dîner.

— Vous aviez raison, c'est effectivement une longue histoire.

— Je suis désolée, mais vous avez dit que vous vouliez connaître tous les détails qui pourraient avoir un lien avec la disparition de Jimmy.

— Il a l'air d'avoir eu une vie riche en expériences.

Et il passera sans doute le reste de son existence en psychothérapie, songea-t-elle.

— Je crois qu'il est temps de faire…, reprit-elle.

Elle s'apprêtait à lui proposer une pause pour manger un morceau quand on frappa à la porte. Vivian fit un signe de tête à Lia Lopez qui ouvrit la porte. Abbott se tenait sur le seuil, l'air furieux.

— Excusez-moi de vous interrompre, dit-il, mais il faut que je parle à l'agent McKuras.

Il avait à peine fini sa phrase que Vivian s'était déjà levée. Elle le prit par le bras pour le conduire dans le couloir.

— Je suis désolée, mais j'ai besoin de manger quelque chose, lui dit-elle en avançant dans le couloir en direction du terminal. Je ne peux plus me concentrer.

— Ok, dit Abbott en lui emboîtant le pas.

C'était un homme marié. Il savait qu'il valait mieux ne pas contrarier une femme qui était apparemment en hypoglycémie. Vivian fendit la foule de voyageurs pour se diriger tout droit vers le Burger King. Quand elle eut deux cheeseburgers et un café devant elle, il jugea que c'était le bon moment pour lui parler.

— On a réussi à retracer le trajet du garçon et de son ravisseur après qu'ils ont quitté la zone de sécurité. Ils ont pris la première sortie en direction du hall des arrivées. Ils ne sont pas allés vers le retrait des bagages mais directement au parking. Le type n'a pas utilisé les machines automatiques pour régler le stationnement. Apparemment, il n'avait pas pris de ticket. Il est entré dans l'ascenseur avec le gamin. Et c'est là que ça devient intéressant : on ne les voit pas ressortir de l'ascenseur.

Vivian ne pouvait pas parler car elle avait la bouche pleine et se contenta de froncer les sourcils.

— Demande-moi comment c'est possible. Je sais que tu en meurs d'envie.

Elle avala sa bouchée et, pour lui faire plaisir, demanda :

— Comment est-ce que c'est possible ?

Après tout, c'était lui qui faisait le sale boulot dans cette affaire. Il avait bien le droit à son petit moment de gloire.

— À douze heures cinquante-sept, quelqu'un a barbouillé de peinture noire l'objectif de la caméra de sécurité située à la sortie des ascenseurs au treizième niveau. Il n'y avait pas beaucoup de véhicules garés là, donc personne n'a vu ce qui se passait. Ou peut-être que quelqu'un a été témoin mais qu'il se fichait pas mal qu'on vandalise une caméra de surveillance.

— Qu'est-ce qu'on voit sur les images avant douze heures cinquante-sept ?

— Pas grand-chose. On ne voit personne approcher, ce qui veut dire qu'ils ont dû arriver par-derrière et badigeonner la peinture comme ils pouvaient. La salle de contrôle s'est aperçue au bout de quarante minutes que la caméra était hors service et a signalé ça à la maintenance. C'est seulement quand j'ai commencé à poser des questions qu'ils sont allés vérifier la caméra et se sont rendu compte que c'était un acte de vandalisme et non un simple dysfonctionnement.

— Un acte perpétré pour nous empêcher de voir le ravisseur sortir de l'ascenseur avec l'enfant, dit Vivian. Vu la tête que tu fais, tu ne t'apprêtes pas à m'annoncer une bonne nouvelle.

— Non, il n'y a pas de bonne nouvelle. Pas encore. On ne sait pas ce qu'ils sont devenus une fois hors de l'ascenseur. On présume qu'ils sont montés dans une voiture. Mais laquelle ? On ne sait pas à quel moment ils ont quitté le parking. Ils ont très bien pu rester cachés pendant une demi-heure à l'arrière d'une camionnette... On n'a aucun moyen de le savoir.

— Et les enregistrements vidéo de la sortie ? Quel que soit le véhicule qu'ils ont emprunté, ils sont forcément sortis de ce parking à un moment donné.

— C'est une perte de temps, Vivian. On ne sait pas à quoi ressemble ce type. On commence à penser qu'il a un complice, mais on ne sait pas si c'est un homme ou une femme. On n'a pas une seule piste.

Tout ça coupa l'appétit de Vivian. Chaque fois qu'une piste les menait à une impasse, les chances de retrouver Jimmy vivant s'amenuisaient. Il avait disparu cinq heures plus tôt. Les possibilités se réduisaient et lui laissaient un goût amer dans la bouche, qu'aucune nourriture ne pouvait effacer. Elle repoussa son deuxième cheeseburger puis, à la réflexion, décida de le prendre avec elle. Stephanie devait avoir faim, elle aussi.

— Merci, Don. C'est sympa d'avoir creusé cette piste. Il faut que je retourne interroger le témoin.

Elle se leva.

— Ok. La salle de contrôle a demandé à plusieurs de ses gars de vérifier les enregistrements vidéo pour essayer de savoir d'où venait ce type. Je te tiens au courant dès qu'on a quelque chose. Ah, au fait, aucun des passagers absents à leur embarquement ne correspond à notre suspect : un vieux juif hassidique, une femme noire d'une quarantaine d'années et une étudiante de Northwestern. Ta témoin a donc vu juste en suggérant qu'il venait d'un autre vol.

Il la suivit de nouveau dans le hall. Alors qu'ils approchaient de la salle d'interrogatoire, il posa une main sur son bras.

— Ne prends pas cette affaire trop à cœur, Vivian.

— Si tu avais écouté le récit de cette femme pendant aussi longtemps que moi, tu la prendrais à cœur, toi aussi, Don. Parfois, c'est la seule façon de prendre les choses. Je sais que tu te casses la tête sur cette enquête, ajouta-t-elle en parlant d'une voix plus douce.

Elle ne cherchait pas à épargner sa sensibilité en faisant ça, mais à l'encourager à poursuivre ses efforts.

— Et j'ai entièrement confiance en toi. Je sais que tu vas examiner chaque seconde de ces enregistrements.

Elle lui fit un grand sourire. Elle était prête à entendre la suite de l'histoire de Stephanie.

34

Après notre conversation au sujet de Leanne, je n'ai pas vu Scarlett pendant quasiment une semaine. J'étais occupée à interviewer une présentatrice télé qui voulait écrire un nouveau livre expliquant comment reconstruire sa vie après un divorce. Vu comme son image publique avait été égratignée, elle avait du pain sur la planche. Je n'avais pas beaucoup d'affection pour elle, notamment parce que c'était le genre de personnes qui ne reconnaissait jamais ses torts. Ça me rappelait ces types qui frappaient leurs femmes puis se défendaient sous prétexte qu'elles les avaient provoqués verbalement. Néanmoins, cette femme s'exprimait bien et savait trouver des formules accrocheuses pour les débuts de chapitres.

Quand j'ai revu Scarlett, elle m'a paru de très bonne humeur. Il s'est avéré que, comme j'étais absente, Simon était resté avec elle pendant sa dernière séance de chimio et leur conversation lui avait remonté le moral.

— Il sait trouver les mots, m'a-t-elle dit. Je ne sais pas comment il fait, mais il arrive à mettre le doigt sur ce qui me fait peur ou me dérange. Et il me raconte une anecdote, me donne des statistiques qui m'encouragent.

J'ai été soulagée de savoir que quelqu'un arrivait à la rassurer. Je me sentais coupable d'avoir raté une chimio, mais Scarlett refusait que j'abandonne ma carrière à cause d'elle.

— Je suis contente qu'il t'ait tenu compagnie, ai-je répondu.

— Et heureusement qu'il était là, parce que tu devineras jamais qui s'est pointé à la clinique.

Elle a esquissé un rictus de dégoût. Une seule personne pouvait, à ma connaissance, provoquer cette réaction chez elle.

— Pas Joshu ?

Elle a hoché la tête.

— Si. Ce connard de Joshu.

Mon estomac s'est noué. Joshu était la dernière personne dont elle avait besoin. Partout où il passait, il créait des problèmes. Il était capable de faire sortir Scarlett de ses gonds en un clin d'œil. Elle perdait immédiatement patience avec lui dès qu'il lui reprochait d'être injuste, égoïste et mauvaise mère. Pour ne rien arranger, sa dépendance à la drogue semblait s'être aggravée depuis leur séparation. Et il la tenait responsable de ça aussi. Il l'accusait de tous les maux. Ça me rendait malade qu'il ait osé débarquer en plein milieu d'une séance de traitement.

— Comment il a su que t'étais là ? Et que t'avais une chimio pile à ce moment-là ?

Elle a haussé les épaules.

— C'est pas vraiment un secret d'État. Le nom de la clinique a été diffusé dans les journaux. Et tu sais bien que Joshu est doué pour obtenir des infos : il a sans doute baratiné une infirmière ou une secrétaire qui lui a tout avoué.

— Qu'est-ce qui s'est passé ?

Elle a paru assez fière d'elle, contrairement à ce que je redoutais.

— Il a déboulé dans la pièce en disant que je devais rédiger un testament pour lui confier la garde de Jimmy au cas où je mourrais.

— Quel con ! Comment il peut faire ça alors que tu te bats contre la maladie ? Il comprend pas l'enjeu de tout ça ou quoi ?

J'étais outrée, mais pas Scarlett.

— Le truc, c'est qu'il était complètement défoncé. Il agitait les bras frénétiquement. C'était même pas flippant, c'était plutôt ridicule. Je me suis retenue de rire parce que je savais que ça le mettrait encore plus en colère. Tout à coup, Simon s'est levé et il a foutu Joshu dehors. Littéralement. Il l'a attrapé par la capuche et l'a traîné jusqu'à la sortie, m'a-t-elle raconté en gloussant. Mon héros !

— Dis donc, on aurait dû l'embaucher au moment où t'as quitté Joshu et qu'il essayait de revenir chez toi.

— Tu m'étonnes. Simon était comme un chien enragé. Scandalisé qu'une petite merde comme Joshu débarque dans sa jolie clinique et dérange ses patients.

— Il a raison. Personne ne va là-bas pour s'amuser. Ces patients ont plus de soucis qu'un gamin pourri gâté et insupportable comme Joshu.

— Simon s'est débarrassé de lui avec classe et en deux minutes.

— C'est la première fois qu'il réclame la garde de Jimmy au cas où tu mourrais.

— C'est horrible ! C'est vraiment une pensée affreuse. Qu'est-ce qui se passera si Simon se trompe et que je ne survis pas ? Joshu est le père de Jimmy, après tout. Il fait partie de sa vie, ils continuent de se voir. Ils s'aiment et je n'ai jamais cherché à le nier ni à les en empêcher. Mais Joshu est irresponsable, il ne sait pas s'occuper de lui-même, alors d'un enfant n'en parlons pas. Simon m'a dit de ne pas m'inquiéter, que ça n'arrivera pas. J'essaie de m'accrocher à ça.

Elle a esquissé un sourire comme avant, un de ces sourires innocents qui éclairaient son visage avant que la maladie ne complique tout.

— Mais maintenant que Joshu t'a mis cette idée dans la tête, tu n'arrêtes pas d'y penser, ai-je commenté.

J'avais parlé surtout pour moi-même, mais Scarlett m'a répondu :

— Ça n'arrivera pas. Tu es la marraine de Jimmy et si les choses tournent mal, c'est toi qui t'occuperas de lui. Il est aussi proche de toi que de son père et tu sauras prendre soin de lui.

J'ai été tellement surprise que je n'ai pas réussi à prononcer un mot. L'idée de prendre Jimmy avec moi si quelque chose arrivait à Scarlett ne m'avait jamais traversé l'esprit. Je m'étais imaginé que les parents de Joshu assumeraient leurs responsabilités si leur petit-fils se retrouvait orphelin. Ou que Leanne s'en chargerait ; après tout, Jimmy était son cousin. Je n'avais pas pensé une seule seconde devenir sa mère de substitution si Scarlett mourait.

— Je sais que tu serais parfaite. Tu es plus douée que tu le penses, m'a-t-elle dit sans le moindre doute.

— Moi ? Mais je n'ai aucune expérience, aucun instinct maternel. Crois-moi, Scarlett, Joshu serait une meilleure option.

Elle a éclaté de rire.

— Ah, tu fais une de ces têtes ! On dirait que tu t'es coincé les doigts dans une porte. T'inquiète pas, Steph, je vais pas te faire ce sale coup. Simon dit que je vais m'en sortir et il sait de quoi il parle.

Je n'étais pas vraiment rassurée. J'avais de bonnes raisons de ne pas avoir d'enfant, et ce n'était pas seulement lié au fait que je n'avais jamais su m'engager dans une relation à long terme. C'était un choix. Je n'avais jamais eu envie d'être mère, jamais ressenti ce besoin biologique, jamais imaginé ma vie de cette façon. Oui, je m'occupais bien de Jimmy. Mais ça ne signifiait pas que je voulais être sa mère.

Cela dit, je ne voulais pas non plus que Jimmy soit confié à Joshu si quelque chose arrivait à Scarlett.

— Il serait mieux avec Leanne, ai-je protesté. Elle est super avec lui. Et elle fait partie de la famille.

Scarlett a secoué la tête.

— Non, elle va bientôt déménager en Espagne. J'ai pas envie que mon fils soit élevé parmi des étrangers alors qu'il pourrait rester ici, chez lui.

— Elle pourrait toujours revenir d'Espagne, au besoin. Elle l'aime vraiment, Scarlett.

— C'est pas seulement une question d'amour, a-t-elle répliqué fermement. C'est une question d'ambition. D'aspirations. De volonté. Je suis arrivée là où j'en suis aujourd'hui malgré un mauvais départ et une famille pourrie qui voulait pas que je devienne quelqu'un. Et même si Leanne est une fille plutôt bien, elle a toujours cet état d'esprit-là. Elle choisit toujours la facilité, elle essaie pas de repousser ses limites. Elle sait se battre, c'est vrai. Mais elle ne sait pas se battre pour de bonnes raisons. Je veux que mon fils soit exceptionnel, qu'il fasse de grandes choses. Et ça n'arrivera pas si c'est Leanne qui s'occupe de lui. Il apprendra à se contenter de ce qu'on lui donne. À en faire le moins possible. Mais toi, tu es différente, Steph. Et toi, tu lui rappelleras ce que j'ai fait pour en arriver là.

Ses paroles m'ont mise mal à l'aise. Je savais que Joshu ne supporterait pas cette idée. Leanne se sentirait insultée et blessée. Et Dieu sait ce que Jimmy en penserait, si ça se produisait.

Mais Simon avait assuré que ça n'arriverait pas. Malheureusement, il n'était pas devin. À la fin de la semaine, les pires craintes de Scarlett se sont concrétisées.

35

Joshu est mort. Je l'ai entendu à la radio. Façon brutale de commencer la journée. J'avais toujours su qu'il prenait de la drogue, mais je n'avais jamais pensé qu'il en mourrait un jour. Et pourtant, c'était dans les nouvelles du journal ce matin-là. DJ Joshu, la star des nuits londoniennes, ex-mari de la star de téléréalité Scarlett Higgins, était mort, probablement d'une overdose.

Pour être honnête, je dois dire que j'ai été vexée d'apprendre cette nouvelle en même temps que tout le monde. Scarlett me téléphonait quasiment tous les jours. Elle m'appelait pour des choses sans importance mais ce jour-là, un événement capital venait de se produire et je l'entendais à la radio. Je sais que j'aurais dû d'abord me préoccuper de Scarlett, mais j'ai pensé à moi pendant quelques minutes avant de mettre mon ego de côté pour imaginer l'effet que cette nouvelle allait avoir sur mon amie.

La vie qu'il avait choisie avait transformé l'homme dont elle était tombée amoureuse. L'excès de drogue, la célébrité, les soirées, le laisser-aller, tout ça lui avait fait perdre ses plus belles qualités. Il était devenu peu à peu arrogant, satisfait et agressif. Ces derniers temps, il était même violent et je n'aurais pas hésité à appeler la police s'il s'était présenté devant chez moi. Mais rien de tout ça ne pouvait leur enlever ce qu'ils avaient vécu ensemble. Scarlett l'avait vraiment aimé, pendant longtemps. C'était le père de son enfant et elle n'avait jamais cherché à les empêcher de se voir. Cette nouvelle avait dû la bouleverser. Plus j'y pensais, plus je me disais qu'elle devait vraiment souffrir pour ne pas avoir eu le courage de m'appeler.

J'ai donc pris la route en direction du nord. Dès que je suis arrivée sur l'autoroute, j'ai composé son numéro de portable. C'est Leanne qui a répondu :

— Salut, Steph. T'as entendu la nouvelle ?

— Oui, à la radio. Comment va Scarlett ?

— Elle est effondrée. Elle est partie prendre une douche.

— Quand est-ce que vous l'avez appris ?

— Les flics sont venus nous le dire il y a deux heures. J'ai trouvé que c'était sympa de leur part parce que, techniquement, elle n'était plus liée à lui. Mais apparemment, ils savaient qui il était.

— Un de leurs supérieurs a sans doute voulu éviter un titre du genre « La police ne m'a même pas prévenue et j'ai appris la mort de Joshu à la télé » dans le *Daily Mail* demain.

C'était cynique, je le savais, mais certainement vrai.

— Peu importe. Ce qui compte, c'est qu'ils lui aient annoncé ça en personne.

— Comment elle l'a pris ?

— Ça lui a fait un choc. Ils sont pas restés longtemps. Je lui ai fait un thé et je l'ai forcée à boire un verre de brandy. Elle a pas dit grand-chose. Elle a pas pleuré non plus. À mon avis, elle est encore bouleversée. C'était l'heure de réveiller Jimmy alors je lui ai dit d'aller prendre une douche et que je m'occuperais de lui. Il est en train de manger ses céréales devant la télé et elle est toujours sous la douche. Je suis contente que t'aies appelé, Steph. J'allais te téléphoner. T'arrives mieux à lui parler que moi quand elle est dans cet état.

— J'arrive. Occupe-toi d'elle, Leanne. Demande à Marina de passer la journée dehors avec Jimmy. Et dis-lui de faire bien attention à ce que les journalistes ne la suivent pas. On n'a pas besoin de voir la presse à scandale titrer « Le fils de Joshu s'amuse sans savoir que son père est mort ». Et appelle George, aussi.

Je ne doutais pas que George saurait tirer profit de ce drame, une fois le choc passé. Je n'avais pas envie d'écrire d'articles sur le sujet, mais je savais que Scarlett allait dire que « personne d'autre ne peut faire ça à part Steph ».

Le groupe habituel de paparazzis se tenait devant le portail de l'hacienda. Ils se sont tous mis à crier comme des fous quand je suis arrivée. J'ai évité leurs regards et suis restée de marbre jusqu'à ce que je sois à l'intérieur de la propriété. J'ai eu la surprise de constater que je n'étais pas la seule visiteuse. Quand je suis entrée dans la cuisine, le Dr Simon Graham était assis à la table, une tasse de café dans les mains. Il était moins élégant que d'habitude ; il avait les cheveux ébouriffés et n'était pas rasé. Sa chemise n'était pas de la première fraîcheur. Je me suis posé quelques questions en le voyant et il m'a accueillie en annonçant :

— Je suis venu dès que la police a eu fini de m'interroger.

— La police ? Qu'est-ce qu'elle vous voulait ?

Je me suis dirigée vers la machine à café. J'étais debout depuis deux heures et je n'avais pas encore eu ma dose de caféine ; il fallait que je règle ce problème avant de m'occuper de Scarlett. Il a soupiré.

— Apparemment, il a fait une overdose avec des médicaments qu'il avait volés dans ma clinique.

Je me suis arrêtée net.

— Dans votre clinique ? Comment ça a pu se produire ?

— Il est venu la semaine dernière, pendant la chimio de Scarlett. J'ai été obligé de le mettre dehors.

— J'en ai entendu parler. Bravo.

J'ai introduit une capsule dans la machine puis placé une tasse en dessous.

— Je ne voulais pas qu'il y remette les pieds. Et pour ne rien vous cacher, je craignais qu'un des membres du personnel ne lui ait donné des informations au sujet du traitement de Scarlett. Alors j'ai déplacé les séances restantes sans apporter aucune modification sur le planning de la clinique.

J'ai pris mon café.

— Vous avez déjà eu affaire à des célébrités, non ? ai-je répliqué.

Je n'arrivais pas à croire que des gens sérieux comme Simon

soient obligés de faire des pieds et des mains pour protéger leurs patients.

— Et aux gens qui les harcèlent, a-t-il répondu d'un air abattu. Bref, comme je m'y attendais, Joshu est revenu à la clinique hier, à l'heure où Scarlett était censée avoir son rendez-vous. Il a déboulé dans la salle de soins où je me trouvais avec une patiente. Il était furieux de ne pas y voir Scarlett. Il a quitté la pièce sans faire d'esclandre, mais il a refusé de quitter la clinique. Il s'est installé dans mon bureau, bien décidé à y rester, m'a expliqué Simon en soupirant et en passant la main dans ses cheveux ébouriffés. Je sais que j'ai fait une bêtise. Je l'ai laissé seul dans mon bureau le temps d'aller chercher les vigiles. J'aurais dû les appeler depuis mon bureau. Mais je ne voulais pas l'énerver davantage. Je me suis dit qu'en me voyant appeler les agents de sécurité, il risquait de péter un plomb. Il paraissait particulièrement désespéré et violent.

— Il pouvait être très inquiétant, ai-je commenté en me remémorant notre première rencontre et cette histoire de faux pistolet.

— Oui, inquiétant, a répété Simon comme si c'était exactement le mot qu'il cherchait. Alors je l'ai laissé seul le temps d'aller chercher les agents de sécurité.

— Est-ce qu'il leur a résisté ?

Simon a froncé les sourcils, perplexe.

— Non, c'est bizarre d'ailleurs. Dès que les deux agents sont arrivés, il est parti avec eux, doux comme un agneau. J'ai pensé que ça devait être le genre de type qui fait beaucoup de bruit mais qui n'est pas bien dangereux, a-t-il dit avant de baisser les yeux vers sa tasse de café. Je me suis trompé. S'il s'était calmé, c'est parce qu'il avait forcé ma sacoche et volé toute la morphine que je transporte en cas d'urgence.

Je me suis douté que le terme d'« urgence » couvrait une multitude de réalités parmi lesquelles la nécessité de soulager ceux dont les conditions de vie s'étaient terriblement dégradées.

— Ah, ai-je répondu, je comprends pourquoi il est parti tranquillement. Quand est-ce que vous vous êtes aperçu de ce qu'il avait fait ?

— Quand la police m'a tiré du lit à trois heures et demie ce matin. C'est le directeur du club où il est mort qui les a appelés et ils ont trouvé une boîte vide avec mon nom dessus.

— Vous n'avez pas dû passer un bon moment, ai-je commenté.

J'ai fini mon café et introduit une nouvelle capsule dans la machine. Le premier m'avait fait du bien mais j'étais toujours en manque de caféine. Il a esquissé une moue.

— J'ai bien vu qu'ils ne me croyaient pas au début, quand j'ai dit que je ne savais pas où Joshu s'était procuré la drogue. Mais quand ils ont vérifié ma sacoche, ils ont constaté que la serrure avait été forcée. Je ne m'en étais pas rendu compte avant ça. Je suis tellement épuisé à la fin de la journée que je ne fais pas attention à ce genre de choses. Je crois qu'ils ont compris que j'étais une victime, pas un dealer.

— C'est quand même pas la meilleure façon de démarrer la journée.

J'ai bu mon deuxième café dont j'ai encore plus apprécié l'arôme.

— Non, mais c'est bien pire pour Scarlett.

— Où est-elle, d'ailleurs ?

— Leanne a dit qu'elle nageait.

Cette idée paraissait le dérouter. Moi, je n'étais pas surprise. Je comprenais qu'elle ait envie de se concentrer sur l'effort physique pour retarder le moment où elle allait devoir accepter que Joshu était bel et bien mort.

— Elle est censée avoir une séance de chimio aujourd'hui. J'ai pensé que je pouvais l'y conduire. Mais on ferait peut-être mieux de reporter.

— Non, emmenez-la. C'est bien qu'elle se change les idées.

Alors que j'étais en train de dire ça, Scarlett est entrée, laissant derrière elle une odeur de chlore. Son regard était dénué d'expression, je ne l'avais jamais vue comme ça. Elle m'a prise dans ses bras et est restée serrée contre moi, comme le fait Jimmy maintenant, quand on a été séparés toute une journée. J'ai senti son cœur battre vite dans sa poitrine.

— Steph, a-t-elle réussi à articuler. Il est parti. Mon Joshu. Il est parti.

Je l'ai tenue contre moi en lui caressant le dos. Je savais qu'il n'y avait rien à dire. Il fallait attendre que ça passe. Elle a fini par s'écarter de moi en poussant un soupir.

— Leanne m'a dit que vous étiez là, Simon. Je ne m'attendais pas à vous voir.

Il s'est levé et s'est approché d'elle pour lui prendre les mains.

— Je suis vraiment désolé, Scarlett. C'est un choc terrible pour vous.

Elle a lâché un petit rire amer.

— J'ai toujours pensé qu'il allait mal finir. Mais pas comme ça. Je pensais qu'il s'attirerait des ennuis en jouant les gangsters. Ou en couchant à droite et à gauche. Avec une fille mal choisie. J'avais jamais imaginé que ce serait à cause de la drogue.

Elle a lâché les mains de Simon pour se laisser tomber sur une chaise.

— Vous êtes venu pour vous assurer que je vais venir à la chimio ? lui a-t-elle demandé. Vous avez peur que je fiche tout en l'air et que je me laisse mourir ?

Il a souri.

— Je vous connais mieux que ça, Scarlett. Je sais bien que vous n'êtes pas du genre à baisser les bras. Oui, je vais vous conduire à votre rendez-vous quand vous serez prête. Mais j'ai quelque chose à vous dire et je ne voulais pas que quelqu'un d'autre vous l'annonce.

Elle a haussé les sourcils.

— Je ne crois pas que je puisse encaisser encore une mauvaise nouvelle aujourd'hui, Simon.

Il lui a quand même dit. Tandis qu'il lui expliquait ce qui s'était passé, le visage de Scarlett s'est peu à peu décomposé. Quand il s'est tu, il y a eu un terrible silence avant qu'elle ne réagisse.

— Quel pauvre con, a-t-elle fait en secouant la tête. Il a toujours été si sûr de lui.

J'ai posé une main sur son épaule et l'ai serrée de toutes mes forces.

— Qu'est-ce que je vais dire à Jimmy, putain ?

Elle a levé les yeux vers moi, désemparée.

— Je vais rester avec toi, lui ai-je répondu. On lui dira ensemble.

— Tu veux bien ? Steph, je sais pas ce que je ferais sans toi.

Elle a essuyé une larme avant de se lever péniblement, avec une lassitude indescriptible.

— Venez, Simon. On ferait mieux d'y aller.

— Est-ce que tu veux que je vous accompagne ? ai-je demandé.

Elle a poussé un soupir tout en réfléchissant.

— Est-ce que tu pourrais rester pendant mon absence ? George va vouloir te parler. Parce qu'il va bien falloir qu'on réagisse à cette nouvelle et je n'ai pas envie de me confier à un étranger. Quand je serai de retour, on pourra l'annoncer à Jimmy.

— Tu n'auras pas envie d'annoncer ça à Jimmy après une chimio, ai-je objecté.

Ma remarque était fondée.

— Je sais, a-t-elle rétorqué sèchement sous l'effet du stress.

Elle a fermé les yeux et a secoué la tête.

— Je suis désolée, Steph. Oui, je vais être dans un sale état en rentrant. Mais je peux pas attendre de me sentir mieux pour lui annoncer ça. Il faut qu'il soit au courant. En plus, c'est un petit garçon sensible ; il va remarquer qu'on fait tous des gueules de six pieds de long. Il faut qu'il sache pourquoi.

Je savais qu'elle était capable d'affronter ça. Elle avait eu la force d'arriver jusque-là. Il n'y avait aucune raison qu'elle s'effondre maintenant. Malheureusement, tout ce qui avait paru stable semblait à présent se dérober.

36

J'ai appelé Maggie dès que Scarlett et Simon sont montés dans l'Audi TT décapotable du médecin. La plupart des paparazzis les ont suivis, ce qui nous a permis de respirer un peu. Maggie, qui savait l'opinion que j'avais de Joshu, ne s'est pas embarrassée de condoléances.

— Ma *chérie*, m'a-t-elle dit. J'ai *déjà* parlé à Georgie. Le *Mail* veut un article *exclusif* de sept cent cinquante mots avant seize heures et *Yes !* veut cinq cents mots d'ici à *jeudi*. Je n'ai pas encore *négocié* l'exclusivité de *l'enterrement*, mais ça va nous rapporter une somme *rondelette*. Et en plus, ça nous fait de la pub pour le bouquin sur le *cancer*.

Maggie ne faisait preuve de tact et de diplomatie qu'en présence d'inconnus. Avec moi, elle n'avait pas besoin de prendre de pincettes.

Je connaissais suffisamment bien Scarlett pour pondre un article destiné au *Daily Mail* sans même lui poser de questions. Je pouvais rédiger quelque chose de poignant sans être tire-larmes, parler de la tragédie d'un amour qui avait pris fin et du chagrin de savoir qu'à présent, il n'y avait plus de réconciliation possible. J'étais presque émue moi-même des mots que je prêtais à Scarlett.

J'avais terminé le premier jet et l'avais donné à Leanne pour qu'elle le lise quand mon portable a sonné. Je n'ai pas reconnu le numéro, mais j'ai quand même décroché.

— Allô ?

— Stephanie Harker ?

Je ne connaissais pas cette voix mais j'aimais bien son timbre. Grave, chaleureux, avec un accent du Nord.

— Oui. Qui est-ce ?

— Inspecteur Nick Nicolaides, de la Met. J'aimerais vous parler au sujet de la mort de Jishnu Patel.

Je n'avais pas entendu le vrai nom de Joshu depuis le mariage et ça m'a surprise.

— Au sujet de Joshu ? Pourquoi moi ? Je ne sais rien là-dessus.

— C'est George Lyall qui m'a donné vos coordonnées.

Sacré George. Qu'est-ce qu'il avait derrière la tête ?

— Je me trouve devant la maison de Mlle Higgins, a-t-il repris. L'interphone n'a pas l'air de fonctionner.

— Si, il fonctionne. Elle l'éteint quand les journalistes la harcèlent, ai-je répondu sèchement. Comme aujourd'hui, par exemple.

— Est-ce que vous pouvez me laisser entrer ? Puisque je suis là ? J'ai besoin de vous parler.

Moi je n'avais pas envie de lui parler mais je n'avais pas vraiment le choix. J'ai raccroché et appuyé sur le bouton pour ouvrir le portail.

— Qui c'est ? a demandé Leanne en regardant l'écran de l'interphone.

— Un flic. Il veut me parler de Joshu.

Elle a eu l'air étonné.

— Pourquoi toi ?

— On va le savoir d'une minute à l'autre. Comment tu trouves l'article ?

— Super. Tu vas les faire chialer dans les rues de Beeston, a-t-elle répondu avec cynisme. Bon, je vais me planquer.

Elle a pris ses cigarettes et s'est éclipsée rapidement. Leanne n'était pas à l'aise avec les représentants de l'ordre. Je crois qu'elle avait toujours peur de se faire accuser de quelque chose.

Quand j'ai ouvert la porte, j'ai vu un homme dégingandé vêtu d'un jean noir et d'un manteau en cuir qui s'arrêtait à mi-cuisses sortir d'une vieille Vauxhall. Des cheveux noirs hirsutes encadraient son visage maigre et osseux. Ses yeux étaient profonds et son nez fin comme la lame d'un couteau. Nos regards se sont croisés et j'ai ressenti un frisson. Je sais que c'est cliché, mais j'ai toujours considéré Nick Nicolaides comme un pirate séduisant. Un pirate à la Johnny Depp, pas ceux qui kidnappent des touristes innocents dans l'océan Indien. Pour être honnête, à ce moment-là, j'aurais répondu à n'importe quelle question de sa part.

Je l'ai conduit dans la cuisine et l'ai invité à s'asseoir au bar. Je lui ai proposé du café ; il a demandé un expresso et est resté silencieux pendant que je le préparais. Parfois, je me dis que l'expresso est devenu l'équivalent moderne du curry épicé. On est un homme, un vrai, à condition de pouvoir l'avaler dans sa version la plus corsée.

J'ai posé la tasse devant lui et j'ai remarqué que les ongles de sa main droite étaient longs et recouverts d'un vernis transparent tandis que ceux de la gauche étaient soigneusement coupés. Il a vu que j'avais remarqué et a dissimulé sa main droite.

— Vous êtes guitariste, ai-je commenté.

Il a paru mal à l'aise.

— Je joue un peu. C'est un bon moyen de décompresser.

— Vous jouez quel genre de choses ?

— Guitare acoustique. *Picking*. Un peu de jazz, a-t-il répondu en changeant de position sur son siège. Est-ce que c'est une déformation professionnelle de poser des questions ?

— Vous voulez dire, parce que je suis nègre littéraire ?

Il a hoché la tête.

— Vous ne pouvez pas vous en empêcher ? a-t-il ajouté.

Il y a tellement de choses dans nos vies qu'on ne remet jamais en question. J'ai dû réfléchir pour ne pas lui donner une réponse bateau. J'avais envie d'être sincère.

— C'est la question de l'œuf ou de la poule, ai-je répondu. Je ne sais pas si j'ai pris l'habitude de poser des questions parce que j'ai envie de faire mon travail du mieux possible, ou si j'ai choisi ce métier parce que j'aime bien tirer les vers du nez des gens, ai-je expliqué en souriant. Je crois que j'aime bien être dans la confidence. Partager l'intimité des autres.

Nick a hoché la tête, visiblement satisfait.

— C'est ce que m'a dit George Lyall : « Stephanie a le sens de l'observation. En plus de ça, elle sait poser des questions et obtenir des réponses. »

— Je ne comprends toujours pas pourquoi vous voulez me parler. Je ne suis au courant de rien, concernant la mort de Joshu.

— D'après M. Lyall, vous connaissez tous ceux qui sont au cœur de cette tragédie. Vous connaissiez Joshu. Vous êtes probablement la meilleure amie de Scarlett. Vous connaissez le Dr Graham et vous êtes allée à la clinique dans laquelle elle suit son traitement. J'essaie de me faire une idée de ce qui s'est passé. Et généralement, je trouve ça utile de m'entretenir avec des gens comme vous. Des gens qui ne sont pas directement concernés par les événements, mais qui connaissent bien les personnes impliquées, et les relations qu'elles entretiennent entre elles.

Il avait un sourire terriblement sexy. Je sais que c'était complètement déplacé de penser à ça alors que Joshu venait de mourir, mais je n'ai pas pu m'en empêcher. Depuis mes mésaventures avec Pete, je n'avais pas rencontré un seul homme qui ait provoqué la moindre réaction en moi.

— Vous ne parlez pas vraiment comme un policier, ai-je commenté.

— Peut-être parce que l'idée que vous vous faites des policiers est dépassée.

Je crois que j'ai rougi.

— Hé bien, posez-moi vos questions et on verra, d'accord ?

— Avez-vous été surprise d'apprendre que Joshu était mort d'une overdose ?

Il allait droit au but. Pas de conversation préliminaire pour me mettre dans l'ambiance. Je connaissais bien cette technique. J'y avais moi-même eu recours plus d'une fois.

— Il prenait déjà de la drogue quand je l'ai rencontré, il y a un peu plus de trois ans. De ce point de vue-là, non, ça n'a pas été une surprise. Mais ça m'a quand même fait un choc parce que j'avais l'impression qu'il savait ce qu'il faisait, ai-je ajouté en soupirant. C'est difficile à expliquer, mais j'ai toujours eu l'impression que Joshu se contrôlait beaucoup plus que ce qu'il laissait croire. J'ai toujours trouvé que son comportement avait quelque chose de calculé. Je n'aurais pas parié qu'il puisse faire une overdose. Mais c'est toujours comme ça quand on prend de la drogue : on est persuadé qu'on maîtrise la situation, mais c'est faux. Il pensait peut-être qu'il avait tout ça sous contrôle alors qu'en réalité, il faisait n'importe quoi.

Nick m'a lancé un regard en biais.

— Je ne peux pas contredire cette analyse.

C'est seulement bien plus tard que j'ai compris qu'il parlait en connaissance de cause.

— Est-ce qu'il donnait toujours l'impression d'avoir beaucoup d'argent ?

— Il aimait bien en mettre plein la vue. Il gagnait beaucoup, ça je le sais. Mais d'après ce qu'a dit Scarlett au moment du divorce, il dépensait l'argent aussi vite qu'il le gagnait, ai-je expliqué avant d'esquisser un sourire désolé. Scarlett a dit qu'il avait découvert que les filles faciles coûtaient cher. Je crois qu'il arrivait à garder la tête hors de l'eau, mais je ne sais pas s'il possédait beaucoup de biens. Il n'avait pas de maison, par exemple. Il avait un box où il entreposait tout son équipement, mais en dehors de ça il squattait chez des amis ou chez les filles avec qui il sortait.

— Il n'avait pas de problèmes d'argent à votre connaissance ?

J'ai secoué la tête.

— Non, il gagnait bien sa vie. Quand il venait chercher Jimmy, il paraissait toujours à flot.

— Dans ce cas-là, pourquoi a-t-il volé de la drogue ? Ce n'était pas un junkie sans le sou, d'après ce que vous me dites.

— Je crois que vous posez la mauvaise question.

Je me suis rendu compte que je m'adressais à Nick comme si je le connaissais. Comme si je lui faisais confiance. Mais ça me paraissait naturel, alors je n'ai pas essayé de me réfréner.

— La question n'est pas pourquoi il a volé de la drogue, mais à qui il l'a volée. Joshu était jaloux de tous les gens qui intéressaient Scarlett. Il était même jaloux de son propre fils ! Pour lui, Simon Graham n'était rien d'autre qu'un rival. En lui volant de la morphine, il a marqué son territoire, comme un chien qui pisse sur un lampadaire. Il a montré à Simon que c'était lui qui commandait. C'est vraiment triste. Il a voulu jouer les machos et voilà comment ça s'est terminé.

Mon estomac s'est tout à coup mis à grogner. Je n'avais rien avalé de la journée. J'ai dégagé mes cheveux en arrière et je me suis levée.

— Est-ce que vous voulez manger quelque chose ? Je me rends compte que je meurs de faim. Je vais me faire un sandwich. Vous en voulez un ?

Pris de court, il s'est gratté la tête.

— Oui, pourquoi pas.

J'ai fouillé dans le frigo tout en répondant à des questions apparemment sans intérêt au sujet de Joshu et Scarlett. J'ai préparé deux sandwiches au poulet avec sauce césar que j'ai posés dans des assiettes, devant nous.

— Pas très appétissant, je dois dire. On n'est pas dans un haut lieu de la gastronomie ici, ai-je commenté.

Il a gloussé.

— Apparemment non.

— Mais nous avons une magnifique collection de menus proposant des plats à se faire livrer.

— Est-ce que vous pensiez que Joshu et Scarlett allaient se remettre ensemble ? m'a-t-il demandé en mordant dans son sandwich.

— Non, certainement pas. Elle l'aimait, mais elle savait qu'elle était mieux sans lui. Son cancer a remis les compteurs à zéro, pour elle. Elle a revu l'ordre de ses priorités et les relations néfastes étaient tout en haut de la liste des choses dont elle ne voulait plus. Elle n'a pas eu un seul rendez-vous amoureux depuis son divorce, et son diagnostic n'a rien arrangé.

Il a haussé les sourcils pour signifier poliment qu'il doutait de mes propos.

— Ce n'est pas ce que disent les tabloïds, a-t-il commenté.

J'ai senti mon estomac se nouer. J'avais été négligente et j'avais dit une bêtise, une grosse bêtise. Ce n'était pas de Scarlett dont les journaux avaient parlé. C'était de Leanne qui faisait son show, bien sûr. J'étais vraiment pathétique de baisser la garde dès qu'un homme gentil et attirant m'accordait de l'attention.

— Tout ce que disent les tabloïds n'est pas forcément vrai, me suis-je empressée de répondre. Ça fait partie de son travail, de faire en sorte que les journaux continuent à parler d'elle.

Il a eu l'air légèrement méprisant.

— J'imagine.

J'avais réussi à rattraper le coup et j'ai essayé de dissimuler mon soulagement. Nick, quant à lui, paraissait à court de questions. Alors j'ai pris le relais et lui ai demandé :

— Comment est-ce que vous êtes devenu policier ?

— J'ai fait des études de psycho. Je n'avais pas envie de devenir ce que deviennent généralement les étudiants en psycho. L'idée d'être inspecteur m'attirait mais je n'étais pas sûr de pouvoir y arriver. Je me suis engagé là-dedans sans vraiment savoir ce que ça allait donner. Jusqu'ici, ça a bien marché, a-t-il ajouté en souriant et en haussant les épaules.

Il a terminé son sandwich puis s'est levé.

— Merci pour le déjeuner. Et pour toutes ces informations.

— C'était un accident, non ? Vous ne pensez pas que c'était délibéré ?

— Ce n'est pas à moi de le dire. Je ne fais que réunir des informations pour mon chef.

— Vous n'avez même pas une petite idée ?

Il a cligné rapidement des yeux avant de répondre :

— Même pas une petite idée. Désolé. J'espère que le petit va bien. C'est dur de perdre un parent à cet âge.

J'ai été touchée par sa sollicitude. Mais alors qu'il s'éloignait, je me suis prise à regretter que la mort de Joshu soit déjà une affaire réglée. Je sais que c'était vraiment dégueulasse de penser ça, mais j'aurais bien aimé avoir l'occasion de revoir Nick Nicolaides.

37

Nick s'attarda quelques instants devant l'appartement d'Asmita Patel, adossé contre sa voiture dans l'air frais de la nuit. Il sentait les effluves de curry provenant d'un restaurant voisin et entendait la rumeur constante de la circulation londonienne. Il envisagea d'aller prendre quelque chose à grignoter, mais il était trop agité pour manger. Il pouvait rentrer chez lui et jouer de la guitare jusqu'à ce que ses doigts n'en puissent plus. Mais ça n'allait pas aider Stephanie ou Jimmy. Peut-être que s'il retournait au bureau, il pourrait trouver quelque chose d'utile à faire.

Le plafonnier était éteint dans la grande salle du commissariat, mais quelques lampes isolées étaient allumées, indiquant que certains de ses collègues travaillaient tard. Tandis que Nick rejoignait son bureau, une voix le héla :

— Sacré veinard, comment t'as réussi à t'échapper de ce foutu bunker ?

Davy Brown, dit « le gros », avait été affecté à l'enquête sur les écoutes téléphoniques et la corruption de policiers en même temps que Nick et il détestait encore plus que lui être enfermé dans une pièce avec un groupe de cols blancs.

— J'ai trouvé un truc encore plus chiant à faire, répondit Nick en s'asseyant sur sa chaise avant d'allumer son ordinateur. Je mène une enquête pour le FBI. C'est aussi sympa que de passer son dimanche matin dans une ville de banlieue.

Davy se traîna jusqu'au bureau de Nick.

— T'as une tasse ? lui demanda-t-il en sortant une bouteille de scotch dont il ne restait qu'un fond.

— Garde-le, répondit Nick. Je suis trop crevé. Si je bois, je vais m'écrouler.

Davy s'éloigna de son pas traînant en marmonnant :

— Je croyais que les mecs de Manchester comme toi, ça aimait bien s'amuser.

— C'est vrai, Davy, mais ce que tu veux me faire goûter là, ça risque pas de m'amuser beaucoup.

Il ouvrit sa boîte de réception. Il passa en revue la liste des messages non lus sans se préoccuper de ceux qui concernaient l'enquête dont il avait été exclu pour le moment. Il en vit trois qui semblaient prometteurs concernant l'affaire qui lui tenait bien plus à cœur. Le premier provenait de la police du Cambridgeshire. La femme que Nick avait surnommée « Megan la fan obsessionnelle » avait été internée dans un hôpital psychiatrique dépendant de leur circonscription, c'est pourquoi il s'était tourné vers eux. L'e-mail était concis et sans détour. Megan Owen avait été internée en vertu de la loi sur la santé mentale, mais avait été relâchée six semaines plus tôt. Elle vivait actuellement dans un foyer et n'avait depuis commis aucune infraction. À vingt heures ce soir-là, elle se trouvait dans la salle commune où elle regardait une série télévisée avec trois autres résidents. Elle n'était pas à Chicago en train de kidnapper Jimmy Higgins.

C'était un soulagement. Ce n'était jamais bon signe quand les dingues s'en prenaient aux enfants. Cela faisait un suspect de moins ; il ne restait plus que deux pistes. D'après la police du West Yorkshire, Chrissie et Jade Higgins étaient toutes les deux chez elles, dans la maison que Scarlett leur avait achetée, au moment de l'incident. Elles n'avaient pas semblé particulièrement chagrinées d'apprendre que Jimmy avait été enlevé.

Le troisième message pertinent provenait du poste de police de Peckham à qui Nick avait demandé de vérifier où se trouvait Pete Matthews. Une fois de plus, le message était bref. Pete Matthews n'était pas chez lui. Il était absent pour des raisons professionnelles et, d'après un voisin, était parti depuis environ six semaines. Ce dernier ne savait pas où il était allé, mais savait que Matthews avait travaillé aux États-Unis, aux Caraïbes et en Afrique du Sud ces deux dernières années.

Nick sentit les poils de sa nuque se hérisser. Les enlèvements d'enfants avaient en général trois motifs : un parent qui se sentait injustement privé de son enfant, une demande de rançon, ou quelque chose de beaucoup plus tordu que ça. Pete Matthews avait une bonne raison d'être le ravisseur : il voulait faire souffrir Stephanie et lui montrer que c'était lui qui commandait. Il l'avait harcelée par le passé, ce qui prouvait qu'il était sujet à des comportements irrationnels. Et Nick ignorait où il se trouvait.

Il repensa à la dernière fois où il avait croisé Pete Matthews. Il avait déjà eu du mal à lui mettre la main dessus à l'époque, surtout parce que ce type avait des horaires complètement irréguliers et ne travaillait pas toujours au même endroit. Il avait fini par dresser une liste de tous les studios d'enregistrement existants avant de les passer en revue l'un après l'autre jusqu'à ce qu'il trouve celui où travaillait Matthews. S'il vérifiait ses carnets, il était possible qu'il retrouve ces adresses.

Nick se dirigea vers son casier où il entreposait ses anciens carnets dans lesquels étaient consignées ses tâches au jour le jour ainsi que la progression de ses enquêtes, archives qui s'avéraient utiles quand les affaires passaient devant un tribunal. Il trouva le carnet en question et s'assit à même le sol pour en feuilleter les pages sans se soucier des odeurs de vieille transpiration et de canalisations douteuses qui emplissaient la pièce. Les notes relatives à Matthews se situaient vers la fin et elles étaient très claires. À l'époque, quand Nick l'avait interrogé sur le harcèlement qu'il avait infligé à Stephanie, Matthews était occupé à mixer un album de trip-hop dans un studio baptisé Phat Phi D, à Archway. Nick savait que Pete n'y serait pas ce soir, mais il apprendrait peut-être quelque chose.

Il replaça son carnet et se dirigea vers sa voiture avec un sentiment de joie excessif. Il savait, pour avoir de temps en temps fréquenté les studios, que ces gens-là ne travaillaient pas selon des horaires de bureau. Il avait des chances de trouver encore quelqu'un au Phat Phi D même s'il était presque minuit.

Il était content d'avoir vu juste : un percussionniste et un pianiste étaient en train de travailler sur une piste d'accompagnement pour une chanteuse ; le producteur et l'ingénieur du son parurent heureux d'être interrompus par Nick. Le studio était petit et confiné, mais l'équipement était au top.

— Il leur faut je sais pas combien de prises… Je sens que j'vais crever là-dedans, gémit le producteur. Vous dites que vous cherchez Pete Matthews ?

— Oui, répondit Nick en s'adossant contre le mur tandis que les musiciens reprenaient leur morceau.

— T'as vu Pete, récemment ? demanda le producteur à l'ingénieur.

— Pas depuis des mois. La dernière fois que j'ai entendu parler de lui, il allait à Detroit pour bosser avec les Style Boys.

Nick sentit son cœur faire un bond. Il n'était pas très fort en géographie, mais il était quasiment sûr qu'à l'échelle des États-Unis, Detroit n'était pas très loin de Chicago. Dans la pénombre du studio, il essaya de dissimuler son enthousiasme.

— Les Style Boys ? Ceux qui ont raté la finale de *X-Factor* ?

— Ouais, eux. Apparemment, ils font un album en s'inspirant des standards de la Motown. Les Temptations, les Isley Brothers, ce genre de choses.

— Ils ont les moyens d'aller enregistrer à Detroit ? demanda le producteur incrédule.

— C'est dingue, je sais. Mais un pauvre abruti qui se prend pour le prochain Simon Cowell[1] a aimé leur musique et décidé de les financer. Il a du fric mais pas trop de jugeote, le mec, si tu veux mon avis.

— Et il a choisi Pete ? Pour enregistrer un album avec un son sixties ?

L'ingénieur éclata de rire.

— Ça prouve qu'il a pas de jugeote !

Il se tourna vers Nick et ajouta :

---

1. Simon Cowell est l'un des présentateurs vedettes de l'émission *X-Factor* au Royaume-Uni. (*N.d.T.*)

— Je dis pas que Pete est un mauvais ingénieur du son, au contraire. Mais c'est pas du tout son registre.

Le producteur appuya sur un bouton pour s'adresser aux musiciens :

— Encore une, les gars. Travis, je veux que tu sois en rythme, t'es encore à la traîne.

Il leva les yeux au ciel à l'intention de Nick.

— Comment est-ce que je peux savoir où Pete travaille, à Detroit ? demanda ce dernier.

— J'en sais rien du tout, répondit le producteur en haussant les épaules.

L'ingénieur sortit son téléphone.

— Si vous voulez des infos, demandez à un ingénieur du son, commenta-t-il en rédigeant un sms rapidement. J'envoie un texto à Paul Owen, du Bowles Festival. Lui, il pourra vous renseigner. Les Style Boys sont sa tête d'affiche.

Ils s'enfoncèrent dans leurs sièges pour écouter une nouvelle prise qui n'était manifestement toujours pas concluante.

— C'est à se flinguer, putain, lâcha le producteur. Vous avez des journées comme ça, dans votre boulot ?

— Tout le temps.

— Qu'est-ce que vous lui voulez, à Pete ? C'est pas le genre criminel, d'après moi, dit l'ingénieur. Il est plutôt réglo. Enfin je veux dire, réglo par rapport à ce qu'on voit dans ce métier.

— J'ai besoin de lui poser quelques questions. Il s'est passé quelque chose dans son quartier et il se peut qu'il soit témoin. Mais s'il est parti depuis deux mois, il y a peu de chances qu'il ait vu quoi que ce soit.

Le téléphone de l'ingénieur, posé sur la table de mixage, émit une brève sonnerie, signalant qu'il avait reçu un texto. Il le saisit puis y jeta un coup d'œil avant de le tendre à Nick en disant :

— Et voilà.

« Les Style Boys sont à South Detroit Sounds jusqu'à la fin de la semaine. Premiers enregistrements meilleurs que prévu », lut-il. Il sourit.

— Merci, les gars. J'espère que votre batteur va trouver son rythme.

Lignes de fuite

Le FBI avait tout mis en œuvre pour retrouver Jimmy Higgins. Pourtant, cette affaire était sur le point d'être élucidée par un flic de Londres passionné de musique. Il sourit de nouveau. S'il pouvait ramener Jimmy Higgins chez lui, ça lui ferait plaisir. Et ça rendrait Stephanie très heureuse.

38

Quand Scarlett est rentrée de sa chimio, elle était lessivée. Elle n'était plus que l'ombre d'elle-même. Mais ce n'était pas le traitement ni la mort de Joshu qui l'avaient mise dans cet état. D'après Simon, qui l'avait ramenée chez elle, elle avait reçu dans la voiture un texto d'Ambar, la sœur de Joshu. Cette dernière lui avait dit que ni Scarlett ni Jimmy n'étaient les bienvenus aux obsèques de son frère. « Si vous éprouvez le moindre respect pour ma famille, merci de ne pas venir. Vous n'avez rien à faire dans une cérémonie hindoue. »

— Quelle connasse, a dit Scarlett faiblement quand on l'a conduite dans son lit. Mais quelle connasse !

Elle m'a serré la main tellement fort que j'ai presque vu des bleus apparaître sous mes yeux. Elle ne disait que des bribes de phrases.

— Je vais lui montrer. Demain, Steph. On va s'y mettre. On va... organiser un service funèbre. Pour tout le monde. Ceux qui ont connu le vrai Joshu. Pas ce faux... ce fils modèle que sa famille essaie d'inventer.

— C'est une super idée, ai-je répondu. On va lui rendre hommage comme il faut. T'as raison, il faut que ses amis puissent lui dire au revoir. Mais en attendant, tu as besoin de repos.

Elle m'a lâché la main. J'ai vu qu'elle renonçait à la bataille pour aujourd'hui.

— Je vais dormir maintenant, a-t-elle dit. J'ai mal partout, Steph. Dans mon corps et dans mon cœur. Partout.

Je suis restée avec elle jusqu'à ce qu'elle s'endorme, ce qui a pris à peine cinq minutes. Elle paraissait fragile et pâle, avec des cernes sous les yeux. Elle semblait plus proche de la mort que Joshu ne l'avait jamais été.

Quand je suis sortie de sa chambre, j'ai croisé Leanne avec Jimmy. Il pleurnichait doucement en répétant de façon monotone :

— Je veux ma maman.

— On va aller nager un peu avant de se coucher, a-t-elle répondu, visiblement épuisée. Est-ce que tu veux venir aussi ?

Elle avait du désespoir dans la voix.

De toute évidence, nous n'allions rien dire à Jimmy ce soir. Mais il sentait qu'il y avait un problème. Je n'avais pas très envie de me baigner, mais je me suis dit que les occasions de se détendre allaient se faire rares au cours des jours suivants. En plus, cet enfant avait besoin d'amour et d'attention. Malgré mon humeur maussade, j'ai pris du plaisir à jouer dans l'eau avec Jimmy, qui a retrouvé le sourire dès qu'on s'est tous mis à s'amuser. Quand Leanne l'a porté dans son lit, il était trop fatigué pour réclamer sa mère. Je suis restée dans l'eau à nager lentement en me demandant si j'allais revoir Nick Nicolaides.

*

Les jours suivants ont été chaotiques. Annoncer la nouvelle à Jimmy s'est avéré plus éprouvant pour Scarlett que pour son fils, qui était trop jeune pour mesurer la portée de cette nouvelle. Il a pleuré parce qu'elle pleurait mais nous savions tous qu'il n'avait pas compris que son père ne reviendrait pas.

— Il va continuer à me demander où est Joshu, et je vais devoir lui réexpliquer à chaque fois, m'a dit Scarlett par la suite. Et puis un jour, il va comprendre et il sera inconsolable.

Personne ne pouvait imaginer ce que ressentirait Jimmy le jour où il apprendrait comment son père était mort. Avec un peu de chance, il serait à ce moment-là assez confiant et bien dans sa peau pour tenir le coup. Mais ce serait tout de même très dur à encaisser pour lui.

Nous avons eu beaucoup de choses à faire pendant les jours qui ont suivi la mort de Joshu. Scarlett tenait à ce qu'on organise un service funèbre le plus vite possible. Je crois qu'elle voulait devancer les parents de Joshu.

— Ils en avaient rien à faire de lui quand il était vivant. Ils ont pas le droit de se l'approprier maintenant qu'il est mort, a-t-elle lancé.

Le lendemain de la nouvelle, elle est sortie du lit et s'est traînée jusqu'à la cuisine, en dépit de nos protestations.

— Il faut que je fasse une liste, a-t-elle dit. Après, je retourne me coucher.

Je n'avais vraiment pas le temps de m'occuper du service funèbre pour Joshu. J'avais mon propre travail et des délais à respecter. Mais je fais toujours passer les amis avant le travail, je suis comme ça.

— Donne-moi ta liste, lui ai-je répondu. On va s'en occuper, pas vrai, Leanne ?

Leanne paraissait tout sauf ravie mais elle a acquiescé. Elle a indiqué la petite table et la chaise où Jimmy mangeait ses céréales en chantonnant et en jouant avec ses Power Rangers.

— Je vais emmener Jimmy à la crèche et je m'y mets.

— Non, a protesté Scarlett d'un air scandalisé. J'aimais Joshu. La dernière chose que je peux faire pour lui, c'est organiser ses funérailles.

C'était un sentiment très louable, mais ce n'était pas pratique.

— Je sais. Et c'est tout à ton honneur de vouloir faire ça malgré la façon dont il t'a traitée, ai-je répliqué. Mais le meilleur moyen de lui rendre hommage, c'est d'assister à ses obsèques dans la dignité. Tu dois te reposer, être forte pour Jimmy et pour toi aussi. Laisse-nous organiser les détails pratiques. Pour l'instant, le mieux pour toi, c'est d'en faire le moins possible. Il faut que tu sois superbe pour la cérémonie. Pour montrer au monde que tu es en train de gagner ton combat contre la maladie.

Je l'ai serrée fort contre moi.

— Ouais, t'es comme Kate Winslet dans *Titanic*, a renchéri Leanne. Faut qu'tu leur montres, Scarlett. Joshu est parti mais toi, tu tiens l'coup.

J'ai réprimé un rire embarrassé en entendant Leanne évoquer cette image.

— Prouve-leur que t'es une battante, Scarlett. Et dans les années à venir, Jimmy s'inspirera de ta force. Ce sera un magnifique service pour son papa, tu vas rayonner.

Honnêtement, elle n'avait pas besoin qu'on la pousse beaucoup pour retourner se coucher. Elle s'est accroupie à côté de Jimmy pour jouer avec ses Power Rangers pendant quelques minutes et puis elle l'a serré dans ses bras. Ensuite, elle lui a mis son blouson puis l'a confié à Leanne avant de remonter dans sa chambre en marmonnant dans sa barbe.

Organiser le service funèbre n'a pas été la tâche la plus facile qu'il m'ait été donné d'entreprendre. À l'évidence, il était hors de question de choisir un lieu avec une connotation religieuse. Scarlett n'avait pas de lien particulier avec l'Église ; quant à Joshu, il avait renié sa foi même si ses parents étaient décidés à organiser un enterrement hindou. Leanne et moi on s'est assises au bar, dans la cuisine, et on s'est demandé ce qu'on allait bien pouvoir faire. Un lieu en plein air, c'était trop risqué ; on ne peut jamais compter sur la météo britannique. La dernière chose que souhaitait Scarlett, c'était qu'il tombe des cordes et que le service se transforme en une farce boueuse.

C'est Leanne qui a suggéré un club. C'était dans ce genre de lieux que Joshu travaillait, après tout. J'ai d'abord rejeté cette idée : les clubs sont des endroits sombres qui paraissent toujours vulgaires et tristes une fois les lumières allumées. Leanne qui, en se faisant passer pour Scarlett, était devenue aussi experte que Joshu en ce qui concernait le monde de la nuit, ne pouvait pas en citer un seul qui ne soit pas miteux.

Mais nous n'avions pas d'autre option. À court d'idées, j'ai fait une recherche sur Google. Je suis tombée sur plusieurs listes des dix meilleurs clubs de Londres et je les ai parcourues.

— J'ai trouvé ! me suis-je écriée en tournant mon ordinateur portable pour montrer ma trouvaille à Leanne. Le Paramount. Au trente et unième étage de Centre Point. Avec toutes ces fenêtres, c'est lumineux. Ils disent qu'il y a une vue imprenable sur Oxford Street et le centre de Londres. Ils ont une piste de danse où pourrait se tenir le service funèbre. Ils servent à manger aussi. C'est parfait, Leanne.

Elle n'a pas eu l'air convaincue.

— Je crois pas qu'il ait mixé là-bas. J'y suis jamais allée avec lui, en tout cas.

— Peu importe. C'est un club. C'est un hommage à sa vie professionnelle.

— Ça va coûter un bras. Regarde, y a un commentaire qui dit que les boissons sont hors de prix.

J'ai éclaté de rire.

— Tu crois vraiment que Scarlett va financer tout ça ? Quand Georgie aura vendu les droits à *Yes !* et à une chaîne de télé merdique, ça va nous rapporter de l'argent. Fais-moi confiance, Leanne, c'est exactement ce qu'il nous faut.

Heureusement, George et Scarlett sont tous les deux tombés d'accord avec moi. Nous avions une semaine pour tout organiser et je dois bien reconnaître qu'on a fait un super boulot. La liste d'invités ressemblait à un fantasme de rédacteur en chef de tabloïd. Tous ceux qui voulaient être quelqu'un étaient là, accompagnés d'une large sélection de paparazzis et de journalistes people. Scarlett avait pris notre conseil au pied de la lettre et passé le plus clair de la semaine dans sa chambre. Le jour J, la maquilleuse a été la première personne à se présenter à la maison. Grâce à ses talents, Scarlett avait l'air à la fois fragile et radieuse quand elle a traversé le public en tenant Jimmy par la main, la tête haute. Il faisait mal au cœur dans sa petite veste à col Mao et son pantalon noir.

Deux des amis les plus respectables et éloquents de Joshu ont évoqué sa vie professionnelle, puis Scarlett a ému l'assemblée en entamant son hommage personnel.

— Joshu est le seul homme que j'aie connu qui m'ait à ce point coupé le souffle. La première fois que je l'ai vu, c'était derrière les platines, dans un club. Sa façon de bouger, son sourire, ses yeux brillants… c'était comme s'il avait en lui une étincelle que personne d'autre n'avait. J'ai su immédiatement qu'il était fait pour moi.

L'étincelle de ses yeux brillants était sans doute provoquée par la cocaïne, mais peu importait. Personne dans la pièce ne pouvait douter de son amour pour lui.

— Mais aimer Joshu, ça coûtait cher. Il avait plein de rêves dans la tête et il n'avait pas assez d'une seule vie pour tous les réaliser. Être DJ, ça ne lui suffisait pas. Il voulait dépasser ça, devenir producteur de disques, réaliser des films, changer la façon dont les gens voyaient le monde. Malheureusement pour Jimmy et moi, la vie de famille, ça ne lui suffisait pas non plus. Joshu avait un grand cœur et il voulait davantage que ce que peut offrir une simple existence. Je ne pouvais pas le retenir auprès de moi. J'ai dû le laisser reprendre sa liberté, même si ça m'a brisé le cœur.

Scarlett a pris une profonde inspiration et a semblé au bord des larmes puis elle a serré son fils contre elle. Jimmy s'est accroché à sa robe en regardant le public avec de grands yeux tristes.

— La seule chose qui lui suffisait, c'était d'être papa. Malgré tous ses défauts, toutes ses frustrations, il aimait son fils. Il aurait sacrifié sa vie pour lui. S'il y a une personne que Joshu aimait de façon inconditionnelle, une personne qu'il n'aurait jamais abandonnée, c'est son fils. C'est pourquoi je sais que ce qui lui est arrivé est un accident, pas un suicide comme ont essayé de le faire croire certains journalistes qui n'y connaissent rien. Joshu ne se serait jamais éloigné de Jimmy. Il en avait peut-être marre de moi. Il en avait peut-être marre de vous tous. Mais il n'en aurait jamais eu marre de Jimmy. Alors levons nos verres à la mémoire de mon beau Joshu. Souvenons-nous de tous les moments où il nous a rendus heureux d'être en vie. À Joshu !

C'était magnifique. Je crois que personne dans l'assemblée n'a pu rester insensible aux paroles de Scarlett. De là où je me tenais, à côté de l'estrade, j'ai regardé la foule, les yeux embués de larmes.

À ce moment-là, quelque chose m'a coupé la respiration et pas pour de bonnes raisons. Là, au fond de la pièce, appuyé contre le mur, se tenait l'homme que j'avais cherché à fuir par tous les moyens. Le visage éclairé d'un sourire triomphal et ironique, Pete Matthews a fait un petit signe de la main.

Qu'est-ce que disait Faulkner, déjà ? « Le passé n'est jamais mort. Il n'est même pas passé. » À une époque, j'avais du mal à saisir cette phrase. À présent, je comprenais très bien ce qu'elle signifiait.

39

Le reste de la cérémonie s'est passé dans une sorte de brouillard, pour moi. Dès que l'après-midi a touché à sa fin, j'ai décidé de m'éclipser sans que Pete le remarque. Mais je sentais qu'il me surveillait, où que je sois dans la pièce. Même si ces gens n'étaient pas mes proches, j'en connaissais suffisamment pour m'inviter dans les conversations et tenir Pete à l'écart. Mais à chaque fois que je levais les yeux, il était là, à une certaine distance, à me suivre à la trace comme il avait si bien réussi à le faire quand je l'avais quitté.

À ce moment-là, j'ai aperçu la seule personne qui pouvait peut-être me venir en aide. Du côté du buffet, tournant le dos à la fenêtre donnant sur Londres, l'inspecteur Nick Nicolaides, plus grand que la moyenne, dominait l'assemblée. Je ne savais pas trop ce qu'il faisait ici, mais je savais que sa présence était un avantage pour moi.

Je me suis frayé un chemin au milieu de la foule en saluant au passage quelques collègues de Scarlett qui travaillaient pour la télévision. Quand j'ai fini par m'approcher de lui, Nick a affiché un air un peu amusé.

— Est-ce que vous venez me sermonner parce que je me suis incrusté à la cérémonie ? m'a-t-il demandé.

J'ai secoué la tête, étonnée.

— Non, pourquoi je penserais que vous vous êtes incrusté ?

— Parce que c'est vous qui avez organisé tout ça, si je comprends bien...

Il a indiqué la pièce où le volume des conversations augmentait progressivement, comme dans les soirées de Joshu.

— Et je ne figurais pas sur la liste des invités, a-t-il terminé.

— Ce n'est pas moi qui ai établi la liste des invités. C'est Scarlett et son agent. Je ne connais pas grand monde ici.

En dehors du connard là-bas qui fronce les sourcils depuis que je vous ai adressé la parole.

— Zut, je me suis grillé tout seul, alors.

Il a pincé les lèvres comme pour se moquer de lui-même.

— Qu'est-ce qui vous amène ? lui ai-je demandé.

Je trouvais sa présence ici un peu étrange. Il a tripoté le pied de son verre à vin et haussé les épaules.

— La curiosité, sans doute. Je n'ai pas souvent l'occasion de côtoyer tout ce beau monde. J'en profite quand je peux.

— Si on était dans un épisode d'*Hercule Poirot*, vous me diriez que vous êtes là parce que vous n'êtes pas sûr que la mort de Joshu soit accidentelle.

Je le taquinais, mais il n'a pas du tout réagi. Il n'a pas essayé de faire de l'humour, ni tenté de garder son sérieux. Il n'a rien fait.

— Mais on n'est pas dans un épisode d'*Hercule Poirot*, a-t-il fini par répondre. Je suis un flic curieux qui n'a rien de mieux à faire pendant son après-midi de congé. Comment va la veuve, qui n'est pas exactement la veuve ?

— Plus mal que je ne m'y attendais. Elle a fait semblant de ne plus être amoureuse de lui, mais c'est faux. Croyez-moi, son chagrin est bel et bien sincère. Elle est abattue. En partie pour Jimmy. Mais aussi parce qu'elle ressentait encore quelque chose pour Joshu.

Nick a hoché la tête.

— Elle a de la chance d'avoir quelqu'un comme vous qui a organisé tout ça.

— Je me suis contentée de proposer des choses. Ce n'est pas moi qui me suis occupée de tous les détails.

Une idée était en train de germer dans mon esprit.

— Je suis assez douée pour rassembler les gens, ai-je repris en tentant d'avoir l'air à la fois hésitante et sexy.

— Apparemment, a répondu Nick sans vraiment me regarder dans les yeux.

— Par exemple…

J'ai changé de position de façon à tourner le dos à la fenêtre. S'il voulait continuer de me parler en face à face, il allait devoir bouger lui aussi et Pete se retrouverait dans son champ de vision.

— Vous avez dit que vous vous étiez incrusté, mais en fait ce n'est pas vraiment le cas. Si vous aviez demandé à venir, on vous aurait donné une invitation sans problème. Dans votre cas, c'est simplement un détail technique. Mais il y a des gens ici qui ne sont pas les bienvenus. Et vous rendriez à Scarlett un immense service si vous demandiez à ces personnes de bien vouloir quitter les lieux. Par exemple.

Il a bougé de façon à voir le coin de la pièce que je regardais un instant plus tôt.

— Vous pensez à quelqu'un en particulier ?

— Ne le regardez pas, mais il y a un type derrière le bar, appuyé contre le mur. Il porte une veste et une chemise noires, avec une cravate en soie.

Nick s'est légèrement penché, comme s'il voulait mieux m'entendre à cause du brouhaha.

— Cheveux foncés ? Plutôt maigrichon ? Sourcils noirs ?

— C'est lui. Il s'appelle Pete Matthews.

— Et il n'est pas le bienvenu ?

— Pas vraiment.

— J'imagine que vous avez une bonne raison de ne pas vouloir le mettre dehors vous-même ?

Nick repoussa ses cheveux hirsutes de son visage. Sous la lumière vive, j'ai aperçu une ou deux mèches argentées parmi les nuances brunes et ça m'a rappelé les ailes des merles femelles. Ça lui donnait l'air plus adulte. Plus que moi, en tout cas.

— Oui.

Je veux absolument lui échapper et j'ai besoin que vous fassiez diversion auprès de lui pour que je puisse m'en aller.

— Mais vous préférez ne pas me l'expliquer, a repris Nick

sans le moindre regret dans la voix. Et quand j'aurai réglé le problème, vous aurez disparu, c'est ça ?

Il n'était pas seulement séduisant et sexy. Il était intelligent, aussi. J'espérais vraiment qu'il trouve une quelconque raison de venir nous interroger une nouvelle fois au sujet de Joshu. Mais je ne comptais pas trop là-dessus.

— En quelque sorte. Mon carrosse m'attend.

— Mais il n'est pas encore minuit…, a-t-il répondu du tac au tac en souriant. Je vais aller vous débarrasser de cet intrus, Stephanie. Pour me faire pardonner d'être venu sans invitation.

— Merci. Et merci d'être venu.

— Je suis content de l'avoir fait.

Il a hoché la tête puis s'est éloigné de moi pour traverser l'assemblée. Dès qu'il a avancé vers Pete Matthews, je me suis rapprochée d'une sortie et j'ai poussé une porte qui donnait dans une cuisine animée. Une femme aux joues roses vêtue d'un uniforme de chef m'a lancé :

— Hé ! Vous n'avez pas le droit d'entrer ici !

— J'ai besoin de vérifier la sortie de secours au cas où Scarlett devrait partir rapidement, ai-je répondu d'un ton aussi ferme que possible. Vous savez, avec son cancer, elle ne peut pas savoir combien de temps elle pourra tenir debout. Et elle veut pouvoir partir discrètement.

— Ah, je vois. Vous êtes un peu comme son garde du corps. Vous faites un repérage des lieux.

J'ai essayé de ne pas lever les yeux au ciel.

— Oui, un peu.

Trois minutes plus tard, je suis sortie de l'ascenseur de service à l'arrière du bâtiment. Ma voiture était restée chez Scarlett ; j'étais venue jusque-là à bord d'une des grosses Daimler noires que Georgie avait louées pour nous transporter depuis l'Essex en grandes pompes. Peu importait. Ma voiture pouvait rester là-bas tant que je n'en avais pas besoin. Je ne pouvais pas retourner dans l'Essex ce soir. C'était exactement là que Pete me chercherait, si Nick ne parvenait pas à le dissuader de me suivre. Au fond de moi, je ne pensais pas qu'une intervention de sa part allait mettre fin à son harcèlement comme par magie.

Même si Nick réussissait à le retenir pendant quelques minutes, je savais qu'il me fallait quitter ce quartier sans traîner, avant que Pete n'émerge de la tour de Centre Point. Le seul avantage dont je bénéficiais, c'est qu'il ne savait pas où j'habitais. C'est bien pour ça qu'il était venu aux obsèques. Il savait que je participerais à l'événement et que je ne ferais pas d'esclandre vu le nombre d'invités présents. Il espérait ensuite me suivre jusqu'à chez moi. Il avait commis l'erreur de se montrer. S'il avait été moins sûr de lui, il aurait patienté dans la rue et se serait contenté de me suivre quand je serais sortie sans me douter de rien. Dieu merci, il avait été trop présomptueux.

J'ai regardé autour de moi pour m'orienter puis me suis dirigée d'un pas rapide vers la station de Totenham Court Road. J'allais prendre la Northern Line jusqu'à Waterloo puis la Jubilee Line jusqu'à London Bridge et enfin le train jusqu'à Brighton. Je serais bien en sécurité chez moi dans moins de deux heures. Cette idée m'a réjouie. J'avais déjoué les plans de l'homme qui me harcelait.

C'était un sentiment merveilleux. Dommage qu'il n'ait pas duré plus longtemps.

40

Il avait fallu du temps pour en arriver là, mais Vivian McKuras se dit qu'elles entraient enfin dans le vif du sujet. Pete Matthews paraissait avoir une dent contre Stephanie Harker et apparemment, il n'était pas du genre à se laisser décourager facilement.

— Est-ce que vous avez été surprise de constater qu'il essayait toujours de vous retrouver ? demanda-t-elle.

Stephanie hocha la tête d'un air las. Ses traits s'étaient marqués au fur et à mesure que les heures passaient, si bien que la jeunesse de son visage disparaissait sous la fatigue. Vivian avait déjà vu ça, chez ceux qui étaient victimes d'un crime. Les conséquences devenaient très vite visibles. Sa voix aussi avait changé. Elle était de moins en moins enjouée au fil de son récit.

— Oui, soupira-t-elle. Je croyais vraiment qu'il avait laissé tomber. Mais de toute évidence, ce n'était pas le cas. Vous comprenez, je ne suis pas très mondaine. Certains écrivains participent à des festivals littéraires ou font des conférences dans les bibliothèques. Les nègres littéraires, non. Si vous ne savez pas où je vis, vous aurez du mal à découvrir quels sont les lieux que je fréquente régulièrement. Je me rends rarement chez mon agent ; quand on se voit, c'est pour déjeuner et on se retrouve au restaurant. Si elle veut me présenter un client potentiel, on se rejoint directement au lieu du rendez-vous. J'assiste peu souvent au lancement des livres que j'ai écrits. C'est plus facile pour tout le monde si je reste invisible.

— Est-ce qu'il aurait pu retrouver votre trace grâce à vos actes de propriété, ou vos impôts, ce genre de choses ? Est-ce que c'est possible dans votre pays ?

— La maison de Brighton n'est pas à mon nom. J'ai créé une société à responsabilité limitée et je l'ai utilisée pour acheter ma maison. Je verse le loyer à la société et c'est elle qui rembourse le prêt. De cette façon, ce n'est pas moi qui apparais comme propriétaire sur le cadastre. Mon nom ne figure pas sur les impôts locaux et toutes les autres factures sont réglées par la société. Mes relevés de banque sont tous envoyés au bureau de mon agent. J'ai fait mon maximum pour couvrir mes arrières.

— Vous pensiez donc qu'il n'allait pas lâcher l'affaire aussi facilement.

Stephanie avait l'air exténuée.

— En effet. Vu comme il avait commencé à me harceler. Et vu son caractère. Dans son travail, il était obsessionnel et perfectionniste. J'avais bien l'intention de ne pas le laisser revenir dans ma vie. Je me suis dit que s'il se heurtait à un mur, il finirait par laisser tomber, a-t-elle expliqué en secouant la tête. J'avais tort.

Vivian posa son ordinateur devant elle et ouvrit la fenêtre montrant l'enregistrement de télésurveillance. Elle mit la vidéo sur pause juste avant que le ravisseur n'apparaisse dans le champ.

— Je veux que vous regardiez ces images très attentivement et que vous me disiez si, à votre avis, cet homme pourrait être Pete Matthews.

Elle fit pivoter l'ordinateur de façon à ce que Stephanie puisse regarder.

Cette dernière laissa échapper un petit cri en apercevant Jimmy. Elle porta la main à sa bouche et retint sa respiration. Elle approcha l'autre main de l'écran.

— Jimmy..., murmura-t-elle.

Une larme coula sur sa joue. Vivian lui donna un moment pour se ressaisir. Soit cette femme était très bonne comédienne, soit elle n'avait rien à voir avec cette histoire d'enlèvement.

Vivian regretta de ne pas avoir pensé plus tôt à lui montrer ces images, au moins pour clarifier ce point.

Stephanie renifla et s'essuya les yeux rapidement du revers de la main.

— C'est bon, dit-elle la gorge serrée en hochant la tête et en clignant des yeux.

Vivian lança la lecture. L'image s'anima. L'homme entra dans le champ, le visage dissimulé par sa casquette. Ses jambes étaient longues comparées à son buste, qui paraissait grassouillet. Il se pencha légèrement pour parler à Jimmy, prit la main du garçon, attrapa son sac à dos puis son passeport et s'éloigna rapidement. Stephanie retint sa respiration jusqu'au bout. Quand ils disparurent du champ, elle poussa un long soupir.

— Est-ce que c'est lui ? demanda Vivian.

Stephanie fronça les sourcils.

— Je n'en suis pas très sûre. Je ne crois pas que ce soit lui, mais… Je ne sais pas, sa façon de bouger me rappelle quelqu'un, dit-elle avant de regarder l'agent du FBI d'un air perplexe. Je ne crois pas que ce soit Pete, mais je ne pourrais pas le jurer.

— Et sa carrure ? Sa taille ? Son poids ? Regardez de nouveau, Stephanie.

Vivian relança la brève séquence une deuxième fois. Stephanie semblait toujours douter.

— C'est dur de se prononcer pour la taille. Il a du ventre et Pete n'était pas ventripotent la dernière fois que je l'ai vu. En dehors de ça, il a plus ou moins la même carrure.

Pour Vivian, c'était suffisant. Elle savait que les témoins rechignaient à identifier de façon formelle des suspects lorsqu'ils ne les croyaient pas capables de tels agissements. Stephanie avait mis du temps à leur parler de Pete Matthews comme suspect potentiel. Elle n'allait pas se mettre à l'accuser sans réserve d'une minute à l'autre. Vivian n'avait pas besoin de plus. Si l'inspecteur Nick Nicolaides confirmait que Matthews ne se trouvait pas sur le sol britannique, elle était prête à en faire son suspect numéro un. *Arrête de te mentir, Vivian, c'est ton unique suspect pour le moment*. Elle fit de nouveau pivoter l'ordinateur vers elle. Il était temps de changer de tactique.

— Qu'est-ce qui s'est passé quand l'inspecteur Nicolaides a demandé à Pete de quitter la cérémonie funèbre ?

— Je ne l'ai su que bien plus tard, répondit Stephanie. En tout cas, Pete n'est pas venu à Brighton. Et il ne m'attendait pas devant la maison de Scarlett quand j'y suis allée pour récupérer ma voiture. J'ai vraiment cru qu'il avait fini par comprendre le message. Pour être franche, je n'ai plus vraiment pensé à lui, a-t-elle dit avant que son visage ne s'assombrisse. Il se passait des choses beaucoup plus importantes que ça dans ma vie.

41

Après la cérémonie, nous nous sommes tous concentrés de nouveau sur Scarlett et son traitement. La chimio a été bientôt terminée, suivie par une brève radiothérapie. Puis le verdict est tombé : Simon lui a dit que son traitement avait fonctionné et que même si elle allait continuer à prendre des médicaments pendant cinq ans, il y avait de fortes chances qu'elle soit débarrassée du cancer.

On a célébré la nouvelle en organisant un dîner à l'hacienda. Nous étions en comité réduit : Scarlett, Leanne, George et son compagnon, Marina, Simon et moi. On a loué les services de deux cuisiniers du restaurant chinois voisin qui nous ont régalés avec une succession de plats délicieux. On a généreusement arrosé le tout de prosecco en buvant à la santé de Scarlett à chaque nouveau plat.

— Trinquons à mon livre, aussi, a-t-elle annoncé alors que nous levions nos verres pour la troisième ou quatrième fois. Maintenant qu'on a le feu vert, on peut publier, n'est-ce pas, George ?

— Absolument, a-t-il répondu. Je sais que Stephanie a terminé le manuscrit. C'est très émouvant, mesdemoiselles. Vous vous êtes surpassées sur ce coup-là.

Leanne, qui avait bu un peu plus que tout le monde, a fait une bise à sa cousine en disant :

— Et pour la première fois de sa vie, Joshu a parfaitement choisi son moment, pas vrai, Scarlett ?

Il y a eu un silence pendant lequel nous avons tous échangé des regards horrifiés. Puis Scarlett a répondu :

— Putain, Leanne, pas devant Jimmy.

Leanne a ouvert la bouche pour répliquer, mais Simon l'a coupée :

— On est ici pour saluer l'avenir, pas pour ruminer le passé ! Levons notre verre à notre généreuse hôtesse et à son fils ! À Scarlett et Jimmy !

La diversion était bienvenue et nous avons tous été soulagés. Ça a été le seul mauvais moment de cette soirée par ailleurs festive et agréable. Jimmy a commencé à montrer des signes de fatigue et, avant qu'il ne devienne grincheux, Marina l'a emmené se coucher. Elle était géniale avec lui. Si j'avais pu la faire revenir au Royaume-Uni pour m'aider à m'occuper de lui, je l'aurais fait sans hésiter.

Simon avait raison : il était temps de réfléchir à l'avenir. J'étais contente que mon amie ait encore du temps devant elle et qu'elle ait recouvré la santé. Égoïstement, j'avais envie, aussi, de prendre du temps pour moi. Je ne regrettais absolument pas d'avoir été si présente aux côtés de Scarlett au moment de son diagnostic et pendant son traitement. Cependant, il fallait que j'avance dans mon travail et que je m'installe pour de bon à Brighton. Scarlett ferait toujours partie de ma vie, comme tous les bons amis. Mais je commençais à rencontrer de nouvelles personnes (au club de lecture, dans mon équipe de quiz au pub) et je voulais développer cet aspect-là de ma vie.

Il s'est avéré que je n'étais pas la seule à vouloir du changement. J'ai revu Scarlett une dizaine de jours plus tard et cette fois, c'est elle qui est venue à Brighton.

— C'est pas juste que ce soit toujours toi qui te déplaces, m'a-t-elle dit. C'est chouette de pouvoir passer une journée à la mer et maintenant que Jimmy est à la maternelle toute la journée, j'ai un peu plus de temps pour moi.

On s'est promenées dans les ruelles pendant un moment en quête de bonnes affaires, mais on n'en a pas trouvé. Elle a fini par acheter une couverture navajo pour son salon et l'a payée deux fois plus cher que je ne l'aurais fait à sa place. Elle gagnait bien sa vie, à ce moment-là, entre les émissions de télé, le merchandising, les publicités pour toutes sortes de produits allant des vêtements pour enfants aux comprimés de vitamines. Les recettes des livres étaient la cerise sur la pièce montée. Elle tenait sa parole et reversait un dixième de ses revenus à l'association caritative qu'elle avait créée pour l'orphelinat roumain ; elle avait prévu de s'y rendre quelques mois plus tard pour voir comment ces fonds étaient mis à profit.

— Je vais lancer une nuit de natation sponsorisée, m'a-t-elle annoncé. Un peu comme le marathon Moonwalk, à Londres, sauf que là, ça se passera dans une piscine. De minuit à six heures du matin. Les femmes pourront nager en équipe ou en solo.

— C'est une super idée, ai-je répondu sincèrement. Est-ce que tu vas y participer aussi ?

— Bien sûr. Je vais former une équipe avec les filles de l'émission. On va bien s'marrer, m'a-t-elle dit en me lançant un petit sourire. Y aura plein de gens qui s'attendront à ce que je me ridiculise. Mais ils savent pas que je nage tous les jours, putain.

— Tu vas leur montrer ce que tu sais faire. En plus, c'est pour la bonne cause. S'ils essaient de te ridiculiser, ils seront les premiers à avoir l'air pitoyables.

— C'est vrai. Ah, et à propos de la Roumanie : quand Jimmy va commencer l'école primaire, je vais renvoyer Marina là-bas pour qu'elle me représente à Timonescu.

Je dois admettre que je ne m'attendais pas à ça.

— Elle veut y retourner ?

Scarlett a hoché la tête.

— Elle m'en avait parlé, avant mon diagnostic.

C'était comme ça que Scarlett divisait sa vie, à présent : avant son diagnostic et après son diagnostic. Elle n'évoquait jamais le cancer en lui-même.

— Sa famille lui manque, son pays aussi, a-t-elle repris. Je l'ai convaincue de rester encore un peu ici, en échange de quoi je lui ai promis un boulot là-bas une fois que Jimmy serait entré à l'école. Elle va travailler aux côtés du directeur de l'orphelinat et va superviser notre fonds. Elle sera bien payée et elle aura un boulot gratifiant. Faut le reconnaître, Steph : avec les qualités qu'elle a, elle pourrait faire bien plus que ce qu'elle fait ici pour moi.

Je n'ai pas pu me retenir de rire.

— Sans blague ! Elle pourrait carrément gouverner le pays. J'espère que tu mesures le cadeau que tu fais à la Roumanie, en la laissant repartir.

Elle a ri à son tour.

— Elle fera un travail fantastique avec ces gamins.

— Et toi, tu vas t'en sortir sans elle ?

— Bien sûr que non. Ce serait un vrai cauchemar. Mes compétences domestiques sont non existantes. Marina m'a promis de m'envoyer une remplaçante. La fille d'une de ses cousines, apparemment. D'après Marina, c'est une version miniature d'elle-même. Ce sera une bonne solution pour moi comme pour elle et Jimmy aura quelqu'un qui pourra lui faire ses boulettes de viande préférées en suivant la recette de la grand-mère roumaine de Marina.

On a gloussé toutes les deux. J'avais acheté suffisamment de boulettes suédoises surgelées chez Ikea pour comprendre ce qu'elle voulait dire.

On a demandé au magasin de livrer le tapis de Scarlett chez moi et on a marché jusqu'à la jetée. Elle nous a acheté des glaces qu'on a mangées en marchant le long du front de mer.

— J'adore être à la mer, a dit Scarlett. On n'allait jamais en vacances quand j'étais petite, mais il y avait toujours quelqu'un pour nous emmener passer une journée à la mer. Scarborough. Brid. Whitby, si on avait de la chance. En venant te voir, j'ai l'impression de revivre l'un des rares bons moments de mon enfance. J'adore l'odeur du *fish and chips* et de la barbe à papa. J'adore les néons, les vieilles pancartes des manèges et le bingo. J'adore les machines à sous et les machines à pince merdiques où on gagne jamais. Même quand il pleut, les gens se promènent et en profitent. C'est très anglais, non ?

— Je me demande si la jeune génération va ressentir la même chose. Ils grandissent avec Benidorm et Disneyland. Est-ce qu'ils aimeront ça, ai-je dit en désignant ce qui nous entourait, ou est-ce qu'ils trouveront que c'est de l'amusement bon marché pour les vieux ?

— C'est déprimant de penser ça, a répondu Scarlett. Moi, je veux éliminer ce genre de pensées de ma vie. À partir de maintenant, je vais positiver. J'ai lu tellement de trucs sur le cancer où ils parlaient de disposition d'esprit et de personnalités à risques. Genre, si tu gardes de l'aigreur en toi, elle peut se transformer en cancer.

Elle a levé la main pour m'interrompre avant même que j'aie ouvert la bouche.

— Je sais, c'est sûrement des conneries, mais ça me donne une excuse pour penser de façon positive et éliminer la négativité.

— T'as raison, ai-je dit. Je suis tout à fait pour éliminer l'amertume de nos vies.

On s'est penchées par-dessus le garde-fou pour admirer les reflets vert et gris de la Manche.

— À ce propos, Leanne part en Espagne, m'a-t-elle annoncé.

Ça a été la deuxième surprise de la journée. D'abord Marina, ensuite Leanne. Un vent de changement soufflait sur l'hacienda.

— C'est un peu inattendu, ai-je répliqué.

— Tu trouves ? Ça fait des lustres que j'en parle. Je te l'avais dit, avant mon diagnostic.

— C'est vrai. Mais elle t'a tellement soutenue pendant ton traitement. Elle s'est fait couper les cheveux et tout le monde l'a acceptée comme ta cousine. Je pensais que t'avais changé d'avis.

Elle m'a regardée avec tristesse, voire avec pitié.

— T'as toujours vu uniquement le bon côté de Leanne, non ?

— Je ne vois pas ce que tu veux dire.

C'était vrai.

— Avec toi, elle est toujours souriante, serviable, sympa. Même quand elle a craché sur Joshu, elle t'a fait croire qu'elle était bouleversée, qu'elle était obligée de t'en parler parce qu'elle pouvait pas supporter qu'il me traite comme ça. Je me trompe ?

— Non. Elle était vraiment en colère pour toi.

Je me suis remémoré cette soirée. Je n'avais aucune raison de douter de Leanne et de sa sincérité.

— Elle ne savait pas quoi faire, mais elle pensait qu'on devait te mettre au courant, me suis-je rappelé.

Scarlett a soupiré, les yeux fixés sur l'horizon.

— Elle crevait d'envie de me le dire. Qu'on se comprenne bien : ce qu'elle a dit, c'était sûrement vrai. Elle n'a pas menti au sujet de Joshu, même si elle aurait été capable de faire tout un pataquès pour rien. Mais me voir blessée et humiliée, ça lui a fait plaisir.

J'ai eu un choc en entendant ça.

— Tu crois ? Je n'ai rien vu de tout ça. Pour moi, elle avait l'air fâchée et inquiète. Elle avait peur de te l'annoncer.

— T'as vu ce qu'elle t'a laissé voir.

Scarlett a léché une dernière fois sa glace avant de jeter le cornet dans l'eau en regardant les mouettes se jeter dessus.

— Elle savait très bien ce qu'elle faisait, Steph. Je me suis jamais fait d'illusions au sujet de Joshu. J'ai toujours su qu'il irait voir ailleurs tant qu'il en aurait l'occasion. Même si on se l'est jamais dit franchement, on savait qu'entre nous, c'était ça le deal : tant que je me mêlais pas de ses affaires, tant qu'il ne m'humiliait pas, je le laissais faire. Parce que je savais qu'au fond de lui, il m'aimait. Leanne, elle, venait du même monde que moi. Elle connaissait bien ce genre de relations.

Un tableau affreux commençait à se dessiner sous mes yeux. Je ne savais pas ce qui me mettait le plus en colère : d'avoir été un pion dans ce petit jeu ou de m'être laissé berner, moi qui me vantais tant de pouvoir percer les gens à jour.

— Leanne savait qu'en me mettant au courant, en me demandant de l'aider à t'avouer ce qu'elle avait vu, tu ne pourrais pas rester sans rien faire. Tu serais obligée de réagir aux actions de Joshu.

Scarlett a hoché la tête.

— Exactement, Steph. Je ne pense pas qu'elle s'attendait à ce que je réagisse aussi violemment. Mais pour moi, il n'y

avait pas d'autre solution. Je risquais de perdre toute ma crédibilité. J'aurais été complètement humiliée. J'étais obligée de
le mettre dehors.

Elle a fait glisser sur son nez ses lunettes de soleil,
jusqu'alors posées sur son chapeau.

— Entre Leanne et moi, ça a toujours été un peu l'amour et
la haine. On rivalisait pour attirer l'attention des mecs quand
on était jeunes. En général, c'était moi qui gagnais parce que
j'étais plus âgée et plus futée. Elle en sait suffisamment sur
moi pour me mettre dans l'embarras, si elle veut. C'est pour ça
que je ne voulais pas qu'elle figure dans le premier bouquin.
Je savais que je prenais un risque en la faisant venir ici. Mais
je me suis dit que ça se passerait bien. Et ça s'est bien passé,
pendant un moment, a-t-elle dit en soupirant. Quand elle a
cafté au sujet de Joshu, j'ai su qu'elle voulait me transmettre
un message.

— Quel message ?

— Elle voulait me rappeler qu'elle connaissait mes secrets.
Elle me l'a pas dit aussi clairement, bien sûr. Mais le message
était bel et bien là. C'est à ce moment-là que je me suis dit
qu'il était temps qu'elle parte en Espagne. On savait toutes les
deux à quoi s'en tenir : il lui suffisait de respecter sa partie du
contrat pour pouvoir vivre la vie dont elle avait toujours rêvé.

— L'équilibre de la terreur, en somme, ai-je commenté.

Scarlett m'a lancé un drôle de regard.

— L'équilibre de la terreur, ai-je répété. C'est ce qu'on
disait au sujet des relations entre les États-Unis et l'URSS pendant la guerre froide. À cause de leurs armes nucléaires, chacun
savait que s'il déclenchait la guerre, les deux pays seraient
détruits. Je n'étais pas en train de dire que tu faisais régner la
terreur, l'ai-je rassurée en lui tapotant le bras.

Elle a paru soulagée et a gloussé. Je me suis rendu compte
qu'elle ne voulait surtout pas se disputer avec moi. Avec le
départ de Leanne et Marina, il ne lui restait plus beaucoup de
personnes de confiance autour d'elle à part moi.

— J'avais jamais entendu parler de ça. Tu vois, j'ai encore
beaucoup de choses à apprendre avant de pouvoir discuter
d'égal à égal avec des gens comme toi, Steph.

Elle m'a donné un petit coup d'épaule.

— Tu t'en tires pas mal, ai-je répondu.

J'ai terminé ma glace ; j'ai jeté le cornet et j'ai regardé le vent l'emporter au loin.

— Enfin bref, j'ai pris conscience qu'il était vraiment temps pour elle de partir quand elle a fait cette réflexion pendant notre petite fête, l'autre soir.

Je n'avais pas besoin qu'elle me rappelle la remarque déplacée de Leanne.

— Elle était bourrée, ai-je dit.

— Oui. Elle est assez souvent bourrée. Comme toutes les femmes dans notre famille. J'ai plus envie d'avoir cette grande gueule à la maison. Comme j'ai dit, je veux positiver. J'ai pas envie qu'elle me plombe le moral. En plus, Jimmy arrive à un âge où il absorbe tout comme une éponge. Je veux pas qu'il entende ce genre de conneries au sujet de son père. Et puis on sait jamais, je trouverai peut-être un autre mec un de ces jours et j'ai pas besoin que Leanne soit là prête à verser son poison.

Je ne pouvais pas la contredire sur ce point.

— Alors elle part faire des manucures en Espagne ?

— C'est ça.

— Comment est-ce qu'elle a réagi quand tu lui as dit que le moment était venu ?

Scarlett a haussé les épaules et s'est détournée du garde-fou.

— Allons jouer au bingo, m'a-t-elle proposé.

Je l'ai suivie le long de la jetée jusqu'au stand de bingo.

— Elle savait bien que ça allait se terminer un jour ou l'autre, a-t-elle repris. Après mon diagnostic, elle n'avait plus besoin de jouer mon double. Je lui ai dit que si je survivais au traitement, j'étais décidée à montrer au monde une image plus saine. Elle savait donc très bien ce qui l'attendait.

On s'est assises sur les tabourets recouverts de vinyle et la tenancière a immédiatement reconnu Scarlett. Il y a eu les habituelles signatures d'autographes et les photos avec des téléphones portables avant que nous puissions nous installer pour jouer au bingo.

— Est-ce qu'elle a accepté de partir, finalement ? ai-je demandé une fois qu'on s'est retrouvées seules.

— Oui, elle savait qu'elle avait exagéré. Je crois qu'elle aime bien le climat, entre nous. Et puis le coin où elle habite est sympa. C'est pas comme Benidorm. C'est dans les collines. Y a plein d'expatriés et une vie nocturne qui lui fait pas regretter nos clubs sordides. Je lui ai dit que j'emmènerais Jimmy en vacances dans un moment, quand elle aura pris ses marques. Elle l'adore ce petit coquin, a-t-elle dit en souriant.

— Alors, c'est vraiment l'heure du changement

Pendant qu'on parlait, on rayait les numéros qui étaient annoncés. J'avais toujours un train de retard, mais Scarlett était au taquet, et les rayait à la seconde où ils étaient annoncés.

— Oui, a-t-elle répondu sans s'arrêter de jouer. La seule chose qui ne change pas, c'est que j'ai toujours les paparazzis sur le dos. Je pensais que ma nouvelle vie serait trop chiante pour eux. Mais ils attendent de me voir péter les plombs. Ils me suivent comme si j'étais la princesse Diana. C'est complètement dingue.

— Je pourrais pas le supporter, à ta place, ai-je commenté.

Scarlett a souri.

— C'est parce que tu vis dans l'ombre, t'es un peu comme un fantôme.

Elle est redevenue sérieuse et a repris :

— J'ai reçu Madison Owen l'autre jour, dans mon émission. Tu sais, cette Galloise qui a débuté dans des comédies musicales du West End. Elle pense que quelqu'un écoute ses conversations téléphoniques.

J'ai pouffé.

— Tu plaisantes ? Comment ce serait possible ? Et puis qui aurait envie de faire ça ? C'est pas comme si elle était hyper connue.

Scarlett a baissé ses lunettes de soleil pour me lancer un regard entendu.

— Non, en effet. Mais elle a une liaison avec un mec marié qui, lui, *est* hyper connu.

— C'est vrai ? Qui ça ?

Elle a remonté ses lunettes et esquissé une petite moue.

— Elle n'a pas voulu me le dire. Elle m'a juste dit que tout le monde le connaît et qu'il défend les valeurs de la famille.

Apparemment, elle n'a dit à personne de qui il s'agissait. Même pas à sa meilleure copine. Et évidemment, le mec n'a rien dit non plus. Ils étaient censés passer le week-end dernier ensemble. Un ami à lui devait leur prêter sa maison dans les Cotswolds. Elle avait tout organisé pour aller le retrouver là-bas. Mais quand elle est arrivée, elle a vu une voiture garée dans l'allée et elle a tout de suite capté que c'était pas normal. Alors au lieu de s'arrêter, elle a accéléré et poursuivi sa route. Et juste après le virage, elle a vu un type dans un champ avec un appareil photo, l'objectif braqué sur la maison. Elle a été obligée de se barrer en vitesse et d'envoyer un texto à son mec pour dire qu'ils étaient repérés.

— Peut-être qu'ils suivaient son amant ?

— Il dit qu'il n'a pas été suivi. Il en est sûr et certain. Il a peur que sa femme et ses gosses l'apprennent. D'après Maddie, quelqu'un a dû écouter ses appels, il n'y a pas d'autre moyen.

Pour moi, cette histoire avait tout d'une légende. Encore une célébrité de troisième rang qui surestimait son importance. Dans ma vie professionnelle, j'en avais entendu de belles au sujet des médias (qu'on accusait régulièrement de pratiquer des écoutes téléphoniques), mais jamais à ce point-là. Je n'y croyais pas trop, pour être honnête. Pas parce qu'une telle pratique était illégale, mais surtout parce que je ne voyais pas qui pouvait bien être intéressé par les conversations téléphoniques de Madison Owen qui devaient se résumer à : « Salut, c'est moi, rappelle-moi quand t'as un moment. »

— Je suis sûre qu'il y a une autre explication, ai-je répondu. Tout ça me paraît un peu trop tiré par les cheveux.

— Bingo ! s'est-elle exclamée tout à coup en agitant sa carte sans plus se soucier de passer inaperçue.

La propriétaire s'est approchée, ravie d'avoir un gagnant qui soit une célébrité.

— Vous êtes censée choisir un lot sur l'étagère du bas, a-t-elle expliqué à voix basse après avoir vérifié la carte de Scarlett. Mais comme c'est vous, vous pouvez prendre ce que vous voulez dans le stand. Vous méritez de vous faire plaisir après tout ce que vous avez traversé.

Scarlett lui a lancé son sourire ravageur.

— Certainement pas, a-t-elle répondu. Il faut bien que vous gagniez votre vie. Je vais prendre un des dauphins sur l'étagère du bas. Pour mon fils, a-t-elle ajouté tandis que la propriétaire lui tendait une petite peluche blanc et bleu. Il adore les dauphins. Il a nagé avec eux l'année dernière, aux Bahamas.

On a quitté le stand pour regagner la ville.

— C'était génial, m'a-t-elle dit quand on est arrivées dans ma rue. La prochaine fois, je viendrai avec Jimmy. Quand est-ce que tu passes à Londres ?

J'avais un rendez-vous éditorial avec un rédacteur en chef la semaine suivante, alors on a décidé de dîner toutes les deux juste après. J'étais contente qu'on arrive à se trouver des moments pour se voir et quand le jour J est arrivé, j'ai fait en sorte que mon rendez-vous ne s'éternise pas. J'ai refusé l'apéritif que me proposait le rédacteur en chef et j'ai pris le métro jusqu'à Hyde Park Corner pour remonter à pied Park Lane jusqu'au Dorchester. Scarlett avait découvert qu'il existait des restaurants chinois gastronomiques, et depuis, c'était devenu un de ses trucs préférés. Ce soir-là, on avait réservé une table chez China Tang, au Dorchester, où la nourriture était tellement bonne que ça me donnait envie de pleurer de bonheur. Je salivais déjà rien que d'y penser. Contrairement à d'habitude, mon rendez-vous n'avait pas débordé si bien que j'avais une demi-heure d'avance. J'ai donc pris une grande inspiration et vérifié mentalement mon compte en banque avant d'entrer dans le bar à cocktails de l'hôtel. Une partie du bar était réservée aux événements privés, et j'y ai jeté un œil en descendant les marches.

J'ai failli me casser la figure et me suis rattrapée au dernier moment, juste à temps pour éviter de me vautrer aux pieds du serveur. J'avais vu Scarlett en train de porter à ses lèvres un verre de champagne en souriant à la personne qui se tenait en face d'elle. Qui n'était autre que le Dr Simon Graham. Il tenait lui aussi un verre à la main et regardait Scarlett d'un air tout sauf professionnel.

J'ai continué mon chemin jusqu'au bar et me suis dirigée tout droit vers la sortie, plongeant le serveur dans la plus grande confusion. J'avais besoin de boire un verre, mais pas dans le bar à cocktails du Dorchester. J'ai traversé la cour et bifurqué au coin en direction du grand immeuble de briques rouges qui héberge le University Women's Club. C'était le seul club exclusivement féminin de tout le pays, mon havre de paix dans le centre de Londres. Je m'y étais inscrite pour la première fois quand j'avais emménagé dans cette ville et que j'avais besoin de sortir de mon affreux petit studio de Stepney. C'était Maggie qui me l'avait recommandé, et j'avais craint d'y trouver des femmes bourgeoises au CV prestigieux qui me prendraient de haut. Je m'étais complètement trompée. Je m'y étais sentie immédiatement à l'aise et je n'avais cessé de le fréquenter depuis.

Dès que je suis entrée, je me suis détendue. J'ai trouvé un coin tranquille et je me suis confortablement installée dans un fauteuil avec un verre de Pimm's. La première gorgée m'a calmée. Est-ce que j'avais vraiment vu ce que j'avais cru voir ? Est-ce qu'ils avaient vraiment un rendez-vous galant secret ? Je m'étais sûrement trompée. Comment Simon pourrait-il commettre la bêtise de tomber amoureux d'une patiente ? Et même si c'était le cas, ils ne prendraient sûrement pas le risque de se montrer ensemble en public. Même dans un endroit aussi discret que le carré privé du bar du Dorchester. Surtout après ce qu'avait dit Scarlett sur les médias qui ne la lâchaient pas d'une semelle.

Tout portait à croire que je m'étais trompée. J'avais simplement vu deux amis boire un verre ensemble. J'avais rendez-vous avec elle pour dîner, après tout. Elle n'avait donc pas prévu de passer une soirée romantique. Qu'est-ce qui me prenait ? Est-ce que j'étais jalouse que Scarlett ait d'autres amis ? Je réagissais vraiment de façon puérile.

J'ai pris mon temps pour boire mon verre avant de retourner à l'hôtel et je suis entrée dans le restaurant pile à l'heure. Scarlett était déjà assise à table et m'a fait un signe de la main quand je me suis approchée. Elle s'est levée pour me serrer dans ses bras au milieu d'effluves de Scarlett Smile.

— C'est super de te voir, t'es magnifique, c'est une nouvelle robe ? m'a-t-elle demandé tout de go.

On s'est mises à rire toutes les deux.

— On pourrait croire qu'on s'est pas vues depuis des mois, a-t-elle ajouté en se rasseyant. À ce propos, devine sur qui je viens de tomber ?

J'ai secoué la tête, infiniment soulagée.

— Aucune idée. Ce flic super mignon ?

— Nick le Grec ? Tu es toute rouge, Steph. Il faut que tu te lances, appelle-le !

— Je ne crois pas… Allez, dis-moi qui tu as vu.

— Simon. Simon Graham. Il sortait pile au moment où j'entrais et on s'est amusés avec les portes battantes. Les portiers ont eu l'air scandalisés. Genre on fait pas ces bêtises-là ici. Enfin bref, il avait le temps de boire un verre. J'ai essayé de le convaincre de rester dîner avec nous, mais il devait retrouver des amis.

— Le monde est petit.

— Ouais. Il n'y a que six degrés de séparation entre nous et Kevin Bacon. C'était sympa de le voir. Quand Simon te dit que t'as l'air en pleine forme, ça veut vraiment dire quelque chose, non ?

Elle s'est interrompue et j'ai aperçu une légère appréhension sur son visage, une expression qui ne la quittait plus désormais.

Mais cette expression s'est estompée, et la jalousie déplacée que j'avais ressentie envers Simon aussi. Nous avons passé une bonne soirée et il y en a eu beaucoup d'autres comme ça les mois suivants. On se retrouvait en ville ou alors je venais à l'hacienda et je restais dormir. Elle a emmené Jimmy à Brighton une ou deux fois pour passer une journée typiquement anglaise, au bord de la mer. Elle me parlait de ses collègues avec qui elle animait l'émission télévisée, des gens avec qui elle travaillait pour le merchandising, de Georgie et son équipe, de Leanne en Espagne et, bien entendu, de Jimmy. Lui choisir une bonne école était une de ses priorités et je ne sais plus combien de dépliants et de sites Internet nous avons passé en revue. Mais elle n'a plus jamais mentionné Simon.

Je l'ai revu une seule fois après ça, lors de la fête d'anniversaire de Scarlett. Même si elle avait quasiment arrêté de fréquenter les clubs et malgré ses invectives contre les tabloïds, elle avait conscience qu'elle devait apparaître de temps en temps dans les journaux people. Sa fête d'anniversaire s'est donc tenue dans un nouveau bar à trois étages du quartier de South Bank, avec une vue impressionnante sur la Tamise depuis la terrasse sur le toit. Comme d'habitude lors des soirées de Scarlett, je ne connaissais quasiment personne à part les journaleux et je n'étais pas d'humeur à leur adresser la parole ce soir-là. J'ai vu George, penché par-dessus le garde-fou, d'où il regardait les passants qui se promenaient devant le complexe artistique de South Bank et le London Eye. La musique résonnait autour de nous, moins forte qu'à l'étage inférieur où se trouvait la piste de danse, mais néanmoins présente.

— C'est une belle soirée, a commenté George.

— Et un lieu idéal, ai-je renchéri.

Nous sommes restés silencieux quelques instants et puis il a repris :

— Tu as été exceptionnelle avec elle, Stephanie. Elle s'est vraiment améliorée depuis qu'elle te connaît.

— T'exagères, George.

— C'est la vérité, ma chère. Regarde autour de toi. La moitié des gens ici sont tout à fait respectables. La plupart ne font pas partie du monde de la téléréalité. Notre vilain petit canard s'est transformé en cygne, je trouve.

— Le mérite lui revient entièrement.

Avant que George ne puisse répondre, Simon Graham est apparu à mes côtés.

— Je peux me joindre à vous ? a-t-il demandé, son verre de vin à la main.

Il nous a lancé un petit sourire nerveux.

— Je ne connais personne d'autre, a-t-il ajouté.

— Nous non plus, a répondu George.

— Menteur, la moitié des invités sont tes clients ! ai-je répliqué.

— Ça ne veut pas dire que j'ai envie de passer la soirée avec eux, Stephanie. J'ai bien peur d'être devenu *has been*…

— Moi, j'ai l'impression de l'avoir toujours été, Georgie.

J'ai adressé un sourire à Simon en lui disant :

— Vous êtes le bienvenu parmi les vieux cons, même si vous n'êtes manifestement pas l'un des nôtres.

À dire vrai, il ressemblait davantage au reste des invités que nous avec son jean taille basse et sa chemise de satin noir ajustée.

Il est resté avec nous et nous avons bavardé de tout et de rien pendant un quart d'heure environ avant que le portable de Simon ne se mette à sonner. Il a plongé deux doigts dans sa poche étroite, a sorti son téléphone puis a froncé les sourcils.

— Je suis désolé, je dois y aller. Mon travail m'attend.

— Dommage, a dit George poliment.

Simon a haussé les épaules.

— Ça fait partie du métier. C'était sympa de vous revoir, tous les deux.

Il est parti en se frayant un chemin entre les gens qui dansaient, buvaient, bavardaient.

— C'est un type sympa, ai-je commenté.

— Mais un peu ennuyeux.

— Il y a pire, comme défaut.

— C'est vrai, Stephanie. Et je crois qu'on en a tous les deux fait l'expérience. Pour ma part, je crois qu'être ennuyeux constitue plutôt une qualité chez un médecin. Ça signifie qu'il est dévoué dans son travail et ça inspire toujours confiance.

— Apparemment, ça a marché sur Scarlett.

George a levé un sourcil interrogateur.

— C'est-à-dire ?

— Hé bien, elle l'a invité à son anniversaire.

George a gloussé.

— Je crois qu'elle a invité l'intégralité de son répertoire téléphonique, a-t-il commenté en consultant sa montre. Est-ce que tu passes la nuit à Londres ?

— Oui, j'ai une chambre dans mon club.

Son sourire s'est élargi.

— Fantastique ! Le University Women's, je présume ? Est-ce que je peux te déposer en rentrant à Chelsea ?

J'étais d'accord. S'il y avait eu un séduisant policier dans les parages, j'aurais envisagé de danser jusqu'au bout de la nuit, mais il n'était pas là. Apparemment, son numéro de téléphone ne figurait pas dans le répertoire de Scarlett. Nous avons contourné la foule en cherchant Scarlett des yeux au milieu des gens, tandis que la musique devenait de plus en plus forte.

Nous l'avons trouvée en haut de l'escalier qui menait à la piste de danse, où elle se déhanchait vaguement en compagnie de deux top-modèles.

— On y va, lui ai-je dit. Super soirée.

— Vraiment ?

— Oui, vraiment. Tu t'amuses ?

— Je m'éclate ! a-t-elle répondu en se détournant des top-modèles pour nous conduire jusqu'à l'ascenseur qui nous mènerait au rez-de-chaussée.

J'ai remarqué qu'en se retournant, elle a esquissé une grimace de douleur.

— Ça va ? lui ai-je demandé quand on est sortis de la foule. Tu as fait une grimace.

— C'est rien. Je crois que je me suis fait mal au dos en portant Jimmy. J'ai une douleur depuis quelques jours, j'ai pris rendez-vous chez l'ostéopathe. Jimmy commence à devenir trop lourd.

Elle m'a prise dans ses bras et m'a embrassée sur la bouche.

— T'es une vraie mère poule, Steph. Détends-toi !

— Tu devrais être contente que quelqu'un se préoccupe de toi, a dit George quand l'ascenseur est arrivé.

On s'est tous mis à rire. Je suis rentrée chez moi sans me soucier davantage de la douleur que Scarlett ressentait. J'aurais pourtant dû m'en inquiéter.

42

Je n'achète jamais de magazines people sauf si c'est pour des raisons professionnelles. Mais je jette un œil aux titres quand quelqu'un en lit dans le train ou dans un café. C'est humain, après tout. Et c'est comme ça que j'ai appris que mon amie était mourante.

À sa décharge, elle n'a pas essayé de me cacher quoi que ce soit. Elle avait appris la nouvelle la veille au soir seulement. Elle n'était pas encore prête à annoncer ça à quiconque. Et elle n'était certainement pas prête à révéler au monde entier qu'on venait de lui diagnostiquer un cancer généralisé en phase terminale.

Les gros titres hurlaient la nouvelle : « Scarlett condamnée à mort. La star de la télé n'a plus que quelques semaines à vivre. » J'étais entrée au Costa Coffee pour boire un *latte* en vitesse et au lieu de ça j'ai appris la pire des nouvelles.

J'ai eu envie d'arracher le *Daily Herald* des mains de l'ouvrier couvert de plâtre qui le lisait. Mais le bon sens l'a emporté et je suis sortie précipitamment du café pour me diriger vers le marchand de journaux le plus proche. J'ai pris un exemplaire et j'ai jeté une pièce d'une livre sur le comptoir sans même attendre ma monnaie.

J'ai parcouru l'article debout, dans la rue, alors que le soleil brillait.

« La présentatrice télé Scarlett Higgins est atteinte d'un cancer en phase terminale. L'ancienne star de *L'Aquarium* a appris qu'il ne lui restait plus que quelques semaines à vivre.

317

« L'année dernière, Scarlett a suivi un traitement contre le cancer du sein. Après avoir subi une intervention chirurgicale et une chimiothérapie, les médecins lui ont affirmé qu'elle était en voie de guérison.

« Mais ils ont découvert que le cancer s'était propagé dans tout son corps et touchait des organes vitaux ainsi que sa moelle épinière. Le cancer est inopérable.

« L'un des membres de l'équipe médicale a déclaré : "Malheureusement, les analyses ont confirmé nos pires craintes."

« Scarlett n'était pas disposée à commenter cette nouvelle hier soir. Son agent, Georges Lyall, a annoncé : "C'est une terrible nouvelle. Je vous demande de respecter l'intimité de Scarlett en cette période très difficile."

« L'année dernière, l'ex-mari de Scarlett, DJ Joshu, est mort tragiquement d'une overdose. Lire l'article pp. 3-4. »

Le reste de l'article était un rappel de sa vie et de sa carrière, accompagné de photos : Scarlett avec Joshu ou avec Jimmy, Scarlett (ou Leanne) titubant à la sortie d'une limousine, Scarlett le crâne rasé portant un maillot de bain pour promouvoir son opération natation destinée à lever des fonds pour l'orphelinat de Timonescu. J'ai parcouru l'article sans vraiment retenir quoi que ce soit. J'étais abasourdie, hébétée, démolie par cette nouvelle.

J'ai refermé le journal avant de parcourir à pied la courte distance qui me séparait de ma maison. J'avais l'impression de ne plus savoir marcher. J'ai dû me concentrer sur chaque pas, comme quand j'avais dû réapprendre à marcher correctement après mon accident.

Je ne me rappelle pas comment j'ai fait pour rentrer chez moi mais j'ai fini par arriver sur le perron où j'ai introduit avec difficulté la clé dans la porte. Une fois à l'intérieur, je n'ai pas vraiment su quoi faire. J'ai d'abord voulu appeler Scarlett, mais je n'étais pas sûre que ce soit une bonne idée vu l'état dans lequel je me trouvais. Je me sentais étourdie, stupéfaite, incapable de réfléchir. J'ai fini par téléphoner à George. Il savait toujours quoi faire.

J'ai dû patienter quelques minutes. Je m'en suis à peine rendu compte. J'ai fini par entendre sa voix grave et chaude au bout du fil. Je n'avais jamais remarqué que sa voix était à ce point rassurante. Mais c'est sans doute parce que je n'avais jamais eu autant besoin d'être rassurée qu'à ce moment-là.

— Stephanie, ma chérie. Tu as appris la terrible nouvelle, j'imagine ?

— Est-ce que c'est vrai ?

— Malheureusement oui. Je suis désolé. Je sais à quel point tu es attachée à elle. Et réciproquement. On ne sait pas comment les médias ont pu l'apprendre. Un employé de la clinique a dû vendre la mèche.

— Un connard qui a voulu se faire de l'argent, ai-je répondu. Qu'est-ce qui s'est passé ?

— Elle avait mal au dos.

— Je m'en souviens, à sa fête d'anniversaire, le mois dernier. Elle a dit qu'elle avait mal.

— Exactement. Son ostéopathe n'arrivait pas à la soulager et elle a suggéré à Scarlett de consulter un médecin. Le seul médecin en qui elle ait confiance étant Simon Graham, elle est allée le voir. Et puisque Simon redoute toujours que le cancer se manifeste de nouveau chez un patient, il lui a fait passer une IRM. C'est là qu'il a découvert ça.

— C'est horrible. Et ça s'est passé quand ?

— Il y a deux jours. Simon est très méthodique, il lui a dit de ne pas paniquer tant qu'ils n'avaient pas fait d'autres analyses. Les résultats sont arrivés hier après-midi et il a essayé de l'appeler. Elle n'a pas répondu parce qu'elle était en plein tournage. Il lui a donc laissé un message pour l'informer que leurs pires craintes venaient d'être confirmées.

— C'est presque mot pour mot ce qui est écrit dans le journal, bizarrement.

— C'est aussi ce qu'a dit Scarlett. Elle est convaincue que quelqu'un a écouté son téléphone. Mais moi, je pense plutôt qu'une infirmière ou un employé a surpris la conversation téléphonique de Simon puis a tout répété à un journaliste du *Herald*. Ces gens me donnent envie de vomir, a-t-il ajouté sur un ton réellement écœuré. Ils n'ont aucune retenue, aucune décence. Cette femme a un enfant, bon sang !

Le chagrin a cédé la place à la colère. C'est la seule façon pour les hommes comme George d'exprimer leur douleur. J'étais sûre qu'il était aussi bouleversé que moi. Le choc avait sans doute été bien plus violent pour Scarlett. Elle s'était toujours battue, mais cette fois elle ne pouvait pas gagner la bataille.

— Comment va-t-elle ? C'est peut-être une question stupide…

— Elle est encore sous le choc, je crois. Est-ce que tu aurais la possibilité d'aller la voir ? Je crois vraiment qu'il faudrait que quelqu'un soit à ses côtés. Moi je suis coincé ici. Mais si tu pouvais…

— C'est ce que je pensais faire, mais je voulais te parler d'abord. Je me suis dit qu'elle préférait peut-être rester seule avec Jimmy.

J'ai entendu un drôle de bruit étouffé au bout du fil, comme si George essayait de retenir ses larmes.

— Stephanie, si je devais traverser l'épreuve que vit Scarlett aujourd'hui, je voudrais avoir mon meilleur ami avec moi. Tu sais qu'elle ne te le demandera pas. Mais ta présence lui ferait beaucoup de bien. Si tu peux te libérer, vas-y.

Je n'avais pas besoin qu'on me le répète deux fois. Je n'étais pas sûre d'être en état de conduire ; je n'arrêtais pas de fondre en larmes. Malgré tout, y aller en voiture était bien plus rapide que prendre le train ou le taxi. En plus, rien n'attire plus l'attention des gens que quelqu'un qui pleure en public. Je ne me sentais vraiment pas prête à recevoir des témoignages de gentillesse de la part d'inconnus. J'ai quand même dû convaincre un agent de la circulation que je n'étais pas en pleine crise de nerfs.

Bien entendu, quand je suis arrivée à l'hacienda, la horde de journalistes était encore plus nombreuse qu'à la mort de Joshu. Scarlett était bien plus connue que son ex-mari et tout le monde voulait témoigner de cette tragédie. Leur présence avait quelque chose de profondément écœurant. L'avidité, le manque de compassion, leur désir constant d'exploiter la souffrance de Scarlett : tout ça me faisait honte, honte d'être d'une certaine façon liée à ce monde-là. La seule vraie différence entre eux et moi, c'était que moi, j'avais le consentement de mes clients. Je respectais leur vie privée. Cependant, nous œuvrions tous à satisfaire un appétit sordide. Tandis que je me dépêchais pour échapper à la presse, je me suis demandé si je ne devais pas remettre en question ma façon de gagner ma vie.

L'espace d'un instant, j'ai cru qu'ils allaient vraiment essayer de me suivre jusque dans la cour, mais ils se sont arrêtés sur le seuil. Quand je suis sortie de la voiture, je les ai entendus qui continuaient d'aboyer leurs questions derrière le portail. C'était affligeant.

Il n'y avait personne dans la cuisine et la maison paraissait vide elle aussi. À cette heure de la journée, Jimmy était à la maternelle, mais Marina devait être en train de s'occuper des tâches ménagères.

— Il y a quelqu'un ? ai-je appelé.

Ma voix a résonné. Aucun signe de vie dans le salon ni dans les chambres d'amis. J'ai avancé jusqu'à l'endroit que je surnommais le club de sport, en me demandant si j'allais trouver Scarlett dans la piscine, en train d'enchaîner inlassablement les longueurs malgré ses douleurs. Mais elle n'était pas là non plus.

La salle de gym était vide elle aussi. Quand j'ai jeté un œil par la fenêtre du sauna, je l'ai vue, assise sur le banc du haut, nue, la tête dans les mains. J'ai reculé d'un pas avant qu'elle ne m'aperçoive et me suis dirigée vers les vestiaires. Je me suis déshabillée rapidement. J'allais enfiler un maillot de bain quand je me suis dit : « Merde. Fais comme elle, pour une fois. »

Elle a à peine levé la tête quand je suis entrée. Quand elle a vu que j'étais nue, elle a esquissé un sourire fatigué et dit :

— Putain, la situation doit vraiment être critique pour que tu me montres ta solidarité de cette façon.

Ses yeux étaient gonflés et rouges ; j'avais l'impression qu'elle avait perdu du poids.

J'ai grimpé à côté d'elle et l'ai prise dans mes bras. Heureusement, il ne faisait pas trop chaud là-dedans, pour une fois. Ça me faisait bizarre d'être nue avec une autre femme, mais simplement parce que j'étais un peu pudique, surtout quand je me comparais au corps impressionnant de Scarlett.

— Je suis désolée, ai-je dit en sentant que mes mots n'étaient pas appropriés. Si je pouvais être malade à ta place, je le ferais.

— Et je te laisserais faire, a-t-elle grommelé. C'est pour Jimmy que je suis triste. D'abord il perd son papa et maintenant il va perdre sa maman.

— Le verdict n'est pas définitif, si ? Il doit y avoir des traitements que tu peux essayer ?

— Simon est passé ce matin. Il aurait préféré m'annoncer la nouvelle en personne hier soir plutôt que de me laisser un message, mais une de ses patientes était en train de mourir, a-t-elle dit en souriant. C'est inopérable. Le cancer s'est propagé dans tout mon corps, Steph. Mon foie, mon pancréas, mon côlon, ma colonne vertébrale, mes poumons. Je suis un putain de cancer ambulant. Ils peuvent me faire une chimio, mais ça me donnera que quelques mois supplémentaires, pendant lesquels je me sentirai super mal. Tu te souviens comment c'était pendant ma précédente chimio.

— Quelle est l'autre option ?

— Pas de chimio. Juste des antidouleurs. Au moins comme ça j'aurai un peu de temps avec Jimmy ; je serai pas sans arrêt en train de vomir ou trop crevée pour jouer avec lui. Et j'aurai pas besoin d'aller à l'hôpital non plus. Je pourrai rester ici, chez moi, jusqu'à la fin. Simon me l'a promis. Je devrai aller à la clinique une ou deux fois pour des examens, mais c'est tout.

Elle parlait de ça avec autant de distance que s'il s'agissait d'aller faire un petit tour au supermarché. Son stoïcisme m'impressionnait.

— Si c'est ce que tu veux, ai-je répondu.

Elle a penché la tête en arrière, les yeux fermés.

— C'est pas c'que j'veux ! a-t-elle crié. J'veux une vie. J'veux voir mon fils grandir. J'veux pas mourir.

Sa voix s'est brisée et elle a craqué. Elle a fondu en larmes. J'ai posé la main sur sa tête et l'ai attirée vers moi. Je sentais les sanglots monter en moi et, peu après, je me suis mise à pleurer avec elle.

Nous sommes restées un moment dans le sauna à pleurer et à transpirer, tristes et abattues. À juste titre, pourrait-on dire.

— Où est Marina ? ai-je fini par lui demander.

— Je lui ai demandé de partir quelques jours avec Jimmy. À Euro Disney ou un truc comme ça. Juste le temps que toute cette histoire retombe un peu. J'ai besoin de me ressaisir. Je veux pas qu'il me voie dans cet état. Je veux pas non plus qu'un de ces connards le prenne en photo dès qu'il passe le portail, m'a-t-elle expliqué en secouant la tête. Comment est-ce qu'ils ont pu être au courant aussi vite, putain ? Ils doivent avoir piraté mon téléphone, c'est la seule possibilité.

— Tu crois ? Il est plus probable que ce soit quelqu'un de la clinique qui ait vendu la mèche, non ?

— Dans ce cas, ils auraient eu encore plus de détails.

Elle n'avait pas tort. Je n'avais pas pensé à ça.

— Ça m'exaspère de même pas pouvoir contrôler ma propre maladie. Je voulais que tout ça soit fait avec un minimum de dignité. Je voulais pas de tout ce cirque. Je peux pas m'empêcher de penser que c'est ces connards qui m'ont rendue malade, à cause du stress. Les rapaces. Ils pensent qu'à s'en mettre plein les poches, a-t-elle dit avant d'esquisser un nouveau sourire fatigué. Si quelqu'un doit se faire du fric sur ma mort, ça devrait être moi, pas un putain de journaliste ou un traître qui bosse pour Simon.

Ça pouvait paraître étrange que Scarlett se préoccupe des implications financières de sa maladie. Mais à ce stade, je comprenais son raisonnement. Son capital, c'était sa notoriété. À présent, celle-ci avait une durée de vie très limitée. Son opération caritative de natation lui survivrait peut-être. Mais ses parfums et ses publicités mourraient sans doute avec elle. À la différence des auteurs et des musiciens dont les œuvres continuent de rapporter après leur mort, la rentabilité d'une célébrité disparaît en même temps qu'elle. Et Scarlett avait un enfant dont elle devait assurer l'avenir, ainsi qu'une association caritative dont elle voulait sans doute maintenir l'activité. Ce n'était pas étonnant qu'elle garde un œil sur ses comptes.

Elle s'est penchée vers moi.

— Est-ce que tu es partante pour un autre livre ? Le dernier testament, le dernier témoignage ? Le journal d'une mort digne ? Ce serait plus classe que la plupart des autres bouquins de stars. Tout le monde parle d'aller mourir en Suisse dans ce machin, là, Dignitas, où on choisit comment on veut partir. On pourrait faire un livre pour montrer comment moi je gère ça.

Son enthousiasme aurait pu paraître bizarre aux yeux d'un inconnu. Mais pour nous, c'était parfaitement sensé.

— Pourquoi pas ? Si notre éditrice veut un livre, on va lui en donner un.

Quand la chaleur est devenue vraiment insupportable, on s'est déplacées vers la piscine. Scarlett s'est mise à l'eau avec précaution. J'observais déjà des changements dans sa façon de bouger : habituellement, elle plongeait dans l'eau après avoir pris de l'élan et enchaînait sur une brasse indienne énergique. Mais ce jour-là, elle n'a pas pu faire mieux qu'une brasse lente. J'avais l'impression qu'elle vieillissait à vue d'œil.

Et ce n'était que le début. Son état s'est dégradé de façon effrayante. Elle a perdu beaucoup de poids. Quand Jimmy et Marina sont revenus quelques jours plus tard, elle avait déjà perdu, d'après moi, trois kilos. Elle n'avait aucun appétit. « Tout a le même goût », disait-elle. Et quand elle réussissait à manger, elle vomissait.

Leanne est arrivée le lendemain de l'annonce de la nouvelle. Je l'ai regardée d'un autre œil à cause des révélations que m'avait faites Scarlett, mais son chagrin n'avait rien d'artificiel. Le premier soir, après que Scarlett est allée se coucher, on est restées jusque tard dans la cuisine à boire du brandy et à nous révolter contre l'injustice de la situation. Quand on a eu fini, je lui ai demandé comment ça se passait en Espagne.

— Ça me plaît, m'a-t-elle répondu. Le climat est agréable et les gens sont sympas. C'est chouette d'arriver dans un endroit où personne n'a de préjugés sur toi. C'est comme prendre un nouveau départ.

— Je crois qu'on rêve tous de ça, de temps en temps. Oublier le passé et repartir de zéro.

— Quoi, même toi, Steph ? Avec ta petite vie parfaite ?

Je lui ai tiré la langue.

— Même moi. Tout n'est pas toujours parfait. Tu te souviens de cette histoire avec Pete ?

— Ouais, mais ça c'est du passé.

J'ai repensé à l'enterrement de Joshu.

— Je crois. J'espère. Et le travail, comment ça se passe ? lui ai-je demandé.

Elle a souri tellement franchement que je n'ai pas pu douter de sa sincérité.

— Ça se passe plutôt bien. Je commence à avoir une bonne clientèle. Il n'y a pas vraiment de concurrence dans le coin. Avant que je m'installe, il fallait aller à Fuengirola ou Benalmadena pour trouver une Anglaise qui fasse des manucures. Et soyons honnêtes, tout le monde préfère avoir affaire à une Anglaise. Ils sont racistes, pour la plupart. Ils traitent les Espagnols comme des singes apprivoisés, a-t-elle dit avant de glousser. Remarque, y a pas mal d'Espagnols qui jouent bien ce rôle. C'est des stéréotypes vivants.

J'étais contente de revoir Leanne à l'hacienda. Elle avait le sens de l'humour et elle détendait l'atmosphère. Et pour tout dire, j'étais contente de pouvoir partager les derniers instants de Scarlett avec quelqu'un. Ça aurait été dur de porter ça toute seule.

Leanne n'était pas la seule à m'aider à porter ce poids. Le seul médecin que Scarlett tolérait, c'était Simon Graham. Elle avait confiance en lui. Et elle avait besoin d'un médecin de confiance auprès d'elle maintenant que la fin était proche. Elle lui a demandé de prendre un congé sabbatique pour rester à ses côtés et il l'a fait. Il se rendait tout de même à la clinique pendant quelques heures en fin de matinée, deux ou trois fois par semaine. Mais en dehors de ça, il était à l'hacienda. Il avait installé un petit lit dans le dressing de Scarlett et c'est là qu'il dormait, au cas où elle aurait besoin de quelque chose. Et comme elle ne voulait pas qu'un inconnu s'occupe d'elle, Marina a ajouté à ses compétences celle d'infirmière, pour les moments où Simon avait besoin d'un coup de main.

Simon et Marina se sont greffés à nos réunions de fin de soirée dans la cuisine. Nous formions un drôle de groupe, réuni par de tristes circonstances. On s'est mis à jouer au poker pour passer le temps ; on jouait souvent pendant des heures pour essayer de ne plus penser à la femme mourante et à l'enfant endormi à l'étage. Simon a apporté de vrais jetons de poker et on s'installait autour de la table en se jaugeant du regard. J'avais appris à jouer au poker avec Pete et ses amis musiciens et j'avais trouvé que c'était un bon moyen de découvrir la personnalité des gens. Simon prenait toujours son temps, évaluait les probabilités (du moins c'est ce qu'il prétendait) avant de jouer de façon conventionnelle. De nous tous, c'était lui qui choisissait toujours le meilleur moment pour se coucher. C'était un homme qui réussissait à limiter la casse.

Leanne était plus audacieuse et, quand elle avait une mauvaise main, elle jouait souvent le tout pour le tout simplement pour être au cœur de l'action. J'arrivais en général à savoir quand elle avait quelque chose d'intéressant parce que dans ces moments-là elle se taisait et suivait le jeu. Quand elle prenait des risques, je savais qu'elle n'avait rien d'intéressant.

Marina était la plus difficile à décrypter. Elle ne laissait rien transparaître. Elle jouait toujours la retenue pendant le premier tour mais après ça, son jeu ne suivait pas de schéma particulier. Du coup, elle réussissait la plupart du temps à bluffer tout le monde. Si on avait troqué nos jetons contre de l'argent, elle nous aurait tous dépouillés.

Moi, je ne bluffe pas. Jamais. Et je suppose que les autres le devinent assez facilement. Je ne crois pas que mon visage me trahisse ; ce qui me trahit, c'est mon incapacité à faire comme si mon jeu était différent de ce qu'il est en réalité. Je ne sais pas bluffer, ni mentir (c'est la même chose).

La plupart du temps, je passais une ou deux heures avec Scarlett le matin, dans sa chambre qui embaumait le Scarlett Smile et l'antiseptique. Je lui posais des questions avec le plus de délicatesse possible. Je suggérais un sujet de conversation et elle m'en parlait aussi longtemps que ses forces le lui permettaient. Nous avons passé en revue toutes sortes de thèmes : la maternité du point de vue d'une mère et d'une fille, le fait de perdre un parent, le double chagrin causé par la fin de son mariage et la mort de Joshu, la préparation de sa propre mort. Elle n'a refusé aucun sujet et a parlé ouvertement de ses erreurs, ses regrets et des occasions qu'elle avait manquées. Elle fatiguait vite mais perdait moins de poids et m'a dit que Simon s'assurait qu'elle ne souffre pas.

— Ça, c'est super agréable, m'a-t-elle confié. La morphine me fait planer. C'est la seule drogue que je supporte.

Un matin, alors que je m'installais dans le fauteuil avec mon dictaphone et mon carnet, elle m'a indiqué la machine.

— Laisse ça de côté un moment, m'a-t-elle dit. Je veux te parler seule à seule. Ça n'a rien à voir avec le livre.

J'ai hoché la tête en me demandant ce qu'elle voulait me confier.

— Pas de problème. Qu'est-ce qu'il y a ?

Elle est allée droit au but. Maintenant qu'elle savait qu'elle allait mourir, elle ne perdait plus de temps en bavardages.

— Tu n'avais pas très envie de devenir la marraine de Jimmy, je le sais.

J'ai senti mon estomac se nouer. Je savais ce qu'elle allait m'annoncer mais j'ignorais comment contrer ses arguments.

— Tu sais que je n'ai jamais voulu d'enfants, lui ai-je rappelé.

J'avais l'impression désagréable que mes paroles étaient inutiles.

— Je sais. Mais t'as été géniale avec lui. T'as appris à le connaître, t'as joué avec lui, tu lui as lu des histoires et tu l'as emmené se promener. Tu lui achètes des cadeaux intelligents et tu ne le gâtes pas trop. J'aurais pas pu rêver d'une meilleure marraine.

— Merci, ai-je répondu en haussant les épaules. J'ai essayé de faire au mieux.

— Exactement. Quand on a parlé de ça la dernière fois, on ne pensait pas, ni l'une ni l'autre, qu'on en arriverait là. J'étais convaincue que j'allais battre cette putain de maladie. Et je crois que toi aussi. Alors ce qu'on s'est dit ce jour-là, ce n'était pas vraiment réel.

L'espace d'une merveilleuse seconde, j'ai cru que j'allais obtenir un sursis. Scarlett avait enfin recouvré la raison et allait confier Jimmy à Leanne. Pour que tout ça reste en famille. Mais je n'ai pas eu cette chance.

— Cette fois-ci, c'est bien réel, a-t-elle repris. On sait toutes les deux que je vais mourir. Alors je vais répéter ce que j'ai dit la dernière fois. Je veux que ce soit toi qui t'occupes de Jimmy. Je l'ai mis dans mon testament, a-t-elle dit en réussissant à esquisser l'ombre d'un sourire. Tu ne pourras pas y échapper, Steph. J'ai besoin de savoir qu'il est entre de bonnes mains, avec toi.

— Leanne serait...

— Un désastre, a-t-elle dit en tapant doucement de la main sur la couette pour insister. Tu le sais. J'ai pas la force de me disputer avec toi, Steph. J'ai besoin de savoir que mon fils sera bien pris en charge. Promets-moi que tu vas t'occuper de lui.

Qu'est-ce que je pouvais répondre d'autre ?

— Je te le promets. Je m'en occuperai comme si c'était le mien.

Et voilà. En un quart d'heure, ma vie entière a été bouleversée. Bien entendu, j'ai supposé que Jimmy toucherait un héritage. Même si ce n'était pas l'argent qui m'intéressait. Bizarrement, c'était à Jimmy que je pensais. J'ai pensé qu'il lui faudrait de la stabilité et que je vendrais ma maison de Brighton pour emménager dans l'hacienda. Jimmy aurait perdu les êtres qui lui étaient les plus chers mais au moins il resterait dans un environnement connu. J'espérais qu'il y aurait un peu d'argent pour nous permettre à tous les deux de continuer à vivre ici. Et peut-être même de quoi refaire cette affreuse déco. Je n'ai pas imaginé un seul instant qu'elle ne laisserait pas un sou à son fils adoré.

43

Après trois semaines de siège à l'hacienda, j'avais besoin de rentrer passer quelques jours à Brighton. J'ai dit à mon équipe de poker qu'il fallait que j'aille relever le courrier et payer quelques factures. La vérité, c'est que j'avais très envie d'être un peu seule chez moi. J'allais avoir rarement l'occasion de le faire à l'avenir, avec un enfant à élever. Je méritais de m'offrir ça une dernière fois.

J'ai savouré chaque instant de ces trois jours. Deux nuits dans mon lit. Des repas réconfortants dans ma cuisine. Des promenades matinales le long de la jetée. Une soirée quiz au pub. Écouter de la musique sur ma chaîne hi-fi plutôt qu'avec des écouteurs. Qu'on ne se méprenne pas : j'accordais volontiers mon temps et mon énergie à Scarlett. J'avais simplement besoin de recharger mes batteries. *Reculer pour mieux sauter*[1], comme on dit de l'autre côté de cette mer grise le long de laquelle je me promenais.

Quand je suis revenue, tout avait changé. Simon était assis, seul, dans la cuisine, où il lisait une revue spécialisée. Marina et Leanne n'étaient pas là. Il a jeté la revue sur la table et s'est levé pour me faire la bise. Il portait une vieille chemise des Boston Red Sox et un pantacourt militaire qui révélait ses mollets minces et musclés. Il avait de plus belles jambes que moi, ai-je remarqué avec une pointe d'amertume. Je l'ai laissé me préparer un gin tonic, la même boisson que lui.

---

1. En français dans le texte. (*N.d.T.*)

— Où sont passés les autres ? ai-je demandé.

Il a dégagé les cheveux de son front avant de me lancer ce sourire à la fois peiné et enfantin.

— Marina est avec Scarlett. Elles regardent une comédie romantique. Je me suis éclipsé sous prétexte que c'est un truc de filles. Quant à Leanne, je crois qu'elle est en Espagne.

— En Espagne ? Qu'est-ce qui s'est passé ?

— Elles ont eu une grosse dispute. Leanne a décidé de dire ses quatre vérités à Scarlett et lui a répété que Jimmy devait être élevé par un membre de sa famille. Scarlett lui a répondu que tout était déjà organisé et que tu allais t'occuper de lui. Le ton est monté et Leanne a fini par t'accuser d'être intéressée par la fortune de Scarlett. Elle a dit que tu avais toujours essayé de l'exploiter et que tu avais accepté de prendre Jimmy uniquement pour toucher l'héritage.

— Aïe, c'est pas gentil, ça. J'espère que Scarlett ne l'a pas crue, ai-je répliqué, sincèrement blessée.

Simon a souri en me caressant la main.

— Bien sûr que non. Elle lui a répondu que tout le monde n'avait pas les mêmes ambitions merdiques qu'elle. Elle sait que Leanne fera tout pour obtenir ce qu'elle veut et elle lui a dit qu'elle voulait protéger Jimmy de ça. Parce que s'il y a bien une personne qui considère ce gamin comme une poule aux œufs d'or, c'est Leanne. Scarlett lui a suggéré de repartir en Espagne au lieu de lui tourner autour comme un rapace.

— Je vois, elles ne se sont pas vraiment séparées en bons termes, donc ?

— Pas du tout. Leanne a claqué la porte et a réservé illico un billet d'avion. Je l'ai conduite à Stansted hier matin. Elle était encore fâchée. Elle m'a reproché de ne pas l'avoir soutenue, m'a-t-il expliqué d'un air plaintif. Quand je lui ai dit qu'à mon avis, Scarlett avait fait le bon choix, elle m'a lancé un regard assassin. Elle m'a traitée de tous les noms. J'ai essayé de lui expliquer que je mettais ma carrière en péril en me rendant disponible pour Scarlett, mais elle a continué à me reprocher de vouloir devenir le médecin des stars.

J'ai lâché un petit rire amer.

— Elle ne comprend vraiment rien à rien.

— Non. Je paierais pour ne pas être le médecin des stars. Scarlett est une exception. La plupart des célébrités sont des monstres égocentriques. Enfin bon, Leanne a montré son vrai visage. Notre équipe de poker est réduite à trois joueurs, malheureusement.

Ce qui m'allait très bien, maintenant que je savais ce que Leanne pensait réellement de moi. Nous n'étions donc plus que quatre à graviter autour de Scarlett. Jimmy ne comprenait pas vraiment ce qui arrivait ni pourquoi sa maman passait presque tout son temps au lit. Scarlett essayait de lui consacrer un peu d'énergie chaque jour, mais c'est devenu de plus en plus difficile vers la fin. Les derniers jours, tout ce qu'elle a eu la force de faire, c'est se blottir contre lui pendant qu'ils regardaient des dessins animés dans son lit.

Quand il n'était pas à la maternelle, l'un de nous s'occupait de lui. On s'amusait dans la piscine, on jouait au ballon dans le jardin, on regardait des vidéos ou on construisait de grandes structures en Lego dans sa chambre. Je m'asseyais avec lui près de la fenêtre et nous passions en revue sa collection d'albums illustrés. Je crois qu'il trouvait ma présence réconfortante. Quand je repense à ces semaines-là, je ressens un mélange de tristesse et de contentement. Je crois que je lui ai fait du bien et que ça a permis de resserrer nos liens.

Nous avons été dérangés dans nos petites habitudes uniquement par l'équipe du magazine *Yes !* qui est venue faire une dernière séance photo accompagnée d'une coiffeuse et d'une maquilleuse. Je sais que certains ont trouvé ça assez déplacé, mais Scarlett voulait montrer au monde à quoi ressemblait une femme en phase terminale.

— On enferme les malades parce qu'on refuse d'accepter le fait qu'on va tous mourir. Je veux leur montrer que je suis toujours un être humain, toujours la même femme qu'avant, a-t-elle dit en esquissant un sourire triste. Et puis, c'est toujours ça de plus sur le compte en banque.

Quand la fin est arrivée, ça a été très paisible. Nous étions tous dans la chambre quand Simon a rempli la dernière perfusion isotonique et rechargé la pompe à morphine. Jimmy a embrassé Scarlett et lui a fait un câlin. Je l'ai prise dans mes bras une dernière fois, incapable de retenir mes larmes. Son courage face à la mort avait été remarquable. Le dernier acte d'une femme remarquable. J'ai pris Jimmy par la main pour aller le mettre au lit.

J'étais encore dans sa chambre à le regarder dormir quand Simon est venu me dire que c'était terminé. Je me suis levée et l'ai pris dans mes bras. Il était secoué par les sanglots.

— Je suis désolé, a-t-il répété. Si seulement j'avais pu la sauver... je suis désolé.

— Tu as fait tout ce que tu as pu. Personne n'aurait pu s'occuper d'elle mieux que toi.

— Elle était unique, a-t-il réussi à articuler.

Il s'est détaché de moi, a croisé les bras sur la poitrine et a posé les mains sur ses épaules. Il a réussi à se ressaisir.

— Il faut que j'appelle le funérarium, a-t-il annoncé. Ils vont l'emmener et la préparer. Et il faut que j'établisse le certificat de décès, a-t-il ajouté en se mordant la lèvre. J'ai perdu beaucoup de patients, Stephanie, mais je crois que je n'ai jamais été aussi triste.

44

L'enterrement a été un vrai cirque. Parfaitement orchestré, certes, mais un cirque tout de même. Scarlett avait laissé des instructions détaillées qu'il incombait à George et moi d'appliquer. Et c'est ce que nous avons fait, même si nous avons dû serrer les dents pendant quasiment toute la journée.

Les médias étaient frustrés de ne pas avoir leur veuve éplorée. On savait qu'ils allaient nous suivre à la trace jusqu'à ce qu'ils aient une photo à mettre en une alors on a fait en sorte qu'il n'y ait qu'un photographe commun à tous les journaux. Il a pris une série de clichés de Jimmy portant un bouquet de fleurs dans le funérarium où sa mère reposait. Vêtu d'un costume noir pour la deuxième fois cette année-là, il a avancé tête baissée. À même pas cinq ans, il avait déjà conscience de son image publique.

Une fois que les journalistes ont eu leurs photos, ils ont quitté l'hacienda. Après tout, il n'y avait plus rien à voir là-bas, maintenant que Scarlett était partie. Des témoignages d'affection déposés par des régiments de fans se sont rapidement entassés à leur place devant le portail. Bouquets de fleurs, cartes et peluches se sont vite multipliés et nous avons tous prié pour qu'il ne pleuve pas. Si tout ça était détrempé, les voisins (qui n'avaient jamais apprécié Scarlett et son mode de vie) iraient se plaindre de ce spectacle à la mairie. C'était un désagrément dont on préférait se passer.

Les adultes ont assisté à la mise en bière. J'ai à peine jeté un œil à Scarlett. Je n'ai jamais compris ce besoin de faire son deuil avec le défunt sous les yeux. D'après ce que j'ai aperçu, ils avaient fait du bon travail. Elle paraissait moins émaciée que je ne m'y attendais. Marina avait choisi un de ses chapeaux fétiches pour couvrir son crâne chauve ; la teinte rose foncée apportait une note de couleur bienvenue au cercueil en osier tissé.

— J'ai l'impression qu'on va l'enterrer dans un panier de pique-nique géant, a commenté George.

— C'est ce qu'elle voulait, a répondu Simon. Elle voulait faire un geste pour l'environnement. Pas pour elle, mais pour Jimmy.

George a soupiré.

— Je sais, je sais. Ça fait… un drôle d'effet, c'est tout. Je suis habitué à des cercueils plus traditionnels.

Le jour de l'enterrement, George a envoyé un chauffeur prendre la mère et la sœur de Scarlett à la gare de King's Cross. Jusqu'à ses derniers instants, Scarlett avait tenu à ce que ni Chrissie ni Jade ne viennent la voir. Elle ne voulait pas qu'elles mettent les pieds chez elle. Elle nous a demandé de leur donner des billets aller-retour en première classe depuis Leeds et une chambre d'hôtel si nécessaire. George leur avait réservé une chambre dans un hôtel correct, près de la gare. Il en a choisi un qui n'avait ni bar ni restaurant, ce qui aurait fait sourire Scarlett.

Marina, Jimmy et moi nous sommes rendus au funérarium à bord d'une Rolls Royce noire des années quarante. J'ai eu le sentiment que Leanne aurait dû être là avec nous, mais elle n'est pas venue. Le lendemain de la mort de Scarlett, Simon a essayé de l'appeler pour la convaincre d'oublier leur différend et venir lui rendre un dernier hommage. Mais Leanne a répété que Scarlett ne voulait pas d'elle là-bas, alors elle préférait ne pas se déplacer. Elle ne voulait pas être hypocrite. C'était dommage que ça se termine comme ça entre elles, car elle avait été très proche de Scarlett.

Le cortège funèbre comprenait deux autres Rolls, la première transportant Simon et George accompagnés de deux assistants qui avaient travaillé avec Scarlett. La troisième était occupée par l'équipe de son émission télévisée : sa coprésentatrice, le producteur, son habilleuse et quelques autres que je n'avais jamais vus. Chrissie et Jade fermaient la marche à bord d'une BMW noire.

Le corbillard lui-même se composait d'une voiture tirée par quatre chevaux bais portant des bandeaux rehaussés de plumes. Ils étaient précédés par deux pleureurs professionnels portant des hauts-de-forme en soie noire avec ruban et de longs manteaux noirs parfaitement ajustés à leur carrure imposante. On avait du mal à distinguer le cercueil sous les couronnes de fleurs. Il y en avait une qui disait « Maman », de la part de Jimmy, bien sûr. Celle de l'équipe de télévision disait « Scarlett » et sur une autre, il était écrit « Smile » avec le logo du parfumeur. Je n'avais pas vu de cortège aussi extravagant depuis qu'un collègue m'avait convaincue de l'accompagner à l'enterrement d'un membre de la famille Kray.

Des milliers de fans bordaient les huit cents mètres qui séparaient le funérarium du crématorium. Ils étaient en pleurs ou poussaient des cris. Ils ont jeté des fleurs et, bizarrement, des confettis vers le corbillard. Une fois le cortège passé, ils ont quitté le trottoir pour le suivre. Les policiers présents pour prévenir tout trouble à l'ordre public n'étaient pas assez nombreux pour contenir la foule. Ils paraissaient dépassés, abasourdis par le chagrin que provoquait la mort d'une fille du Nord, une moins que rien qui avait réussi à conquérir le cœur des gens.

Le Premier ministre en personne s'est joint à cette tristesse collective. Le député local avait pris la parole à la Chambre des communes pour demander au Premier ministre s'il avait l'intention d'étendre les mammographies aux jeunes femmes, vu le décès tragique de Scarlett. Le Premier ministre lui a répondu, le visage grave :

— J'ai été attristé par la nouvelle de la mort de Scarlett Higgins, une jeune femme courageuse qui a montré qu'il était possible, dans l'Angleterre d'aujourd'hui, de triompher de l'adversité et de faire carrière. Elle nous a tous divertis et elle va cruellement nous manquer. Je vais demander au ministre de la Santé d'écrire personnellement au député en réponse à sa question.

J'espérais qu'il suivait la retransmission en direct de l'enterrement par les chaînes d'information, pour qu'il découvre à quoi ressemblait vraiment la popularité.

Quand nous avons atteint le crématorium, l'entrepreneur des pompes funèbres est sorti avec un grand panier en osier. Plusieurs hommes ont hissé le cercueil sur leurs épaules tandis qu'il ouvrait le panier pour libérer une douzaine de colombes qui se sont envolées vers le ciel bleu dans un bruit de battement d'ailes. La foule a retenu sa respiration. Un instant de pur théâtre. Mentalement, je prenais note de tout ce qui se passait ; ce serait le dernier chapitre du dernier livre de Scarlett, après tout.

À l'extérieur du crématorium, des écrans géants avaient été installés pour que le public puisse vivre ce moment d'émotion. À l'intérieur, nous avons suivi le cercueil dans l'allée. Jimmy me serrait la main si fort que j'allais avoir des bleus, là où ses ongles s'enfonçaient dans ma paume. J'étais responsable de lui à présent et cela me pesait. J'ai de nouveau regretté que Leanne ne soit pas avec moi pour partager ça. Marina était très gentille, mais elle ne faisait pas partie de la famille. En plus, elle allait bientôt rentrer en Roumanie où le poste promis par Scarlett l'attendait. Je ne pouvais pas me permettre de m'offrir les services de sa cousine, comme elle l'avait proposé à Scarlett, sans compter qu'il n'y avait pas de place dans ma petite maison pour une personne supplémentaire. J'allais devoir m'habituer à faire tout ça moi-même.

Le crématorium était rempli de fleurs et l'air était saturé par les effluves de Scarlett Smile. J'avais atteint un point où je ne voulais plus jamais sentir ce parfum de ma vie. La pièce était pleine de gens qui faisaient habituellement la une des tabloïds et de la presse people. Une véritable collection de paparazzis. J'espérais que Maggie n'allait pas profiter de la cérémonie pour recruter des clients. J'avais eu mon lot de biographies de célébrités. Ces deux dernières semaines, j'avais pris une décision importante concernant mon avenir : je ne ferais plus de livres consacrés à des gens connus uniquement parce qu'ils voulaient l'être. Dorénavant, les clients devraient être vraiment intéressants s'ils voulaient que je m'intéresse à eux.

La cérémonie s'est avérée plus digne que je ne l'avais redouté. Liam Burke, la voix off à l'accent irlandais qui annonçait les décisions de Big Fish dans *L'Aquarium*, a lu un texte de Christina Rossetti ; le producteur de *Télé-vérité* a évoqué avec émotion sa collaboration avec Scarlett, sa créativité, son intuition pour deviner les préférences du public, sa capacité de travail, son sens de l'humour ; George a parlé du chemin qu'elle avait parcouru pour s'élever dans la société et du plaisir qu'elle avait procuré à tous ceux qui l'avaient côtoyée (c'était une exagération que personne ne pouvait contester à un moment pareil) ; enfin, le chanteur d'un boy's band qu'elle avait interviewé pour sa première émission a chanté *I'll Be Seeing You*. Et oui, j'ai pleuré.

Jimmy est resté collé contre moi pendant toute la cérémonie, tremblant. À la fin, je l'ai fait asseoir sur mes genoux et il a passé les bras autour de mon cou comme s'il voulait rester là pour toujours. Je lui ai caressé le dos en murmurant des paroles apaisantes. Je ne savais pas quoi faire d'autre.

Quand la cérémonie s'est terminée, George nous a conduits à nos voitures.

— Hors de question qu'on se mette tous en rang pour accepter les condoléances, m'a-t-il affirmé. Si on fait ça, on sera obligés d'inclure Jade et Chrissie et je n'en ai aucune envie.

De loin, elles ne paraissaient pas si méchantes. C'est ce que j'ai dit à George, d'ailleurs.

— J'ai envoyé une de mes filles à Leeds pour les habiller et les accompagner, m'a-t-il répondu. Alors elles sont relativement sobres. Mais je ne suis pas sûre que cet état va durer très longtemps. Il faut éviter que les journalistes ne s'approchent d'elles au cas où ça déraperait.

— Et Jimmy ? Est-ce qu'il doit leur dire bonjour ?

Nous étions arrivés aux voitures. George a regardé autour de lui, ne sachant pas trop quoi répondre, pour une fois.

— Je vais faire la route avec vous, a-t-il annoncé en montant dans la voiture avec Marina et moi.

Jimmy était toujours accroché à moi comme un bébé singe.

— J'aimerais bien l'éloigner d'elles autant que possible. Il paraît qu'elles commencent à réclamer la garde de Jimmy, a-t-il expliqué en faisant une moue comme s'il avait senti une odeur répugnante. Elles y voient une chance de se faire de l'argent, bien entendu.

— Je vais le ramener à la maison, a proposé Marina en haussant les épaules. Je n'ai pas envie d'aller à la veillée. Je ne connaîtrai personne et je n'ai pas besoin de ça pour me souvenir de Scarlett. Jimmy et moi on va rentrer à la maison, se changer et s'amuser un peu.

— Tu es sûre que ça ne te dérange pas ?

— Je suis allée à l'enterrement de Joshu et ça ne m'a pas plu du tout. Ça ne m'ennuie pas. Et c'est mieux pour Jimmy de rentrer à la maison plutôt que d'être exhibé devant tout le monde.

Ce n'est pas exactement comme ça que je l'aurais formulé, mais je comprenais ce qu'elle voulait dire. Et ça m'a soulagée, pour être honnête. La dernière chose que je voulais, c'était que Jimmy se retrouve au centre d'une dispute. Il s'est avéré que c'était la bonne décision. À peine avais-je mis un pied dans le hall de l'hôtel où se tenait la veillée mortuaire que Chrissie et Jade m'ont sauté dessus, verres à la main. Les gens autour de nous se sont écartés, comme par magie. C'est typique des célébrités : ces gens-là sentent les embrouilles à cinquante mètres et préfèrent laisser aux querelleurs toute la place dont ils ont besoin pour se donner en spectacle.

— Où est mon petit-fils ?

Chrissie avait décidé de ne pas s'embarrasser de présentations. De près, j'ai vu qu'elle était abîmée : sa peau était rêche, parsemée de vaisseaux éclatés que le fond de teint ne parvenait pas à dissimuler. La couche trop épaisse de mascara et l'ombre à paupières ne suffisaient pas à détourner l'attention de ses yeux jaunes et de ses cernes. Ses dents étaient jaunes et cassées. Plus elle s'approchait de moi, plus son haleine fétide m'écœurait. Ses bras et ses jambes étaient maigres, mais elle avait le torse rond et costaud, comme une petite barrique. On n'aurait jamais pu deviner qu'il s'agissait de la mère de Scarlett.

— Vous devez être Mme Higgins, ai-je dit. Je regrette qu'on se rencontre dans des circonstances si tristes.

Ma politesse a paru la désarçonner, comme si elle n'avait jamais vu ça. Jade, elle, n'a pas perdu sa contenance ; elle se tenait à côté de sa mère, maigre comme un clou et pâle ; le look junkie de la tête aux pieds. Le genre de fille qui a toujours l'air sale même quand elle sort de la douche.

— Nous prends pas de haut, espèce de bourge, a-t-elle sifflé. Il est où, notre garçon ?

Heureusement pour moi, George est arrivé, mélange parfait de courtoisie et de fermeté.

— Jimmy n'est pas votre garçon, a-t-il dit. Scarlett a exprimé ses intentions de façon très claire. Si ça ne vous convient pas, je vous suggère d'engager un avocat.

— Un avocat ? Tu crois que j'ai besoin de ça pour savoir qui est ma famille ? Ce gamin est mon petit-fils.

Chrissie m'a pointé du doigt de manière théâtrale. J'entendais les appareils photo crépiter autour de moi.

— Elle a aucun droit sur lui. Tout ce qu'elle veut, c'est l'argent de Scarlett.

— Salope ! a renchéri Jade.

Je savais que si je m'engageais dans une dispute avec elle, je serais fichue. Je serais obligée de m'abaisser à leur niveau et, honnêtement, elles avaient plus d'expérience que moi dans l'insulte. Mais c'était tentant. Comme s'il l'avait senti, George a posé une main sur mon bras :

— Je parie que vous ne connaissez même pas la date de l'anniversaire de Jimmy, leur a-t-il dit.

— Ferme ta gueule, connard, a lancé Jade. C'est pas à toi qu'on parle. On veut qu'cette salope qu'a tout manigancé nous réponde.

George a secoué la tête.

— Vous perdez votre temps. Si vous avez l'intention de vous faire de l'argent en vendant un scoop aux tabloïds, je vous rappelle que Scarlett vous a offert une maison et qu'elle a payé vos factures ces six dernières années. Tout ce qu'elle voulait en échange, c'est que vous sortiez de sa vie. Le garçon n'a rien à voir avec vous. Maintenant, soit vous vous conduisez comme des gens civilisés, soit je vous fais mettre dehors.

Chrissie s'est jetée sur lui, les poings serrés. Avant qu'elle ne puisse l'atteindre, Simon l'a attrapée par-derrière en lui immobilisant les bras d'un geste expérimenté.

— Il est l'heure d'y aller, Chrissie, a-t-il annoncé en l'éloignant de George. Allez, on va boire un verre et parler un peu de Scarlett.

Elle a cédé, de mauvaise grâce. Mais avant de s'éloigner, elle s'est raclé la gorge et a craché une grosse glaire de fumeur vers George. Pris par surprise, ce dernier a reculé d'un pas juste à temps et la glaire a atterri sur le parquet, à quelques centimètres de ses chaussures cirées. Il l'a regardée d'un air dégoûté avant de voir que Chrissie et Jade étaient parties.

— Très bien, a-t-il murmuré à mon intention. Cracher ne fait pas vraiment bonne impression dans les tabloïds. Notre chère Chrissie a raté sa chance d'en rallier un à sa cause. Cette séquence sera sur YouTube dès ce soir.

— Tu crois qu'elles vont essayer d'obtenir la garde de Jimmy ?

— Elles n'ont aucun argument valable pour ça et c'est ce que tout avocat qui se respecte leur expliquera, a-t-il répondu en soupirant. Mon Dieu, j'ai besoin de boire un verre. On se croirait dans un des cercles de l'Enfer de Dante.

Je ne pouvais pas le contredire. Et je me demandais ce que nous faisions là. J'étais d'accord avec Marina : je n'avais pas besoin de ça pour faire mon deuil de Scarlett. C'était une épreuve que j'étais forcée d'endurer. En plus, au fond de moi, alors que je parlais de Scarlett à des gens que je connaissais à peine, j'avais peur que Pete ne profite de cet événement pour me mettre le grappin dessus, comme il l'avait fait avec Joshu.

C'est pourquoi j'écoutais seulement d'une oreille la journaliste qui m'avait alpaguée pour me dire que c'était généreux de ma part d'avoir accepté de m'occuper de Jimmy.

— C'est mon filleul, ai-je répondu. J'étais là quand il est né et il me connaît depuis toujours. Je suis heureuse de m'occuper de lui.

— Mais quand même, a-t-elle insisté. Prendre l'enfant d'un autre à sa charge alors qu'on ne vous donne aucune compensation financière, c'est beaucoup vous demander. Je vous trouve admirable.

J'ai dû avoir l'air de tomber des nues parce qu'elle m'a regardée avec une compassion complètement feinte.

— Vous n'étiez pas au courant ? Elle a tout légué à une association caritative. Absolument tout. Jimmy n'aura pas un centime.

45

J'ai trouvé George près du buffet, grignotant délicatement un roulé à la saucisse tout en surveillant l'assemblée comme un aigle guettant sa proie.

— Je viens d'avoir une conversation très bizarre avec une fille du *Herald*, lui ai-je dit. Une de ces discussions où tu dois faire semblant de savoir de quoi parle ton interlocuteur sinon tu risques de passer pour un vrai con.

Il a haussé les sourcils. Je crois que ça le surprend toujours quand je dis des gros mots.

— Ça n'a pas dû être très agréable pour toi. De quoi voulait-elle parler ?

— George, est-ce que tu connais le contenu du testament de Scarlett ?

Parfois, aller droit au but comme Chrissie Higgins constitue la meilleure approche. Surtout quand on a affaire à un expert en diplomatie comme George.

Il a forcé un sourire. Il a mis le reste de sa saucisse dans une serviette en papier et l'a déposée sur la table.

— Ah, a-t-il dit en prenant son gin tonic.

— Alors c'est vrai ?

Il a secoué la main d'une façon qui, je crois, se voulait nonchalante.

— Je ne sais pas ce qu'on t'a raconté, Stephanie.

— D'après cette journaliste, Scarlett a tout légué à son association caritative. TOmorrow hérite de tout. La maison, la fortune, les droits sur le merchandising. Absolument tout. C'est vrai ?

— J'avais prévu de t'annoncer ça dans la semaine, en tête à tête, m'a-t-il répondu avec un regard de chien battu.

— Putain ! Jimmy n'hérite de rien ?

— De ses effets personnels, c'est tout. Ce qui veut dire essentiellement des bijoux, a-t-il dit avec un sourire qui ressemblait davantage à une grimace. Il y a quelques belles pièces.

— Tu crois pas que je vais vendre les bijoux de sa mère, quand même ? Bon sang George, tu me prends pour qui ? Et pourquoi j'apprends ça seulement maintenant ?

— S'il te plaît, ne hausse pas le ton, Stephanie. Tout le monde peut nous entendre. Ce n'est pas bien de parler de ça en public. Allons prendre l'air.

Nous avons traversé la salle de réception puis le hall de l'hôtel en direction du parking. Nous nous sommes retrouvés dans une affreuse petite alcôve, construite, d'après moi, pour les photographes de mariage.

— Je suis désolé qu'on t'ait caché tout ça, mais Scarlett a insisté.

— Pourquoi ? Est-ce qu'elle pensait que j'étais aussi pourrie que sa famille ? Que je prendrais Jimmy sous mon aile seulement s'il touchait un héritage ? Tu imagines ce que je ressens, George ?

J'ai probablement dit ça en criant, mais je m'en fichais pas mal.

— Je suis entièrement d'accord avec toi. Et c'est exactement ce que j'ai dit à Scarlett quand elle m'a raconté ce qu'elle avait fait. Je savais que tu prendrais soin de son fils, quelles que soient les circonstances financières, m'a-t-il dit en forçant un nouveau sourire. Notre Scarlett n'avait pas la même expérience de la vie que nous. Elle avait du mal à faire confiance aux gens quand il y avait de l'argent en jeu. C'est pour ça qu'elle payait les factures de Chrissie directement plutôt que de lui donner de l'argent pour les régler.

— Je n'arrive pas à croire qu'elle n'ait rien laissé à Jimmy. Pourquoi elle n'a pas créé un compte spécial pour couvrir ses frais de scolarité ?

George a secoué la tête.

— Qu'est-ce que je vais lui dire quand il sera en âge de comprendre ça ? ai-je repris.

— Tu pourras lui montrer son testament. Je lui ai demandé d'inclure une clause expliquant sa décision.

— Ah bon ? Parce qu'il y a une explication ? Ou bien est-ce que son foutu cancer s'est propagé jusqu'au cerveau ?

George m'a fait avancer jusqu'à un banc en pierre et s'est assis. Il a croisé les jambes élégamment et a sorti un étui à cigares de sa poche intérieure. Il en a pris un qu'il a allumé avec une allumette tirée d'une petite boîte en carton à l'effigie d'un bar de La Nouvelle-Orléans. C'était seulement la deuxième ou troisième fois que je le voyais fumer. Preuve que cette conversation le stressait.

Il a soufflé un nuage de fumée bleue odorante, le regard fixé quelque part devant lui.

— Voici sa façon d'envisager les choses : quand elle a commencé, elle n'avait rien. Moins que rien, même, vu son bagage. Et elle ne devait sa réussite qu'à ses efforts et sa détermination. Sur le chemin, elle a croisé beaucoup d'enfants gâtés. Des gens qui avaient gâché les opportunités que la vie leur avait offertes sur un plateau. Elle rangeait Joshu dans cette catégorie-là. Un garçon qui avait des capacités intellectuelles et un avenir mais qui avait préféré « faire le con avec une platine », comme elle disait. Elle tenait absolument à ce que son fils ne grandisse pas comme ça. Scarlett avait travaillé pour obtenir tout ce qu'elle possédait, et elle accordait de la valeur à ce travail. Elle voulait que Jimmy ait la même ambition et la même satisfaction. Elle ne voulait pas qu'il reçoive tout sur un plateau. C'est pourquoi elle a décidé de ne pas faire de lui un enfant privilégié.

D'une certaine façon, ça avait du sens. Scarlett connaissait mon niveau de vie : confortable mais pas extravagant. Elle savait que je pouvais subvenir aux besoins d'un enfant sans pour autant faire de lui un garçon pourri gâté par l'argent. Je regrettais seulement qu'elle n'ait pas eu assez confiance en moi pour me faire part de sa décision.

— Je comprends son point de vue, ai-je répondu. Mais j'aurais préféré qu'elle me le dise elle-même plutôt que d'apprendre ça d'une journaliste people.

George a expiré un rond de fumée parfait. Évidemment. Je le soupçonnais d'être né avec cette habileté à former des ronds de fumée parfaits.

— Scarlett n'observait pas toujours les règles de la politesse dans ses rapports avec les gens, a-t-il commenté d'un ton las. Elle s'en est bien sortie pour quelqu'un qui avait été privé d'éducation. Et quand je dis ça, je ne parle pas des privations matérielles. Je veux dire privé de tous ces éléments qui nous rendent, toi et moi, à l'aise dans le monde. Des choses qu'on considère comme normales. Attendre que tout le monde soit servi avant de commencer de manger, par exemple. Ou cuisiner soi-même un curry maison. Ou encore dire merci quand on vous envoie un bouquet de fleurs. Ces gens-là vivent comme des sauvages, Stephanie. Sa description de son enfance m'a mis les larmes aux yeux. Elle ne comprenait pas toujours les obligations qu'on a envers ses amis. Elle aurait dû t'en parler. Cela dit, je comprends qu'elle ne l'ait pas fait.

— Moi aussi. Et ça me rend triste.

Je me suis levée et j'ai tapoté George sur l'épaule.

— Il y a un bon côté à tout ça, quand même, ai-je repris.

— Lequel ?

J'ai souri.

— Je crois qu'on n'est pas près d'entendre parler de l'avocat de Chrissie et Jade.

46

On aurait pu penser que j'avais eu mon lot de soucis pour la journée. Mais ce n'était pas encore terminé. Loin de là. J'ai laissé George finir son cigare et j'ai traversé le parking pour regagner l'hôtel. Je m'apprêtais à entrer quand Pete a surgi de derrière un SUV garé là et il s'est planté devant moi pour me barrer la route.

— Salut, chérie, a-t-il lancé avec le sourire détendu d'un homme qui sait qu'il est le bienvenu.

J'ai trébuché et reculé de quelques pas. Mais pas assez rapidement. Pete s'est avancé plus vite et avant que je ne comprenne ce qui se passait, il m'a plaquée contre le véhicule, une main posée de chaque côté de ma tête. Il s'est pressé contre moi. J'ai senti son odeur familière et j'ai eu la nausée. Je n'arrivais pas à comprendre comment j'avais pu un jour aimer cette odeur animale et masculine qui se dégageait de lui. Même la fragrance de Scarlett Smile m'aurait moins écœurée que celle-ci, à ce moment-là.

— Lâche-moi, Pete, ai-je dit en essayant de ne pas laisser transparaître ma panique.

— Je ne peux pas, Stephanie. Ça fait tellement longtemps que je ne t'ai pas serrée contre moi.

Il a frotté son visage contre mon cou. J'ai senti le très léger picotement d'une barbe tout juste naissante. Il s'était rasé avant de venir et sa peau était presque douce contre la mienne. Cette sensation avait quelque chose de répugnant.

— Lâche-moi, ai-je répété en détournant la tête. Tu sais que tu as tort, Pete. C'est fini entre nous.

— Ne dis pas n'importe quoi, Stephanie. T'as besoin de moi, encore plus qu'avant. Je suis au courant pour le gamin, tu sais. Il a besoin d'un père sinon il va devenir un vrai fils à sa maman. Et je suis tout à fait compétent pour ça.

Il me pressait contre la voiture. Je sentais qu'il commençait à avoir une érection. Je me suis mise à avoir vraiment peur. Seules quelques chambres de l'hôtel donnaient sur cette partie du parking et aucune des fenêtres n'était allumée. Son haleine chaude dans mon cou, sa peau contre la mienne et son désir grandissant me donnaient des frissons de panique. Il n'était jamais allé aussi loin dans le harcèlement.

— Je n'ai pas besoin de toi, Pete. Je ne veux pas de toi. Arrête.

— Oh, non, je n'arrêterai pas, a-t-il répondu sur un ton plus ferme à présent. Tu es faite pour vivre avec moi, depuis toujours. Et maintenant on va former une famille. Toi, moi et Jimmy. On restera ensemble pour la vie.

— Non ! ai-je crié. Lâche-moi, Pete !

Il m'a giflée. Le choc et la douleur m'ont coupé la respiration et j'ai senti mes yeux s'écarquiller sous l'effet de la peur.

— Ne me crie pas dessus, Stephanie. J'ai fait l'erreur d'être trop indulgent avec toi au début. J'aurais dû être plus strict et te laisser moins de liberté.

— Arrête, Pete.

J'étais prête à le supplier si ça pouvait marcher. J'étais terrifiée car je savais qu'il était beaucoup plus fort que moi.

— « Arrête, Pete », a-t-il répété en m'imitant. Si tu t'entendais… Je sais que tu ne penses pas vraiment ce que tu dis. Et toi aussi tu le sais.

— Ça suffit, Pete.

Il a serré mon visage dans ses mains.

— Où est ton copain le policier quand t'as besoin de lui, hein ? C'est moins amusant quand t'as pas ton petit flic bien dressé pour venir me passer un savon, non ? Qu'est-ce que t'avais l'intention de faire en m'envoyant ce flic ? Tu crois vraiment qu'il m'a fait peur en me disant : « On m'a informé que vous ne figuriez pas sur la liste des invités, monsieur. Je vais devoir vous escorter dehors. » Connard. Tu pouvais pas venir me le dire toi-même, que j'étais pas le bienvenu ?

Il a lâché mon visage et a repoussé ma tête qui a rebondi contre la vitre de la voiture.

— Ça n'aurait eu aucun effet, ai-je répliqué. Tu supportes pas qu'on t'envoie balader, hein ? Je suis pas ta copine, ai-je dit en articulant chaque syllabe. Je ne veux plus jamais te revoir.

J'ai eu peur qu'il me gifle de nouveau mais il n'en a rien fait. À ce moment-là, j'ai entendu le claquement familier d'une paire de santiags sur le tarmac. Et la voix de Simon qui a lancé :

— Qu'est-ce qui se passe ? Steph, ça va ?

— T'occupe pas de ça, mon pote, elle est avec moi, a répliqué Pete.

J'ai essayé de m'échapper, mais Pete était trop lourd.

— Je crois que vous devriez vous éloigner d'elle, a dit Simon.

Il paraissait plus inquiet qu'inquiétant, mais au moins il était témoin de la situation.

— Et moi je crois que tu devrais foutre le camp.

Pete s'est tourné pour s'adresser à Simon. Quand il a bougé, j'en ai profité pour lui donner un coup violent sur la hanche. Il a fait quelques pas en arrière et ça m'a laissé le temps de m'enfuir me cacher derrière Simon. Tant pis pour le féminisme. À ce moment-là, j'étais plus que soulagée d'avoir un homme pour me protéger.

— Ça va, Steph ? m'a demandé Simon sans quitter Pete des yeux.

— Oui, merci.

— T'aurais pas dû intervenir mon pote, lui a lancé Pete. Il faut jamais chercher à séparer un mec de sa femme. T'as pas appris ça dans ton école de bourges ?

— C'est pas mon mec et je suis pas sa femme ! ai-je hurlé. C'est mon ex, mais il arrive pas à se mettre ça dans le crâne. C'est fini, Pete. C'est fini depuis des années. Maintenant laisse-moi tranquille !

Pete s'est avancé d'un pas vers Simon, poings serrés. Dans son dos, j'ai vu George s'approcher de lui. À ma grande surprise, ce dernier s'est campé derrière Pete puis, d'un geste habile, lui a asséné deux coups de poing dans les reins.

Pete a poussé un cri de douleur en tombant à genoux. George a fait un pas de côté avant de lui envoyer un grand coup de pied dans les testicules. Pete a hurlé de nouveau et a roulé sur le côté, recroquevillé comme un bébé.

— Tu la laisses tranquille maintenant, a lâché George sur un ton sec.

Il a enjambé Pete, m'a pris le bras et m'a ramenée vers l'hôtel.

Simon nous a emboîté le pas en s'extasiant sur les talents de George pour le combat.

— C'était très impressionnant, George, a-t-il dit pour la troisième fois alors que nous arrivions dans le hall.

— Je ne savais pas que t'étais le genre d'agent à la James Bond, ai-je commenté en lui pinçant le bras.

— J'ai fait un peu de boxe, au régiment. Je m'entraîne dans une salle plusieurs fois par semaine, juste pour garder la forme. J'avais pas frappé un homme depuis trente ans, a-t-il dit en faisant la grimace. J'y suis peut-être allé un peu fort. Ce ne sont vraiment pas les chaussures adéquates pour ça.

Il m'a conduite vers le bar. Nous nous sommes installés à une table dans un coin et il a demandé à Simon d'aller nous chercher des gins.

— C'était ton ex, c'est ça? Celui que tu as cherché à fuir en déménageant à Brighton?

J'ai hoché la tête.

— Et ça a marché. Il ne sait pas où je vis. C'est pour ça qu'il est venu aujourd'hui. Et à l'enterrement de Joshu. Il n'a pas encore lâché l'affaire.

— Ce n'est pas bon signe.

Simon est revenu avec les boissons.

— Ce n'est pas bon signe du tout, a-t-il renchéri. Si George et moi n'avions pas été là, ça aurait pu mal tourner.

— J'en suis consciente, croyez-moi. Merci, les gars.

J'ai levé mon verre pour trinquer avec eux.

— Qu'est-ce que tu faisais dehors? a demandé George à Simon.

— J'avais besoin de prendre l'air. Je suis venu dîner ici avec Scarlett une fois et je me suis souvenu qu'il y avait une sorte de petit parc au bout du parking. Je pensais que personne ne viendrait me chercher là-bas.

Tout à coup, il a paru au bord des larmes.

— Désolé. Elle me manque, c'est tout. Pas très professionnel, je sais. Mais je me suis pris d'affection pour elle.

George s'est éclairci la voix.

— C'était difficile de ne pas tomber sous le charme, une fois qu'on avait appris à la connaître, a-t-il fait remarquer avant de boire une longue gorgée de gin. Stephanie, loin de moi l'idée de te mettre la pression, mais il faut vraiment que tu fasses quelque chose au sujet de ce pauvre type. Qu'il te harcèle, c'est déjà terrible, mais maintenant tu dois aussi penser à Jimmy. Je n'ose pas imaginer ce que ressentirait ce petit garçon s'il devait assister à une scène pareille. Ou pire que celle-là. Je crois que tu devrais avertir la police.

J'ai poussé un soupir.

— Ils ne prendront pas ma plainte au sérieux tant qu'il ne commet pas réellement d'infraction. Et non, ce petit incident dans le parking n'entre pas dans cette catégorie.

Nous avons tous regardé tristement nos verres pendant quelques instants. Puis Simon a eu une idée :

— Et si tu connaissais un flic sympa à qui tu pouvais demander un coup de main ?

— Ça vaudrait le coup de l'appeler à l'aide, a renchéri George. Si tu en connaissais un.

— Je pensais à… celui qui a mené l'enquête sur la mort de Joshu ? Il avait l'air bien. Et tu t'entendais pas mal avec lui, non ? Tu as discuté avec lui le jour du service funèbre, si je me souviens bien, a repris Simon en me faisant un sourire encourageant.

Et voilà comment Nick Nicolaides et moi on a commencé à sortir ensemble.

47

Nick était rarement indécis mais alors qu'il se tenait devant la porte de Phat Phi D, sous la pluie, à minuit passé, il ne savait pas ce qu'il y avait de mieux à faire. Il savait que la priorité, c'était avant tout de retrouver Jimmy sain et sauf. Mais il n'était pas persuadé que le meilleur moyen d'y parvenir soit de transmettre directement les informations qu'il venait de découvrir au sujet de Pete Matthews à l'agent McKuras. Certes, il n'était pas expert en matière d'application de la loi à l'étranger, mais le cliché des Américains débarquant quelque part armés jusqu'aux dents devait bien avoir un fondement. Il n'avait pas oublié Waco. Il ne voulait pas que Jimmy se retrouve au milieu d'une fusillade. Ni Matthews, d'ailleurs, il devait bien l'avouer. Ce type était manipulateur et malsain, mais il ne méritait pas de mourir.

Il releva le col de sa veste pour se protéger de la pluie et se dirigea vers sa voiture. Une fois derrière le volant, il se remémora ses différentes entrevues avec Pete Matthews. La première fois, pendant la cérémonie funèbre de Joshu, il n'avait pas bien compris la situation. Stephanie lui avait expliqué qu'en chassant Matthews, il rendrait service à Scarlett; toutefois, quand Nick avait rétorqué que Stephanie allait sans doute en profiter pour quitter les lieux, il avait vu juste. Il ne savait même pas pourquoi il avait lui-même supposé qu'elle lui fausserait compagnie; quelque chose dans l'attitude de Stephanie avait suggéré ça, sans doute. Pendant ses études de psychologie, il avait suivi un cours passionnant sur la kinésique, le décryptage du langage corporel. Cette discipline rationalisait ce que beaucoup de gens considéraient encore comme une intuition. Il avait travaillé ce sujet jusqu'à le connaître sur le bout des doigts.

Il n'avait pas eu besoin de la kinésique pour comprendre que Pete Matthews avait été furieux qu'il vienne lui parler. Nick ne s'était pas présenté comme policier, dans un premier temps. Il s'était simplement approché de lui et avait dit :

— Monsieur Matthews, ceci est une réception privée à laquelle vous n'avez pas été invité. Vous feriez mieux de partir.

Matthews avait écarquillé les yeux d'un air outré. Il avait lancé à Nick un regard noir et avait fait un pas en avant. Voyant que ce dernier n'était pas intimidé, il avait opté pour la condescendance.

— Vous êtes qui, pour me donner des ordres ? C'est pas vous qui décidez des invités, que je sache.

Nick avait sorti sa carte de police de la poche de sa veste.

— Inspecteur Nick Nicolaides. Metropolitan Police. Ceci est une réception privée, vous n'avez pas le droit d'être là et on vous demande de partir. Je suis sûr que vous n'avez pas envie de vous donner en spectacle devant tout un parterre de journalistes.

Matthews s'était moqué de lui.

— Vous ne comprenez rien à la situation, monsieur le policier. Vous êtes tombé en pleine querelle d'amoureux. Je ne sais pas ce que vous a promis Stephanie, mais elle se moque de vous. Elle ne tiendra pas sa promesse parce que c'est avec moi qu'elle sort. Vous comprenez ? Elle essaie de me faire passer un message en demandant à une petite brute comme vous de venir me parler.

Il avait lâché un petit rire sec qui avait rappelé à Nick le cri des oiseaux que vendait l'animalerie de son quartier, quand il était petit.

— Abruti, avait conclu Matthews.

Puis il avait levé les mains, paumes tournées vers Nick, un geste universel de reddition.

— Ok, je vais pas gâcher la fête de Scarlett. Même si tout ça c'est des conneries pour attirer l'attention des journalistes, avait-il dit en secouant la tête. C'est des larmes de crocodile, vous savez. Demandez à Stephanie combien de livres elle va vendre maintenant que Joshu est mort. Scarlett aurait fait n'importe quoi pour échanger son mari contre un peu de fric.

À ce moment-là, il avait regardé par-dessus l'épaule de Nick et lâché un juron.

Se tournant pour suivre son regard, Nick s'était aperçu que Stephanie n'était plus là. Il avait parcouru la pièce du regard mais il ne la voyait pas. Il s'était retourné de nouveau et avait constaté que Matthews jouait des coudes dans la foule pour atteindre la porte. Qu'il s'agisse, comme le disait Matthews, d'une querelle d'amoureux ou d'autre chose, il était clair que Stephanie avait profité de cette diversion pour filer. Nick était un peu déçu : il n'avait pas envie de s'engager avec une femme qui sortait déjà avec quelqu'un. C'était un scénario qui annonçait des nuits blanches et de longues heures à jouer sur sa guitare des airs mélancoliques.

Il avait donc décidé de ne plus penser à Pete Matthews et Stephanie Harker. Il reconnut néanmoins immédiatement sa voix le jour où elle lui téléphona :

— Inspecteur, je ne sais pas si vous vous souvenez de moi...

— Stephanie Harker, dit-il en rougissant involontairement.

— Waouh, vous m'impressionnez.

— Je suis musicien, vous vous souvenez ? Je suis bon pour reconnaître les voix, répliqua-t-il. Qu'est-ce que je peux faire pour vous ?

— C'est un peu gênant d'en parler au téléphone. Est-ce qu'on pourrait se voir pour un café ? Ou pour boire un verre ?

Même s'il était bien décidé à ne pas se mettre dans une situation embarrassante, il accepta. Ils décidèrent de se retrouver dans un Costa Coffee à côté de son bureau. Quand il arriva, elle était assise à une table éloignée de la fenêtre ; en le voyant, elle se leva et insista pour lui payer son expresso. Une fois installés et les questions de politesse passées, il se recula dans son siège et lui lança un sourire encourageant en disant :

— Alors, vous vouliez me parler ?

Elle entreprit donc de lui raconter une histoire qui lui était familière : un homme possessif qui refusait qu'on lui dise non, convaincu qu'une femme lui appartenait, et qui faisait tout pour la forcer à rester avec lui. Un homme qui lui envoyait quantité de fleurs, d'e-mails, de lettres et de textos, qui lui laissait des dizaines de messages, persuadé qu'il ne pouvait pas l'envahir puisqu'elle lui appartenait.

Nick l'écouta sans toucher à son café, l'estomac noué. Il avait déjà entendu ce genre d'histoires, qui se terminaient généralement par la mort de la victime. Quand Stephanie lui expliqua en hésitant ce qui s'était passé avec Matthews dans le parking de cet hôtel de l'Essex, il ressentit un mélange de colère et de frustration. Il avait envie de frapper Pete Matthews jusqu'à ce qu'il se mette à pleurer comme un enfant. Mais la violence, ce n'était pas son genre.

— J'ai discuté avec une avocate quand il a commencé à me harceler après notre rupture et elle m'a expliqué que je n'avais pas vraiment de recours tant qu'il n'enfreignait pas la loi. Le problème, c'est que je ne connais pas la loi. La façon dont il se comporte avec moi, son attitude menaçante... la police peut sûrement faire quelque chose contre ça, non ?

Elle lui lança un regard où se mêlaient l'embarras et l'anxiété et il ressentit une profonde colère contre l'homme qui en était responsable. Malheureusement, il ne pouvait pas faire grand-chose contre Pete Matthews.

— Votre avocate a raison, hélas. Si vous aviez consigné tous ses actes, vous pourriez probablement obtenir une ordonnance restrictive du tribunal ; mais même s'il ne la respectait pas, ce ne serait pas du ressort de la police. Il faudrait repasser devant le tribunal.

— Donc en fait, ça ne servirait à rien, c'est ça ?

— Oui. Pour que la police intervienne, il faudrait que vous ayez la preuve que votre vie est en danger, ou au moins que vous craigniez une action violente. Et d'après ce que vous m'avez dit, il a bien pris soin de ne pas vous menacer ouvertement.

Elle saisit le bâtonnet en bois pour remuer son *latte*.

— En gros, il n'y a rien à faire, si je comprends bien.

C'est à ce moment-là que Nick franchit la ligne rouge.

— Officiellement, non, pas grand-chose. Officieusement, il y a plusieurs possibilités.

Ces mots étaient sortis de sa bouche presque sans qu'il s'en aperçoive. Il sut dès qu'il les avait prononcés qu'il avait décidé d'écouter son désir plutôt que sa raison. Stephanie eut l'air alarmée.

— Je ne pensais pas à…

— Je sais bien, répondit-il.

Il sortit son téléphone, ouvrit l'onglet « Répertoire » et le lui tendit.

— Donnez-moi son adresse, son téléphone et laissez-moi faire.

Il remarqua sa nervosité et lui sourit. Puis il agita les doigts devant elle en lui demandant :

— Est-ce que vous avez déjà entendu parler d'un groupe qui s'appelle Jethro Tull ?

Elle parut complètement prise de court mais hocha la tête.

— Vaguement. Ils étaient connus dans les années soixante-dix, non ?

— Exactement. Leur leader, Ian Anderson, jouait de la flûte. Il avait tellement peur d'abîmer ses doigts que quand les gens voulaient lui serrer la main, il leur tendait son coude. Moi, je n'en suis pas encore là, mais je ne vais rien faire à Pete Matthews qui risquerait d'abîmer mes précieux petits doigts…

Le visage de Stephanie s'éclaira d'un sourire et Nick se sentit tout chose.

— Si vous le dites comme ça…, répondit-elle avant d'entrer les informations dans son téléphone. Merci.

— De rien. Mais ça ne sera pas gratuit.

Elle eut l'air de nouveau anxieuse.

— Je ne suis pas riche, dit-elle. J'ai un enfant à charge, à présent.

— Vous vivez à Brighton, c'est ça ?

— Oui, mais je loge encore chez Scarlett dans l'Essex tant qu'on n'a pas déménagé, avec Jimmy. La maison doit être vidée et vendue, c'est ce qu'elle a demandé dans ce fichu testament, expliqua-t-elle en faisant une grimace. Je suis désolée, je ne devrais pas râler. Ce n'est pas pour moi que ça m'embête, mais pour Jimmy ; ça aurait été plus facile pour lui si on avait pu rester là-bas, au moins pendant quelques mois.

— D'un autre côté, il vaut mieux que vous soyez à Brighton plutôt que dans un endroit où Pete Matthews serait susceptible de vous retrouver.

— C'est vrai, concéda-t-elle.

— Alors voici ce que je vous demande en échange : une fois que vous serez retournée à Brighton, je viens vous voir pendant que Jimmy est à l'école et je vous invite à déjeuner. Qu'est-ce que vous en dites ?

Elle parut d'abord soulagée puis ravie.

— Ce serait super. Merci. Pour tout.

Le soir même, Nick alla jeter un œil à l'appartement de Pete Matthews. C'était un appartement en rez-de-chaussée dans une grande maison victorienne mitoyenne, à Kentish Town, dans une rue tranquille. Pour accéder à la porte d'entrée, il fallait descendre quelques marches si bien qu'on était plus ou moins caché des passants sauf si quelqu'un s'arrêtait pile à cet endroit-là. Il y avait une grille fermée par une grosse chaîne, mais Nick jugea qu'elle ne résisterait pas à une bonne paire de pinces coupantes.

L'appartement de Matthews était plongé dans l'obscurité, alors il décida de sonner à la porte de la maison principale. L'homme qui ouvrit ressemblait à un dandy de l'époque Regency en pleine décadence. Ses cheveux bruns enduits de gel formaient une sorte de bosse sur le sommet de sa tête et sa chemise cintrée au motif floral peinait à dissimuler sa bedaine. Il portait un jean blanc taillé de façon à laisser croire qu'il était particulièrement bien membré. Nick, qui choisissait ses jeans pour leur confort plutôt que pour mettre en valeur ses attributs, n'avait jamais compris ce style. Cette vanité de vouloir paraître plus jeune que son âge. L'homme se pinça les lèvres d'un air mécontent, ce qui creusa une constellation de petites rides sur son visage, chose qui l'aurait sans doute fait mourir de honte s'il s'en était aperçu.

— Oui ? dit-il sur un ton agacé.

Nick montra sa carte de police.

— Êtes-vous le propriétaire de cette maison, monsieur ?

— Très edwardien, comme question. Techniquement, c'est ma femme qui est propriétaire, mais oui, je suis l'homme de la maison.

Nick remarqua qu'il essayait de se donner des airs bourgeois.

— Est-ce que je peux vous poser quelques questions ?

— Est-ce que nous avons commis un crime, monsieur l'agent ?

— Non, monsieur. Je voulais simplement savoir s'il y avait quelqu'un chez vous ce matin entre neuf heures et onze heures. Nous enquêtons sur une agression et nous recherchons des témoins.

Son interlocuteur eut l'air interloqué.

— Une agression ? Est-ce qu'un des voisins a été attaqué ?

— Non, non. Nous pensons que la victime et l'agresseur se connaissaient et qu'ils se sont croisés dans cette rue. Est-ce que vous avez vu ou entendu quoi que ce soit ? Vous ou votre femme ?

Il secoua la tête gravement, comme s'il regrettait profondément de ne pas pouvoir lui venir en aide.

— Ma femme Madeleine et moi-même avons quitté la maison ensemble à neuf heures moins dix, comme tous les jours, pour aller au travail. Je travaille à la BBC et elle dirige une association caritative qui est située juste à côté, alors on prend le métro ensemble. Malheureusement, nous n'étions pas chez nous.

— Et votre voisin du dessous ? demanda Nick en faisant semblant de consulter son carnet. M… Matthews ?

— Je n'en sais rien. Il n'a pas d'horaires fixes. Il travaille dans la musique. Il faudrait lui poser la question directement et je ne sais pas quand il va rentrer. Parfois il part pendant des semaines.

Nick referma son carnet et sourit.

— Désolé de vous avoir dérangé. Merci de m'avoir répondu.

Il n'attendit pas que l'homme referme la porte. Il avait ce qu'il lui fallait. La partie supérieure de la maison était vide pendant la journée. Et Nick était en congé le mercredi suivant, ce qui lui laissait le temps de s'organiser.

De retour dans son bureau, il passa un coup de fil à un vieil ami qui travaillait pour le service de renfort logistique. Nick avait rencontré Declan Rafferty et quelques autres gars de la police de Manchester durant leur formation au centre de Bruche. Ils avaient découvert qu'ils avaient des goûts musicaux similaires. Comme Nick, Declan préférait faire une heure de route pour aller écouter un nouveau groupe confidentiel plutôt que se saouler dans le pub le plus proche avec ses collègues. Dans un milieu quasi militaire comme celui d'une académie de police, il suffit de peu pour se lier d'amitié. Nick et Declan étaient donc devenus amis. Bien qu'ils aient ensuite choisi des voies et des méthodes différentes, ils étaient restés proches. Une fois par mois au moins, ils allaient ensemble dans un bar méconnu pour écouter de la musique dont personne n'avait entendu parler, même à cette époque où Internet rendait tout accessible à tout le monde. Découvrir de nouveaux talents avant les autres les rendait tous les deux très fiers.

Une fois qu'ils eurent organisé leur prochaine sortie, Nick lui expliqua la raison de son appel :

— T'es dans la camionnette cette semaine ? lui demanda-t-il.

Il faisait allusion au véhicule d'intervention qui servait de bureau d'appoint au service de renfort logistique et qui permettait aux inspecteurs de se rendre sur place rapidement.

— Oui, mais c'est calme en ce moment, répondit Declan. On s'ennuie ferme. Il ne se passe rien.

— Je voulais te demander un service. Entre amis. Je veux pas de répercussions, si tu vois ce que je veux dire...

— Si je peux t'aider, pas de problème. Ça te coûtera seulement une bouteille de téquila gold.

— Merde, tu commences à avoir des goûts de luxe !

— C'est quoi, ton service ?

— J'ai besoin d'emprunter le passe-partout. Et une paire de pinces coupantes.

Declan siffla.

— Rien que ça ? Et j'imagine que c'est confidentiel, non ?

— Absolument. Ça doit rester entre nous.

Il y eut un silence qui dura précisément onze secondes. Une éternité, à l'échelle d'une conversation téléphonique. Puis Declan soupira.

— Où ? Et quand ?

— Idéalement, demain matin vers dix heures. À Kentish Town. Mais je ne veux pas qu'on se retrouve là-bas. Si ça foire, je n'ai pas envie qu'un voisin identifie un agent du service de renfort logistique sur les lieux.

Declan accepta d'apporter à Nick le bélier en acier et la paire de pinces coupantes qu'il lui avait demandés le soir même, à la nuit tombée. À condition que personne n'en ait besoin d'ici là (« C'est peu probable, on est comme des ours en ce moment : on hiberne », précisa-t-il). Nick lui rendrait tout ça le lendemain.

*

Le lendemain matin, à dix heures, la rue de Pete Matthews était complètement déserte. Nick s'était garé à quinze mètres de son appartement et était caché derrière son journal quand l'ingénieur du son était sorti de chez lui au pas de course, quinze minutes plus tôt. Nick le regarda se diriger vers le métro mais attendit un peu pour être sûr qu'il n'était pas simplement allé faire quelques courses.

Après avoir enfilé une paire de gants en cuir, Nick se glissa hors de la voiture et prit un sac posé sur la banquette arrière. Il marcha sans hésitation jusqu'au portail de Pete Matthews et posa son sac par terre. Il en tira la pince coupante et, en quelques secondes, brisa la chaîne qu'il retint juste à temps pour qu'elle ne tombe pas par terre bruyamment.

Il descendit les marches rapidement et positionna le bélier : un tube d'acier de seize kilos destiné à générer un impact maximal avec une dépense d'énergie minimale. Declan l'avait mis en garde :

— On ne l'appelle pas le passe-partout pour rien. Il peut envoyer jusqu'à trois tonnes d'énergie cinétique, lui avait-il expliqué comme si Nick y comprenait quelque chose.

— Tu veux dire que ça provoque un vrai big bang ?

— C'est hyper-puissant. Si tu l'utilises mal, ce truc-là peut te foutre au sol.

Nick prit le temps de s'installer, une main sur chaque poignée du bélier. La porte avait l'air solide, mais ce n'était que du bois. Même un amateur comme lui était capable de la défoncer du premier coup. Il recula d'un pas avec le bélier puis laissa l'objet s'élancer de tout son poids contre la porte.

Il y eut un craquement et un bruit sourd quand l'acier heurta le bois. Puis la porte s'ouvrit lentement, comme si elle n'avait jamais été fermée ni même verrouillée.

— Putain…, commenta Nick en admirant son travail.

Il rangea le bélier, les pinces et la chaîne brisée dans son sac avant de le rapporter à la voiture. Il n'y avait toujours personne dans la rue, pas la moindre silhouette derrière un rideau, suggérant qu'il y avait eu des témoins.

Il retourna à l'appartement et pénétra à l'intérieur. La pièce était un peu étouffante et sentait le café. Nick visita les lieux.

— Joli appart, se dit-il.

Il y avait des affiches de concert au mur ainsi que des étagères de vinyles et de CD partout. Un équipement audio dernier cri avec des enceintes dans toutes les pièces. Le mobilier était fonctionnel mais confortable. Un mug sale était posé dans l'évier, à côté d'une cafetière italienne. C'était dommage, mais le moment était venu de rendre à Pete Matthews la monnaie de sa pièce.

Nick commença par la cuisine. Il fit ce que Stephanie lui avait décrit. Il vida les placards et les tiroirs puis étala leur contenu sur le sol, dans tout l'appartement. Il ne cassa rien de façon délibérée mais se contenta de faire tomber les objets. Dans le salon, il fit valser les disques par terre puis marcha dessus, jubilant d'entendre les boîtiers se briser sous ses pieds. Dans la chambre, il jeta tous les vêtements de Matthews sur le sol et dans la salle de bains, il vida dans les toilettes les quelques produits qui s'y trouvaient.

Enfin, il appela Declan et lui dit :

— Vas-y.

C'était le signal dont ils étaient convenus pour que Declan appelle Matthews sur son portable en se faisant passer pour un agent de police blasé informant un citoyen qu'un cambriolage avait été signalé chez lui.

Matthews arriva vingt-cinq minutes plus tard et trouva Nick assis dans un fauteuil en train de lire le journal. Il s'arrêta net comme un personnage de dessin animé, les yeux écarquillés, bouche bée, figé sur place.

— Qu'est-ce que…, articula-t-il une fois l'étonnement passé.

— Dans mon métier, on appelle ça la justice réparatrice, lui dit Nick calmement en se levant. Ce n'est qu'un avant-goût. Vous vous approchez encore une fois de Stephanie Harker et ce qui vient d'arriver à votre appartement aura l'air d'un petit nettoyage de printemps, en comparaison.

Matthews regarda autour de lui, éberlué.

— Vous ne pouvez pas faire ça.

— C'est ni plus ni moins ce que vous, vous avez fait. Mais si ça devait se reproduire, je ne me ferais pas prier.

— Je vais vous dénoncer, cria-t-il. Vous êtes entré chez moi par effraction ! Vous avez saccagé mon appartement. Espèce de connard !

Nick esquissa un sourire dénué de gentillesse.

— Essayez, vous verrez où ça vous mène. Il vous manque ce qu'on appelle une preuve. Si on m'interroge, je dirai que je me trouvais dans le quartier et que j'ai aperçu quelqu'un s'enfuir. L'individu m'a paru suspect alors j'ai décidé d'enquêter.

Il haussa les épaules et enjamba les détritus pour gagner la porte.

Il entendit Matthews s'élancer derrière lui et fit un rapide pas de côté tout en tendant le bras vers l'arrière afin de frapper Matthews à la gorge. Ce dernier émit un son étranglé et bascula en arrière. Il atterrit sur une étagère vide et se cogna la tempe à l'angle du meuble. Il se mit à saigner.

— Je vous ai prévenu, lui dit Nick. Ne vous approchez plus d'elle, sinon vous le regretterez.

Il avait dû se faire violence pour agir ainsi, mais ça avait fonctionné. Quand il appela Stephanie quelques semaines plus tard, elle lui dit qu'elle n'avait plus entendu parler de Matthews.

Un peu plus tard, ils déjeunèrent ensemble à Brighton, comme convenu. Stephanie devait s'adapter à sa nouvelle vie avec Jimmy ; elle se sentait responsable de l'enfant, mais il était clair qu'elle appréciait beaucoup sa compagnie. Nick était sûr qu'elle allait s'en sortir avec le garçon et ça ne le gênait pas de fréquenter une femme qui avait un enfant. Il aimait bien Jimmy, même s'il trouvait qu'il avait été trop gâté. Stephanie semblait toutefois décidée à changer ça, peu à peu.

Malgré son enthousiasme, ils avaient pris leur temps, tous les deux. À présent, ils en étaient arrivés à un point où, aux yeux de Nick, ils formaient un vrai couple. Il aimait Stephanie. Mais il n'était pas sûr d'être prêt à partager sa vie avec quelqu'un. Quelle place resterait-il pour la musique s'il se mettait à vivre avec une femme et un enfant ?

Malgré ces questionnements, il voulait coûte que coûte retrouver Jimmy. Et en ce moment précis, il pensait qu'il avait plus de chances que Vivian McKuras de découvrir ce que fabriquait Pete Matthews à Detroit.

Nick fit démarrer sa voiture et prit la direction du commissariat. Il avait un coup de fil à passer et voulait le faire dans le calme, depuis son bureau. Si tout fonctionnait bien, l'affaire serait classée à l'heure du petit déjeuner. Et Stephanie lui serait très reconnaissante.

48

Stephanie baissa les yeux vers ses mains, les épaules voûtées. Son visage était devenu blême. Son teint avait perdu sa fraîcheur. Vivian eut l'impression que son témoin accusait le coup des événements de la journée. Il arrivait un moment où l'organisme était à court d'énergie. Elle devait décider du sort de Stephanie et ce, rapidement. Il n'y avait aucune raison de la garder ici. Elle était indéniablement témoin, mais rien ne laissait imaginer qu'elle allait fuir le pays ou refuser de coopérer lors de la suite de l'enquête. Vivian ne pensait pas que Stephanie était le genre de personne à se faire la malle dès qu'elle en aurait l'occasion.

Toutefois, il était clair que les médias allaient se jeter sur cette affaire, la presse anglaise en particulier. Vivian voulait protéger Stephanie de ça. Comme elle ne pouvait pas vraiment la mettre en garde à vue, la meilleure solution restait peut-être de lui prendre une chambre dans un hôtel proche, sous un nom d'emprunt.

— Comment vous sentez-vous ? demanda-t-elle.

Stephanie haussa les épaules.

— Épuisée. Je n'ai plus d'énergie, mais je suis trop inquiète pour dormir.

Ce n'était pas faute d'avoir envie de fermer l'œil. Elle savait qu'elle allait faire des cauchemars à cause de la disparition de Jimmy. Les images qu'elle avait dans la tête étaient déjà suffisamment affreuses.

— Pourquoi pensez-vous qu'on ait choisi d'enlever Jimmy ici, dans un aéroport américain ? lui demanda Vivian. Je continue de me poser la question. Ça me paraît être une complication inutile. Il aurait sans doute été plus simple de faire ça au Royaume-Uni, non ?

Stephanie passa la main dans ses cheveux.

— Je n'en sais rien... Peut-être que le ravisseur essaie de brouiller les pistes ?

— Comment ça ?

— Si Jimmy avait été enlevé au Royaume-Uni, les autorités se seraient concentrées sur un nombre restreint de suspects : ceux qui le connaissent, ceux qui ont une dent contre moi, ceux qui pouvaient facilement entrer en contact avec lui. Ici, on est forcé d'élargir les hypothèses. On se dit : « Attends, ça ne peut pas être aussi simple que ça, sinon pourquoi ne pas l'enlever au Royaume-Uni ? »

Avant que Vivian ne puisse répliquer, il y eut un bref coup sur la porte puis Don Abbott passa la tête dans l'entrebâillement.

— Désolé de vous interrompre de nouveau, dit-il. On peut se parler, agent McKuras ?

Vivian hocha la tête et sortit. Dès qu'elle eut refermé la porte derrière elle, elle haussa un sourcil interrogateur.

— Du nouveau ? demanda-t-elle avec hâte.

— Plus ou moins, répondit Abbott en se frottant les yeux. Crois-moi, la dernière chose que j'aurai envie de faire en rentrant ce soir, c'est de regarder la télé. J'ai les yeux qui brûlent, expliqua-t-il en esquissant un sourire fatigué. On a un peu avancé. On sait maintenant où il s'est changé. La salle de contrôle va t'envoyer un extrait de la vidéo de surveillance. Ils ont fini par trouver les toilettes dans lesquelles notre type a enfilé sa tenue d'agent de l'AST. Ensuite, ils ont dû s'emmerder à essayer de faire coïncider cette image avec tous les mecs qui sont entrés dans les toilettes. Je te le dis, Vivian, t'as peut-être l'impression d'avoir du pain sur la planche aujourd'hui, mais tu devrais remercier le ciel de ne pas avoir passé ta journée à regarder des vidéos jusqu'à ce que tes yeux sortent de leurs orbites.

— Je mesure les efforts que vous faites tous. Crois-moi. Est-ce que ça a abouti à quelque chose ?

Il hocha la tête.

— Le type est entré vêtu d'un tee-shirt et d'un pantalon noirs, coiffé d'une casquette de baseball et portant un petit sac à dos en nylon. Mais le truc, c'est qu'il porte une barbe et une moustache. Il ne ressemble absolument pas au ravisseur. Sauf qu'on ne le voit pas ressortir. C'est lui, Vivian.

Elle ressentit une pointe d'excitation dans la poitrine.

— C'est génial ! Il nous faut un agrandissement de cette image. Quelqu'un a forcément voyagé à côté de lui dans l'avion. On tient une vraie piste, maintenant. Et le sac à dos ? Qu'est-ce qu'il en a fait ? Est-ce que quelqu'un a vérifié les poubelles des toilettes ?

Abbott lâcha un soupir exaspéré.

— Il a effectivement laissé le sac à dos dans les toilettes. La mauvaise nouvelle, c'est qu'elles ont été nettoyées deux heures après son passage. Le sac poubelle est quelque part au milieu d'une montagne de déchets. Même si on était suffisamment nombreux pour passer ça au peigne fin, ce serait impossible de le relier au suspect, les empreintes sont détruites, à l'heure qu'il est. Ça ne nous servirait à rien. C'est fichu, Vivian.

— Merde. Est-ce que les gars de la salle de contrôle essaient de savoir de quel avion il a débarqué ?

— Oui, ils travaillent dessus en ce moment même. Mais à ta place, je n'en attendrais pas grand-chose. Tout ça a été bien organisé. Ce type n'a sûrement pas voyagé avec son vrai passeport. Il doit avoir de faux papiers. Ou une pièce d'identité volée.

— Je sais, mais c'est notre seule piste.

— Rien de neuf du côté du témoin ?

Vivian haussa les épaules.

— Quelques pistes potentielles. Mais rien de bien concret. Je vais lui demander de regarder la vidéo de télésurveillance pour voir si elle reconnaît quelqu'un. Ça ne devrait pas être très concluant, cependant.

49

Nick Nicolaides était prêt à parier qu'il avait un grand avantage sur ses homologues américains : ils ne connaissaient certainement pas aussi bien que lui le monde de la musique. Comme il était bon guitariste, il avait été engagé de temps en temps par des amis musiciens professionnels afin d'accompagner des groupes lors de sessions d'enregistrement et avait passé un certain nombre de soirées dans des cabines de régie à regarder travailler les producteurs et ingénieurs du son. Il était à l'aise dans leur monde. Il savait comment leur parler. Comment éviter de les braquer et gagner leur confiance.

Nick rapprocha de lui son téléphone à haut-parleur puis prépara son carnet et son stylo. Après une brève recherche sur l'ordinateur, il obtint les coordonnées de South Detroit Sound. C'était le début de la soirée là-bas. Il était probable que le groupe soit encore en train de travailler. C'était le moment de vérifier si Pete était encore avec eux ou pas. Nick composa le numéro et retint sa respiration.

L'homme qui décrocha avait un accent traînant et un ton sympathique.

— South Detroit Sound, bienvenue au royaume du son. En quoi puis-je vous aider ?

— J'espère que vous pouvez m'aider, répondit Nick de ce ton poli qu'ont les Britanniques et que les Américains trouvent irrésistible.

Il n'arrivait pas à parler comme les journalistes de la télévision, mais après tant d'années passées à Londres, il pouvait dissimuler assez bien son accent du Nord.

— Dites-moi ce que vous cherchez.

— Si je ne me trompe pas, un de mes amis travaille en ce moment avec les Style Boys. Pete Matthews ?

— Oui, je le connais. Il n'est pas là pour le moment. Ils ont pris un jour de repos. Mais vous pourrez le joindre demain, il sera là.

Un point pour Pete Matthews, songea Nick.

— Ah mince, je suis à Detroit pour la soirée, je prends l'avion pour St Louis demain matin.

— C'est dommage. Vous pouvez peut-être l'appeler pour lui proposer un rendez-vous.

— C'est ce que j'ai essayé de faire, mais apparemment, son portable britannique ne fonctionne pas. Je ne tombe même pas sur son répondeur. Est-ce que vous avez un autre numéro où je pourrais le joindre ?

— Oui, bien sûr, attendez, je reviens.

Nick pianota doucement sur le bureau, chantonnant Bert Jansch dans sa tête. Quelques instants plus tard, l'Américain revint et lui dicta un numéro de téléphone portable. Ça faisait deux points pour lui. Jusqu'ici, tout allait bien. Maintenant, il ne lui restait plus qu'à voir jusqu'où il pouvait aller.

— C'est super, merci beaucoup. Maintenant, est-ce que je peux vous embêter encore un moment ? Je n'ai presque plus de batterie et si je ne peux pas joindre Pete tout de suite, j'ai bien peur de le rater. Vous n'auriez pas son adresse, par hasard ? Si je n'arrive pas à le joindre, je pourrai toujours passer chez lui. Et s'il n'est pas là, lui laisser un mot.

Son interlocuteur ne répondit pas immédiatement.

— Ce serait dommage d'être ici et de ne pas le voir, insista Nick. Écoutez, je comprendrais très bien que vous ne vouliez pas me donner son adresse. Si je n'arrive pas à le joindre, je passerai au studio pour lui laisser un mot.

— Non, pas de problème, je vais voir si je l'ai.

Cette fois, l'attente fut plus longue. Et la voix qui reprit la parole à l'autre bout du fil avait un peu changé. Elle était plus ferme.

— Vous cherchez à joindre Pete, c'est ça ?

— C'est ça. On est de vieux amis.

— Vous le connaissez comment ?

— J'ai remplacé un guitariste sur le dernier enregistrement de Pill Brick, répondit-il sur le ton le plus détaché possible.

Il commençait à perdre espoir.

— On s'était déjà croisés avant ça, mais c'est là qu'on est vraiment devenus copains. Écoutez, si ça pose problème, je ne veux vraiment pas vous embêter.

— Non, c'est bon, je vous crois, répondit l'autre. Je ne pense pas que ça gênera Pete. Vous avez de quoi écrire ?

Et voilà. Trois points pour Nick. L'adresse de Pete Matthews. Une information concrète à transmettre à ses collègues sur le terrain.

*

Quand Vivian raccrocha, elle réprima l'envie de bondir de son siège et d'esquisser quelques petits pas de danse. Ce n'était pas vraiment l'attitude réglementaire quand on recevait une excellente nouvelle et qu'on travaillait pour le FBI, où taper dans la main d'un collègue pour le féliciter était tout juste acceptable. Même si Vivian avait fait de son mieux pour contenir sa joie durant sa conversation téléphonique, Stephanie avait semblé ragaillardie. L'agent du FBI sourit.

— L'inspecteur Nick Nicolaides se débrouille bien, dit-elle.

Voyant que Stephanie rougissait, elle ajouta :

— Sur le plan professionnel, je veux dire. Il a découvert une information capitale pour nous, Stephanie. Pete Matthews n'est pas à Londres. Il ne se trouve même pas au Royaume-Uni. Il est ici, aux États-Unis. Plus précisément à Detroit.

Elle se carra dans son siège, l'air à la fois soulagée et déterminée. Stephanie n'osait pas reprendre espoir.

— Je ne connais pas très bien la géographie américaine. Est-ce que c'est loin d'ici ?

— À environ cinq heures par l'autoroute.

Vivian se leva puis consulta sa montre.

— Si c'est Matthews qui a enlevé Jimmy, il a eu le temps de le ramener à Detroit et même de commander une pizza, à l'heure qu'il est.

— Je n'arrive pas à y croire, répondit Stephanie. Il y a quelques minutes, j'avais l'impression d'être en plein cauchemar. On n'avait aucune piste. Et maintenant... Est-ce qu'il pourrait vraiment avoir fait une chose pareille ? Tout ça parce que je lui ai dit non ?

Vivian lui répondit sur un ton rassurant :

— Ce n'est pas votre faute, Stephanie. Vous n'avez rien à vous reprocher dans toute cette histoire. C'est lui le coupable.

— Qu'est-ce qui va se passer maintenant ?

— L'inspecteur Nicolaides a été très efficace. Il a trouvé le numéro de portable et l'adresse de Matthews. Maintenant, je suggère qu'on prenne la route. Je voudrais que vous veniez avec nous, parce que si nous retrouvons Jimmy ce soir, comme je l'espère, c'est important que vous soyez là pour le rassurer.

Elle fit signe à Stephanie de se lever et de se préparer à partir.

— Lia, je sais que les affaires de Stephanie et Jimmy ont été fouillées. Est-ce que vous pouvez me les apporter dans mon bureau ? Il faut qu'on se mette en route le plus vite possible.

Lia Lopez fit une moue. Apparemment, elle n'appréciait guère qu'on lui confie des tâches aussi basses. Mais il n'y avait pas de temps à perdre. La vie d'un enfant était en danger. Elle poussa un petit soupir, saisit le sac de Stephanie puis sortit de la pièce avec une attitude qui trahissait son état d'esprit.

— Suivez-moi, dit Vivian en avançant dans le couloir, son téléphone à l'oreille. Abbott, on y va. J'ai une adresse pour notre suspect numéro un... Detroit. On se retrouve dans mon bureau. Tu conduiras, je vais avoir pas mal de coups de fil à passer... Oui, bien sûr. Merci.

Jusqu'à maintenant, Vivian avait seulement pu montrer qu'elle était douée pour mener des interrogatoires. Et elle l'était vraiment. Mais ce qu'elle préférait, c'était quand une situation commençait à se débloquer et qu'elle pouvait suivre son instinct pour plonger dans l'action. À présent, il fallait organiser les équipes, donner des directives et poursuivre cette enquête jusqu'à sa résolution. Et en prime, elle récolterait quelques lauriers. Ce n'était pas ce qu'elle recherchait dans ce métier, mais ça ne pouvait pas faire de mal.

Elles venaient d'arriver dans son bureau quand Abbott apparut, guilleret comme un gamin à la veille d'un départ en vacances. Vivian conduisit Stephanie à sa voiture puis elles se dirigèrent vers l'entrée du terminal, où Abbott attendait avec les bagages. Il les jeta à l'arrière du SUV, prit la place de Vivian derrière le volant puis mit les gaz en direction de l'autoroute.

— On ne devrait pas avoir de bouchons, dit-il en faisant ronfler le moteur et en signalant à la voiture devant eux de se rabattre sur le côté.

— Pourvu que ça dure, répondit Vivian avec son téléphone à la main.

Elle appela d'abord son chef. Elle lui résuma ce qu'ils savaient et où ils allaient.

— Je vais avoir besoin qu'une équipe de Detroit se rende sur place avant nous, pour préparer le terrain, dit-elle. Ainsi qu'une équipe technique. Il faut qu'on sache si Matthews est là-bas et si oui, s'il est seul. Il nous faudra peut-être un dispositif d'écoute… Oui, monsieur, cinq heures maximum. La mère est avec moi.

Elle raccrocha et poussa un gros soupir. Elle se retourna pour parler à Stephanie entre les deux sièges.

— Mon chef va avertir la branche locale du FBI et la police de Detroit. Ils vont aller voir si la maison est occupée. S'il y a quelqu'un, ils utiliseront un dispositif d'écoute et de reconnaissance thermique pour savoir combien de personnes se trouvent à l'intérieur et dans quelles pièces. Si on pense que Matthews est dedans avec Jimmy, on appellera l'unité d'élite du SWAT pour le secourir.

Vivian parlait rapidement, elle était sûre d'elle. Elle vit que cette confiance revigorait Stephanie, qui reprenait espoir.

— Tu as dit qu'on allait vers Corktown ? demanda Abbott sans quitter la route des yeux.

— Oui. Pourquoi ?

— Si on a besoin d'un point de rendez-vous, il y a un super restaurant de grillades là-bas.

Vivian leva les yeux au ciel.

— Il y a des choses plus importantes que ton estomac, Abbott.

— C'était juste une idée.

Stephanie s'éclaircit la voix.

— Je suis sûre que les grillades de Detroit sont très bonnes et je ne veux pas faire la difficile, mais si on fait cinq heures de route, je voudrais bien manger quelque chose. Je n'ai rien avalé d'autre qu'un cheeseburger froid.

— C'est une réclamation légitime, répondit Abbott. Dès qu'on voit une sortie avec des fast-foods, on ira s'approvisionner.

— Je suis désolée, Stephanie, s'excusa Vivian. J'aurais dû y penser.

— C'est le genre de choses qu'elle peut oublier quand elle est prise dans une enquête, commenta Abbott. On va vous donner à manger et à boire, et avec un peu de chance, vous pourrez serrer votre garçon dans vos bras ce soir.

50

Le gamin avait fini par s'endormir. Après que Pete l'avait giflé, il avait pleuré jusqu'à ce qu'il comprenne que ça ne servait à rien. À ce moment-là, il avait séché ses larmes et s'était recroquevillé dans un coin de son lit en gémissant doucement. Pete était resté debout à côté, l'air menaçant. Il n'avait pas eu besoin de prononcer le moindre mot pour terroriser l'enfant.

Il se dit que ce petit merdeux allait sûrement pisser dans son froc ; il le tira donc du lit pour l'emmener aux toilettes, sous les combles. Il baissa le pantalon du gamin et le fit asseoir sur la cuvette. D'abord, ce dernier ne réussit pas à faire pipi. Mais quand Pete détourna les yeux, dégoûté, un flot d'urine odorante et chaude jaillit. Il s'essuya maladroitement puis retourna dans son lit en courant avant que Pete ne puisse l'attraper. Il se blottit dans le coin, les yeux écarquillés, terrifié.

Pete verrouilla la porte et redescendit au rez-de-chaussée, où il sélectionna une liste de morceaux de Peter Gabriel sur son iPad. Il s'allongea sur le canapé et laissa la musique l'apaiser. Quand les premières notes de *My Body is a Cage* résonnèrent, il se redressa en position assise pour se concentrer sur les arrangements en se demandant s'il aurait fait les mêmes choix. Une fois le morceau terminé, il alla chercher la version qu'en avait faite Arcade Fire. Il l'écouta avec autant d'attention pour identifier les éléments qui rendaient l'original si fade, comparé à la reprise.

Il aurait bien aimé que Stephanie soit là avec lui. Il lui aurait expliqué en quoi de petites décisions pouvaient complètement changer un morceau. Mais elle n'était pas là et il n'arrivait pas à l'accepter.

Il prit une nouvelle bière dans le frigo avant d'aller jeter un œil au gamin. Cette fois, il était endormi, étalé en travers du lit, en train de sucer son pouce, les cheveux collés de sueur. Pete n'aimait pas qu'on envahisse son espace, mais ça n'allait pas durer longtemps. Après ça, il pourrait réfléchir à un moyen de recoller les morceaux avec Stephanie pour que les choses reprennent leur cours normal.

C'était ça qui comptait, pas ce petit emmerdeur qui dormait là-haut. Cela faisait trop longtemps que cette situation durait. Il était temps que tout rentre dans l'ordre.

Pete bâilla en se dirigeant vers sa chambre, à l'étage. Mieux valait se coucher tôt. Il avait peu dormi ces derniers temps et le groupe s'attendait à le trouver en forme le lendemain. Il but une dernière gorgée de bière et s'assit au bord du lit. Il enleva ses chaussures avant de s'allonger.

Bientôt, il serait de retour au Royaume-Uni, avec Stephanie à ses côtés. Bientôt.

51

Quand ils rejoignirent les agents du FBI de Corktown dans le motel qu'ils utilisaient comme QG, Stephanie ne savait plus depuis combien de temps elle était debout. Deux ou trois fois pendant le trajet, elle avait senti qu'elle sombrait dans des rêves étranges, mais elle s'était réveillée en sursaut avant de pouvoir s'assoupir pour de bon. C'était comme si son cerveau ne l'autorisait pas à décrocher tant que Jimmy n'était pas retrouvé. Son corps, lui, accumulait la fatigue. Sa jambe gauche l'élançait.

Vivian McKuras avait passé le trajet pendue au téléphone. Stephanie avait tenté d'écouter ses conversations, mais Vivian ne parlait pas très fort et le bruit du SUV ne lui avait pas permis de surprendre plus d'un ou deux mots.

Les panneaux indiquaient des noms qu'elle connaissait sans vraiment savoir pourquoi : Kalamazoo, Lansing, Ann Harbor. Peu après avoir dépassé Ann Harbor, Vivian se pencha vers elle pour lui parler. Même dans la faible lumière du tableau de bord, elle voyait que l'agent du FBI affichait un air satisfait.

— L'équipe sur place m'a donné des informations très prometteuses, a-t-elle annoncé.

— Est-ce qu'ils ont trouvé Jimmy ? demanda Stephanie qui se cramponna au siège pour éviter de trembler.

— Ils ont localisé la maison que loue Pete Matthews. C'est une maison… Comment vous dites vous, déjà, en Angleterre ? Une maison collée à celle du voisin ?

— Une maison mitoyenne.

Vivian hocha la tête.

— C'est ça. Bref, Matthews vit là-bas. Il ne travaillait pas aujourd'hui. Le groupe qu'il enregistre a pris un jour de repos. Nous avons interrogé les voisins et demandé leur aide. Grâce à la thermographie et à des micros ultrasensibles, nous avons établi qu'il y avait deux personnes dans la maison. L'une au premier étage, l'autre dans le grenier. Je ne veux pas vous donner de faux espoirs, mais l'une des voisines a cru entendre un enfant pleurer plus tôt dans la soirée. Vers vingt heures.

— Jimmy ! s'écria Stephanie.

— Nous n'avons aucun moyen de savoir avec certitude s'il s'agit de Jimmy. Mais la voisine a dit que c'était la première fois qu'elle entendait un enfant dans la maison. Je dois dire que… c'est une sacrée coïncidence.

— S'il y a un enfant avec lui, c'est sûrement Jimmy, non ? Il aurait eu le temps de faire l'aller-retour, a répondu Stephanie en criant presque d'excitation.

— Oui, il aurait eu le temps. Mais je préfère vous prévenir, Stephanie : on n'a aucun moyen de savoir si cet enfant est bien Jimmy tant qu'on n'est pas entrés dans la maison pour le récupérer. Maintenant je dois vous poser une question très importante : est-ce qu'à votre avis, Pete Matthews est susceptible d'être armé ?

En entendant cette question, Stephanie sentit son cœur se serrer.

— Qu'est-ce qui vous fait penser ça ? Il n'a jamais montré le moindre intérêt pour les couteaux, les armes à feu, ce genre de choses. Il n'aime même pas les films d'action.

— Je suis obligée de vous poser la question. Nous allons envoyer une équipe à l'intérieur de cette maison et nous devons nous préparer à toutes les éventualités. Vous êtes sûre qu'il ne porte pas d'arme quand il voyage ? Dans ce pays, ce n'est pas très difficile de se procurer des armes si on est prêt à enfreindre la loi.

Stephanie secoua vigoureusement la tête.

— Non, c'est impossible. Ça ne lui viendrait jamais à l'esprit. Je ne sais pas comment vous faire comprendre ça, mais même s'il m'a menacée et qu'il m'a vraiment fait peur, ce n'est pas le genre d'homme à réagir de façon violente. Pendant tout le temps où je l'ai fréquenté, il ne s'est jamais battu dans un pub ou immiscé dans une bagarre. Il méprise la violence. C'est quelqu'un qui aime manipuler, pas se battre.

Vivian lui tapota le bras.

— C'est bon à savoir, je vais le dire à mes collègues.

— Qu'est-ce qui va se passer maintenant ?

— Nous avons une équipe qui surveille la maison. Nous allons rencontrer le chef d'équipe qui va mener l'intervention afin qu'il vous rassure sur le fait que Jimmy sera en sécurité. Ensuite, il ne nous restera plus qu'à attendre. Don va rester avec vous ; moi, j'irai avec l'équipe d'intervention. Tout va bien se passer.

C'était difficile à croire, mais Stephanie s'accrocha à cette parole.

Le motel était silencieux. Le réceptionniste paraissait blasé, comme s'il était habitué à voir le FBI préparer des opérations majeures sur son lieu de travail. Il leur indiqua une petite salle de réunion au bout du couloir, où deux hommes attendaient. Stephanie eut l'impression d'être tombée dans une dimension parallèle et d'avoir atterri dans le décor de *Die Hard*. Les deux hommes étaient grands et larges d'épaules, portaient des treillis noirs, des gilets pare-balles et des ceintures utilitaires qui auraient fait honte à Batman. Ils avaient tous les deux la mâchoire carrée et regardaient droit devant eux. La seule chose qui les différenciait, c'était leur coiffure. L'un était roux et avait une coupe à la mode, l'autre avait le crâne rasé de si près qu'on ne pouvait pas déterminer sa couleur de cheveux. Deux casques étaient posés sur la table de la salle de réunion. Les hommes se présentèrent mais Stephanie n'y prêta aucune attention. Tout ce qui lui importait à présent, c'était de ramener Jimmy. Elle le sentait presque déjà dans ses bras.

Les agents commencèrent à discuter de l'opération, mais elle ne suivit pas la conversation. Au bout de quelques minutes, elle les interrompit :

— Est-ce que je peux vous accompagner vers la maison ? Je promets que je ne vous embêterai pas. Mais je veux que Jimmy soit le plus en sécurité possible. J'aimerais être là quand vous le ferez sortir.

— C'est hors de question, madame, a répliqué le rouquin.

Elle eut une idée.

— Vous aurez besoin de moi si jamais ça tourne à la prise d'otage, suggéra-t-elle habilement. Ce serait plus rapide si j'étais déjà sur place.

Vivian esquissa un sourire.

— Elle n'a pas tort. Emmenons-la avec nous.

Les hommes en noir réfléchirent un instant. Ils ne paraissaient pas enchantés, mais ils finirent par accepter. Stephanie resterait dans l'un des véhicules de l'équipe.

Contente d'elle, elle leur emboîta le pas vers le parking. Après avoir parcouru environ huit cents mètres, ils se garèrent derrière une camionnette anodine. Les deux hommes sortirent et disparurent dans la nuit tandis que Vivian frappait à la porte du véhicule. Elle montra sa carte d'identité puis monta, suivie de Stephanie. Deux hommes et une femme avaient les yeux rivés sur une série d'écrans, entourés de tout un équipement de communication, casque sur les oreilles. Quand Vivian expliqua qui était Stephanie, la femme lui grogna un « bienvenue » et indiqua du pouce un strapontin à l'autre bout de la camionnette.

— Asseyez-vous là. On accepte que vous restiez, mais faites-vous toute petite.

Stephanie obéit. Les écrans montraient des images que n'importe quel téléspectateur ayant déjà regardé des séries policières connaissait : une jolie rue aux maisons de briques mitoyennes éclairée par des lampadaires ; l'avant et l'arrière d'une habitation en particulier ; l'image thermique multicolore montrant un intérieur avec deux formes indistinctes ; un écran où l'on voyait des hommes préparer leurs armes et leur équipement de protection, enfiler des masques à gaz et des lunettes. Ces images provenaient clairement de caméras fixées sur leurs casques. Ils en étaient sûrement tous équipés.

— Attendez, ordonna la femme.

Le kaléidoscope d'images fut remplacé par une seule vue : celle de la véranda, à l'entrée de la maison. Puis la femme lança tout à coup :

— Go !

À ce moment-là, tout se passa comme dans un film, à la différence qu'il n'y avait aucune bande-son. Les portes avant et arrière s'ouvrirent d'un coup et une grenade à main roula sur le sol de l'entrée. Les hommes pénétrèrent à l'intérieur par l'avant et l'arrière de la maison. Stephanie imagina le raffut, la fumée, les odeurs, le choc que ça devait être. Jimmy allait être terrifié. Pete aussi. Cette pensée-là la fit sourire.

Ils gravirent l'escalier bruyamment pour atteindre une première chambre. À travers un voile de fumée, elle aperçut Pete serrant la couverture sur sa poitrine, ouvrant et fermant la bouche pour pousser des cris qu'elle n'entendait pas. Fascinée, elle les vit le traîner hors de son lit, nu, et le jeter au sol, leurs armes pointées sur sa tête. Ils lui passèrent les menottes avant de le remettre debout.

L'image changea : elle les vit gravir un autre escalier. Dans un coin de la chambre, on distinguait une petite forme recroquevillée. L'un des hommes s'avança et prit un enfant dans ses bras. Tout ce que Stephanie aperçut, c'était des cheveux bruns ébouriffés et un petit bras qui s'agrippait au cou de l'agent du FBI. Cela lui suffit.

Avant que quiconque ne puisse l'arrêter, elle ouvrit la porte de la camionnette et se précipita dans la rue. Elle n'avait qu'une chose en tête : trouver la maison qu'elle avait vue sur les écrans. Elle avança en courant, les larmes coulant sur ses joues, un sourire radieux aux lèvres. Alors qu'elle approchait, l'agent qui portait l'enfant sortit sur le perron et descendit les marches qui menaient vers la rue.

Stephanie se jeta sur lui et repoussa les couvertures qui dissimulaient le visage de l'enfant. Elle plongea son regard dans ces grands yeux noisette, emplis de peur et d'effarement. Mais au lieu de le prendre dans ses bras, Stephanie recula d'un pas, horrifiée.

Elle ne savait pas qui était ce garçon, mais ce n'était pas Jimmy.

Partie 3

LA POURSUITE

1

Aéroport de Heathrow, Londres, trois jours plus tard

Stephanie souleva ses deux valises du carrousel à bagages avant de se diriger vers la porte indiquant « Rien à déclarer ». Elle s'apprêtait à la franchir quand un homme en costume se planta devant elle.

— Mademoiselle Harker ? Mademoiselle Stephanie Harker ?

Pas une nouvelle fois. Pas maintenant.

— Oui, c'est moi, répondit-elle en articulant à peine tellement elle était épuisée.

— Si vous voulez bien venir par là ? lui demanda-t-il en indiquant la salle à bagages derrière elle.

— Qui êtes-vous ?

— Je fais partie du service d'immigration. Vous voulez bien me suivre ?

— Est-ce que j'ai le choix ?

Elle avait posé cette question juste pour la forme et il le savait. Stephanie fit demi-tour pour le suivre et franchit une porte qui menait à un autre couloir. Cet environnement lui donnait la nausée. À quoi avaient servi toutes ces heures passées en compagnie de Vivian McKuras ? À mettre tout le monde dans l'embarras et à faire triompher Pete Matthews qui avait clamé qu'il allait poursuivre le FBI en justice et que ça allait leur coûter très cher.

L'homme ouvrit la porte et fit un pas de côté pour la laisser passer. Et là, pour la première fois depuis des jours, le visage de Stephanie s'éclaira. Parce que ce n'était pas un étranger qui était assis dans la petite pièce. C'était Nick Nicolaides. Quand elle entra, il bondit sur ses pieds et la serra fort contre lui, sa main caressant ses cheveux pour la réconforter. Il posa sa tête sur la sienne et lui dit :

— Je suis désolé, ma chérie. Pour toi, pour Jimmy, je suis désolé que tu aies dû surmonter ça toute seule.

Stephanie ferma les yeux et respira son odeur si particulière. Même au sortir de la douche, Nick avait toujours une odeur qui n'était qu'à lui. C'était le plus grand réconfort qui soit. Pendant trois jours, elle s'était sentie déconnectée de sa vie, sans rien à quoi se raccrocher si ce n'est la tristesse et l'angoisse.

— Merci, murmura-t-elle.

Ils restèrent serrés l'un contre l'autre, sans dire un mot, pendant un long moment. Puis Stephanie lui donna une toute petite tape sur l'épaule et ils s'écartèrent l'un de l'autre tout en se tenant par la main, comme s'ils ne pouvaient pas se lâcher.

— Merci d'être venu me chercher, lui dit-elle.

— J'ai dit à mon chef qu'il te fallait une escorte policière et il était d'accord.

Elle lâcha un petit rire sans joie.

— Bonne excuse.

Il esquissa une grimace.

— Ce n'est pas qu'une excuse, Steph. Il y a une horde de journalistes qui t'attend. Tu ne peux pas le savoir, mais l'enlèvement de Jimmy fait la une des infos depuis trois jours. Et tout le monde veut entendre ta version des faits. Alors je suis venu pour te faire sortir en toute discrétion.

Elle grogna et reposa sa tête contre sa poitrine.

— Ça signifie que je ne peux pas rentrer chez moi, j'imagine ?

— Sauf si tu as envie d'avoir les médias sur ton perron du matin au soir, lui répondit-il avant de détourner les yeux. Tu peux venir chez moi. Tu es la bienvenue. Et si tu veux être seule, je peux dormir chez un copain.

Cette fois-ci, le sourire qu'elle esquissa était chaleureux. L'appartement de célibataire de Nick était loin d'être idéal pour deux, mais c'était le dernier de ses soucis.

— Je ne pourrais pas rêver mieux, dit-elle. Et je n'ai pas envie d'être seule, mais merci d'avoir proposé. J'ai été suffisamment seule ces trois derniers jours.

— Parfait, alors. Viens, il faut qu'on y aille. On pourra discuter dans la voiture.

Dix minutes plus tard, ils étaient en route pour Londres sans le moindre journaliste en vue.

— Je parie que ça a été l'horreur là-bas, commenta Nick. Tout le monde a dû chercher à faire porter le chapeau à son voisin.

— Le problème, je crois, c'est qu'il n'y a personne pour porter le chapeau. Personne n'est vraiment responsable de ce qui s'est passé. C'était juste une coïncidence bizarre.

Tellement bizarre qu'il avait fallu des heures pour la débrouiller. Des heures pendant lesquelles Pete avait répété en hurlant qu'il n'était pas pédophile, que cet enfant n'était pas son fils, qu'il n'était qu'un putain de babysitter. Alors qu'il se trouvait à l'autre bout du couloir dans les locaux du FBI de Detroit, elle avait pu l'entendre beugler comme un animal pris au piège.

Quand elle émergea, la vérité s'avéra toute bête : pendant qu'il était à Detroit, Pete était sorti avec Maribel, la réception-niste du studio d'enregistrement. Quand ils passaient la nuit ensemble, c'était généralement chez elle parce que c'était plus pratique que de trouver une babysitter pour Luis, son fils de six ans. Mais sa mère, qui vivait plus au nord à Traverse City, avait été hospitalisée d'urgence et Maribel avait demandé à Pete de lui rendre un service. Elle ne lui avait pas laissé le choix et lui avait confié l'enfant et les clés de chez elle. Pete avait préféré retourner chez lui, où la télé et la chaîne hi-fi étaient de meilleure qualité, et où Luis pouvait dormir dans la chambre d'amis. Voilà qui avait expliqué les pleurs entendus par la voi-sine et la présence de deux personnes sur l'image thermique.

Le lendemain, les enquêteurs n'avaient pas cessé de retracer le cours des événements pour comprendre où ils s'étaient trompés. Bien entendu, les médias s'étaient emparés de l'affaire et l'avaient tournée en ridicule. Au beau milieu de tout ça, Stephanie avait répété à qui voulait bien l'entendre qu'ils devaient redoubler d'efforts pour trouver Jimmy. Une fois que Vivian en eut terminé avec l'enquête interne, elle lui assura qu'ils faisaient tout ce qui était en leur pouvoir pour retrouver sa trace, mais qu'ils n'avaient aucune piste.

— Nous savons maintenant que le ravisseur est arrivé à O'Hare depuis Atlanta. Mais c'est un gros aéroport. Il a pu venir de n'importe où. Soit il est sorti du pays avec l'enfant, soit ils ont disparu dans la nature.

Vivian semblait soucieuse. Elle s'inquiétait sans doute pour sa carrière, songea Stephanie.

Elles entreprirent de visionner une fois de plus la vidéo montrant l'homme barbu qui s'était fait passer pour un agent de l'AST. Stephanie ne savait pas qui c'était.

— N'importe qui pourrait se cacher derrière cette barbe, expliqua-t-elle.

— Et sa démarche ? J'ai l'impression qu'il boite, non ?

Stephanie secoua la tête. Elle avait passé des mois à faire de la rééducation après son accident pour réapprendre à marcher correctement. Elle savait distinguer le vrai du faux dans ce domaine.

— Il le fait exprès, pour dissimuler sa démarche. Ce n'est pas régulier. Là, vous voyez ? Il se décale pour laisser passer cette petite fille qui court et il oublie de boiter. Il se reprend aussitôt, mais je pense qu'il fait semblant.

Voilà où elles en étaient restées. Sans aucune piste, il n'y avait plus qu'à attendre de voir ce qu'allait donner l'Amber Alert. Au départ, ils n'avaient pas voulu que Stephanie quitte le pays, mais Nick avait parlementé avec le supérieur de Vivian. Il lui avait répété qu'avant tout, Stephanie était une victime. Qu'elle était une honnête citoyenne et qu'elle reviendrait volontiers témoigner devant un tribunal américain le cas échéant. Qu'ils n'avaient aucune raison de la retenir et, à moins de l'envoyer à Guantánamo Bay, ils avaient tout intérêt à la renvoyer chez elle. Les yeux de Vivian avaient brillé de malice quand elle avait rapporté à Stephanie que Nick avait mentionné Guantánamo. Cette dernière en avait conclu que l'agent du FBI n'appréciait guère le concept de la détention légalement douteuse.

Aujourd'hui, elle se sentait étrangement démunie, même si Jimmy n'avait été sous sa tutelle que depuis neuf mois. Pas suffisamment longtemps pour aller au bout de la procédure d'adoption. Son prochain rendez-vous avec l'assistante sociale s'annonçait intéressant : « Désolée, il semblerait que j'aie égaré l'enfant... »

— Il y a un bon côté, dit Stephanie.

— Ah bon ? Je suis impressionné que même une optimiste comme toi puisse trouver un bon côté à cette situation, répondit Nick.

— Je crois que Pete a fini par comprendre que ça ne vaut pas le coup de me courir après.

Même de profil, elle vit qu'il affichait un air sceptique.

— J'espère que l'avenir te donnera raison.

Nick avait rempli le frigo de fruits, salades, fromage et viande froide. La corbeille à pain débordait de ciabattas, bagels et croissants. Et Stephanie savait qu'elle pourrait boire autant de café qu'elle en avait envie. La nourriture et la boisson étaient, en dehors de la guitare et des concerts, les seules extravagances de Nick. Mais ce qu'elle voulait, plus qu'un repas, c'était une longue douche chaude. Le FBI l'avait installée dans une maison sécurisée qui leur servait autant à la protéger qu'à la surveiller. Elle n'y avait pris que des douches rapides en camouflant son corps comme une adolescente après le cours de natation.

Quand elle émergea de la salle de bains, elle se sentait presque normale. Nick avait sorti de quoi manger et elle se prépara un sandwich avec du ciabatta, du houmous, du maïs et des tomates séchées. Ils s'installèrent au bar de la cuisine avec leurs sandwichs et leurs cafés. Il n'y avait pas d'autre endroit pour manger dans l'appartement ; le salon, d'où l'on pouvait jouir d'une vue imprenable sur le bassin de Paddington et l'ouest de Londres, n'était confortable que si on était une guitare. Ou un guitariste.

— Comment ça se passe, maintenant ? Tu continues de travailler avec le FBI ? demanda-t-elle.

Nick poussa un soupir qui sentait le café.

— En théorie, oui. Mais ils ne sont pas très impressionnés par nos compétences, ajouta-t-il avec un sourire amer.

— Ce n'était pas ta faute.

— Non, mais je suis suffisamment loin pour servir de bouc émissaire. Ils ne nous disent pas grand-chose. Ils nous tiennent informés de toutes les fausses pistes, mais ne disent rien en ce qui concerne les pistes crédibles.

— Peut-être qu'ils n'en ont pas. Puisque les ravisseurs ne se sont pas manifestés, c'est difficile de retrouver leur trace.

Ses propres paroles la découragèrent. Elle repoussa son sandwich. Elle n'avait plus faim.

— J'ai reçu un message de Vivian me demandant si je pouvais chercher dans notre système l'identité d'emprunt avec laquelle il a voyagé. Il s'est fait passer pour un certain William Jacobs, mais ça n'a rien donné, ni de leur côté ni du nôtre. C'est encore une impasse.

Nick mordit dans un bagel garni de beurre de cacahuètes et de fromage à tartiner et mâcha si vigoureusement qu'elle vit les muscles de sa mâchoire saillir.

— Est-ce que je peux faire quoi que ce soit pour me rendre utile ?

— Techniquement, on ne peut rien faire d'ici, à moins qu'on nous demande officiellement notre aide.

— Même si Jimmy est un citoyen britannique ?

Avec Nick, Stephanie n'avait pas peur d'exprimer son indignation.

— C'est compliqué. On peut leur proposer de collaborer avec eux, ce que nous avons fait, mais tant qu'ils ne formulent pas de demande spécifique, on ne peut pas intervenir puisque ce n'est pas notre juridiction.

— Si c'était ton enquête, tu ferais quoi ?

Nick repoussa les cheveux de son front et réfléchit.

— J'analyserais le crime en lui-même et j'éliminerais tous les facteurs extérieurs pour essayer de comprendre ce qui s'est vraiment passé.

— Comment ça ?

— Je laisserais de côté l'émotion que suscite toujours un enlèvement d'enfant. Je me concentrerais uniquement sur le kidnapping en lui-même.

— Je ne suis toujours pas sûre de comprendre.

Nick regarda au loin pour réfléchir au meilleur moyen de lui expliquer son idée. L'une des choses qu'elle aimait vraiment chez lui, c'était qu'il ne se servait pas de son intelligence pour l'intimider ou lui donner l'impression qu'elle était stupide. Il voulait partager, pas dominer.

— Tu comprendras peut-être mieux si on se pose les questions ensemble : Qu'est-ce qui s'est passé ? Un enfant a été kidnappé. Est-ce qu'il s'agit d'un acte spontané, opportuniste ?

— Non, à l'évidence.

Stephanie se résigna à jouer les sergents un peu simplets.

— Est-ce que c'était prévu mais aléatoire ? En d'autres termes, est-ce que l'enlèvement était planifié, mais que la victime a été choisie au hasard ?

Stephanie fronça les sourcils.

— C'est difficile de répondre à ça.

— Mais je pense qu'on peut parvenir à trouver une réponse. Le milieu de l'après-midi, c'est loin d'être l'heure de la journée où l'aéroport est le plus fréquenté. Il y a moins de voyageurs, donc notre faux agent de l'AST avait plus de chances de se faire démasquer. Parmi ces voyageurs, je doute qu'ils étaient nombreux à être accompagnés d'enfants. Cela limite le nombre de cibles. Si l'on calcule le pourcentage de voyageurs adultes susceptibles de déclencher les détecteurs à métaux, les probabilités diminuent encore. Si on voulait enlever un enfant, n'importe lequel, il y aurait de bien meilleures options. Par ailleurs, ce type est arrivé d'Atlanta. D'un aéroport qui est, si je comprends bien, à peu près aussi important que celui d'O'Hare. Pourquoi s'embêter à se déplacer pour commettre un acte qu'il aurait très bien pu faire là-bas ?

Il cogna sa tasse contre celle de Stephanie pour trinquer, fier de sa démonstration logique.

— Ce n'était donc pas un hasard, conclut-elle.

— Dans ce cas, c'était un acte destiné à enlever Jimmy ou à te faire du mal. On va y revenir dans un instant. Avant ça, j'ai besoin de savoir qui était au courant des détails de ce voyage.

Stephanie parut abasourdie.

— Personne ne connaissait les étapes du voyage en détail. Il y a des gens qui savaient que je partais en vacances, bien sûr, et qui connaissaient les dates. Mais pas les horaires des avions ni les numéros de vol.

— Ok. Alors qui savait que tu partais en voyage ?

— Maggie, évidemment. Mon avocat, parce que j'avais besoin d'un document du tribunal m'autorisant à sortir du pays avec Jimmy. Mon équipe de quiz, au pub. Mon groupe de lecture.

— Et moi, lui rappela Nick.

— C'est vrai, j'oubliais que tu es sûrement de mèche avec ce gang international de ravisseurs, gloussa Stephanie. C'est pour ça que tu m'as attirée dans ton lit, ça faisait partie de ton affreuse machination.

— T'as mis du temps à le comprendre. Blague à part, tous ces gens auraient très bien pu en parler à d'autres gens.

— Mais pourquoi ? Je n'imagine pas mes copains du pub chercher un type louche pour lui glisser à l'oreille : « Stephanie Harker emmène son fils aux États-Unis dans une semaine. »

— Quelqu'un qui aurait l'intention d'enlever Jimmy pourrait faire en sorte de se rapprocher de toi. Ou se mettre à fréquenter le pub les soirs de quiz.

Stephanie poussa un soupir.

— C'est vraiment peu probable. Et s'il voulait à ce point enlever Jimmy, pourquoi ne pas le faire ici ? Je suis sûre qu'il doit y avoir des occasions, dans la cour de l'école, ou quand je vais au parc avec lui. Pourquoi se compliquer la vie ?

Nick se gratta le menton.

— C'est une question intéressante. Et je n'ai pas de réponse.

— Moi j'en ai peut-être une, reprit-elle lentement. Tu ne fréquentes pas exactement le même milieu que moi, ce qui expliquerait que tu n'y aies pas pensé. Mais la plupart de mes clients sont célèbres et on les reconnaît partout où ils vont. Au supermarché, dans la rue, au club de sport. Si le ravisseur est connu du grand public, ce serait logique qu'il essaie d'enlever Jimmy en dehors du Royaume-Uni.

Nick afficha un sourire.

— Mais oui ! C'est tout à fait plausible ! Tu as raison, je n'aurais jamais pensé à ça. Alors gardons ça dans un coin de notre tête. Revenons en arrière : comment as-tu organisé ton voyage ?

— J'ai réservé les vols directement auprès de la compagnie aérienne, le logement via un site de location de particuliers recommandé par Maggie et la voiture sur un site de location de véhicules qui fonctionne en continu.

— Tu as donné à ce site les détails de ton vol ?

— Seulement celui en provenance de Chicago.

Nick hocha la tête d'un air impatient.

— Mais pour quelqu'un qui savait que tu partirais du Royaume-Uni, ça n'était pas trop difficile de supposer l'heure approximative à laquelle tu passerais le contrôle de sécurité. Est-ce que tu as un compte sur ce site de location de véhicules ?

— Oui, je l'ai depuis des lustres. Je l'utilise tout le temps. C'est super pour partir en week-end. On devrait se faire ça, un de ces quatre.

Elle se sentit rougir. Leur relation était encore suffisamment récente pour que cette proposition lui paraisse audacieuse parce qu'elle signifiait un certain degré d'engagement.

— Oui, ce serait bien. Est-ce que j'ai raison de croire qu'à peu près tout ton entourage est au courant que tu utilises ce site ?

— J'imagine. Je n'y ai jamais vraiment réfléchi.

— Et quel est ton mot de passe ?

— Dignan97. C'est le premier contrat que j'ai décroché en tant que nègre, et l'année à laquelle je l'ai eu.

— Et tous ceux qui te connaissent seraient capables de le deviner.

Il mordit dans son sandwich avec appétit. Stephanie se sentit tout à coup mal à l'aise.

— Personne de ma connaissance ne serait impliqué dans un truc pareil.

— Tu as cru que Pete l'était, pourtant, répliqua Nick la bouche pleine.

Il y eut un long silence.

— Je n'ai pas l'habitude de me faire des ennemis, reprit-elle. À part Pete, je ne vois pas qui j'aurais pu me mettre à dos au point de provoquer une réaction de ce type. Je veux dire, quand j'agace quelqu'un, c'est généralement parce que je refuse un projet. Et ça reste strictement professionnel, expliqua-t-elle.

Elle était fâchée que Nick puisse imaginer son entourage peuplé de gens revanchards et furieux.

— Je ne voulais pas suggérer que tu blessais les gens autour de toi, dit-il. Mais il y a beaucoup d'esprits tordus dans ce monde. Des gens bizarres qui n'envisagent pas les choses comme nous. Qui voient des insultes et des provocations partout. Ce n'est pas impossible que ce genre de personnes ait réussi à s'infiltrer dans ta vie.

Stephanie soupira.

— C'est horrible d'imaginer ça. Je n'ai pas envie de commencer à soupçonner mes amis d'avoir participé à un crime aussi grave.

— Non, ça ne fait envie à personne. Mais quelqu'un est coupable, Steph. Quelqu'un a enlevé Jimmy. Et je crois que nous avons encore toutes les chances de le retrouver vivant. C'est l'autre bonne nouvelle du jour : puisqu'il a été spécifiquement choisi, je pense qu'il est hautement improbable que ce soit l'œuvre d'un meurtrier pédophile. Pour ces gens-là, n'importe quel gosse fait l'affaire. Pour celui qui a enlevé Jimmy, son identité est importante.

— C'est pour ça que j'ai pensé un moment à Megan, la fan obsessionnelle. Je sais bien que tu m'as dit qu'elle n'avait rien à voir là-dedans, mais il y a forcément d'autres fans de Scarlett que nous ne connaissons pas.

— C'est pourquoi je m'intéresse aux gens que tu as rencontrés il y a relativement peu de temps. S'ils considèrent Jimmy comme une extension de Scarlett et qu'ils te voient comme un moyen d'accéder à lui, ils auraient pu pirater ton compte de location de véhicules et découvrir les détails de ton voyage. Ils auraient eu le temps de s'organiser.

Stephanie se leva pour se resservir du café.

— Cette idée me répugne. Penser que quelqu'un ait pu s'introduire dans notre vie pour m'enlever Jimmy... c'est vraiment ignoble, Nick.

Il évita son regard quand elle se rassit. Elle supposa qu'il ne savait que trop bien de quoi les hommes étaient capables et qu'il s'attendait à tout.

— C'est ignoble, en effet. À part toi, quelles étaient les personnes les plus proches de Jimmy ?

— Marina, tout d'abord. Elle s'est occupée de Jimmy depuis le début. Scarlett lui déléguait toute la logistique. Elle était vraiment la maîtresse de maison, dit Stephanie en mordant dans son sandwich. Et Leanne, je suppose.

Nick fronça les sourcils.

— Rappelle-moi l'histoire de Leanne.

Stephanie lui raconta tout depuis le début : son activité de double, sa langue bien pendue, son exil en Espagne, sa dernière dispute avec Scarlett au sujet de Jimmy, son refus d'assister à l'enterrement. Nick écouta attentivement. Puis il posa une question en choisissant soigneusement ses mots :

— T'es en train de me dire qu'elle aurait voulu avoir la garde de Jimmy ?

— Je ne crois pas qu'elle le voulait vraiment. De ce point de vue, elle était comme Chrissie et Jade. Elle voyait ça comme un moyen de mettre la main sur la fortune de Scarlett. Elle avait déjà une maison et un boulot, mais elle en voulait plus. Elle adorait sa vie en Espagne ; s'occuper d'un enfant, ça lui aurait fait un sacré changement. À tous points de vue.

— On devrait quand même vérifier ce qu'il en est. T'as ses coordonnées ?

Stephanie hocha la tête.

— Je lui ai pas parlé depuis qu'elle a claqué la porte pour repartir en Espagne, mais je pense pas qu'elle ait déménagé. Elle était super bien installée, là-bas.

Nick eut l'air un peu inquiet.

— Tu l'as pas appelée à la mort de Scarlett ? Tu ne lui as pas demandé de venir aux obsèques ?

— C'est Simon qui lui a parlé. J'ai voulu le faire, mais tout était tellement chaotique que je ne l'ai pas fait. Elle m'a envoyé une carte de vœux. Elle disait qu'elle s'amusait bien et que je devrais lui rendre visite.

Nick hocha la tête lentement.

— Tu sais quoi, Steph ? Je crois que toi et moi, on devrait s'offrir un petit week-end en Espagne.

Elle savait ce qu'il avait derrière la tête et, même si ça la mettait mal à l'aise, elle ne pouvait pas lui en vouloir. Une fois qu'il aurait rencontré Leanne, il comprendrait qu'organiser un enlèvement aussi compliqué et délicat, ce n'était tout simplement pas son genre.

Il s'en rendrait compte, forcément.

2

À la sortie de l'aéroport de Málaga, ils eurent l'impression de pénétrer dans une fournaise. La chaleur sèche coupa presque le souffle de Stephanie. Quand ils montèrent dans leur voiture de location, ils mirent la climatisation à fond. Sa robe lui collait au dos et la sueur dégoulinait du front de Nick. Son physique à lui était plus adapté au soleil méditerranéen qu'à la grisaille anglaise ; elle se demanda si cette réflexion pouvait être taxée de raciste. Peu importait. Elle le trouvait beaucoup plus séduisant avec sa chemise en lin blanc et son bermuda, une paire de lunettes de soleil sur la tête. Alors qu'elle, elle devait sans doute être toute rouge et suintante.

Grâce à Google Map, ils avaient facilement repéré la route qui menait chez Leanne, au pied des collines, le long de la côte. Nick avait estimé que le trajet prendrait une demi-heure. Stephanie, qui avait passé un peu de temps en Espagne pour interviewer un golfeur, un acteur de série à la retraite et un comique, jugeait qu'il leur faudrait pas loin d'une heure, vu l'état des routes et le nombre de touristes. Au moins, le paysage serait joli une fois qu'ils auraient quitté les abords de l'aéroport.

La villa que Scarlett avait offerte à Leanne se situait au bord d'une route tranquille, dans un quartier qui s'était manifestement développé autour d'un vieux village. Les quelques rues abritant d'anciennes bâtisses étaient encerclées par des maisons d'un blanc éclatant avec des toits de tuile. Stephanie aperçut les reflets turquoise de quelques piscines tandis qu'ils approchaient de leur destination. C'était un petit coin cossu, assoupi dans la chaleur du matin.

Le portail de la maison de Leanne était ouvert, ce qui ne surprit pas Stephanie. Après tout, Leanne possédait un salon de manucure, même si rien ne l'indiquait. Peut-être qu'elle cherchait à échapper au fisc et qu'elle travaillait au noir en comptant sur le bouche-à-oreille. Ils se garèrent à côté d'une Mercedes Classe A gris métallisé. Ils avaient décidé de ne pas la prévenir de leur venue afin de la prendre par surprise. Ils étaient donc contents de trouver quelqu'un à la maison.

— La manucure, ça doit rapporter, commenta Nick.

La chaleur était moins étouffante maintenant qu'ils étaient dans les hauteurs, mais Stephanie continuait de penser qu'un climat pareil était fait pour s'allonger sur un transat et non pour mener des enquêtes. Et puis elle pensa à Jimmy. La torpeur de l'été espagnol n'était rien comparée à ce qu'il devait traverser. Un souvenir lui revint soudain en mémoire : le sourire sur son visage quand, après avoir enfilé sa première combinaison de plongée, il avait nagé dans la mer, à Brighton. Il avait barboté dans les vagues avant de se jeter dans ses bras en riant. Tout ce qu'elle voulait, c'était de nombreux moments comme celui-là. Pour eux deux.

Cette pensée lui redonna courage et elle regarda avec plus d'attention la maison qui se dressait devant elle. Elle était bien entretenue, les peintures étaient en bon état, l'allée soignée et bordée de pots en terre garnis de géraniums. Des bougainvilliers grimpaient le long de treillis de part et d'autre de la porte en bois de style moyenâgeux.

— Apparemment, elle a quelqu'un pour s'occuper du jardin, fit remarquer Stephanie. Je l'imagine mal faire ça toute seule.

Nick appuya sur la sonnette et ils patientèrent. Il s'apprêtait à sonner de nouveau quand ils entendirent un bruit de pas derrière la porte. Celle-ci s'ouvrit pour laisser apparaître un homme à la peau tannée petit et trapu. Il ne portait qu'un short bariolé et des tongs. Il avait le ventre rond et tendu ainsi qu'une tignasse de cheveux blancs qui protégeaient son crâne du soleil, lequel avait donné au reste de son corps une teinte marron foncé. Il parut légèrement surpris de les voir.

Pas aussi surpris que Nick et Stephanie, cependant.

— Nous cherchons Leanne, annonça-t-elle. On est à la bonne adresse, non ?

L'homme se gratta la tête.

— Bonne adresse, mais mauvaise année. On a acheté la maison quand elle a déménagé et on est là depuis... neuf mois environ.

Il avait un léger accent de Liverpool.

— Excusez-nous, monsieur... ? demanda Nick en sortant son portefeuille de sa poche arrière.

— Sullivan ? Johnny Sullivan. Et vous êtes ?

Nick montra sa carte de police.

— L'inspecteur Nick Nicolaides, de la Met. Et voici Stephanie Harker.

— Je ne fais pas partie de la police, expliqua cette dernière. Je suis une vieille amie de Leanne.

— Hé bien comme je vous ai dit, ça fait un moment qu'elle n'est plus là. On a acheté la maison de façon parfaitement légale. On ne l'a jamais rencontrée, ce sont les notaires qui se sont occupés de tout.

— Est-ce qu'on peut entrer, monsieur Sullivan ? J'aimerais vous poser quelques questions.

Sullivan fronça les sourcils.

— Oui, bien sûr, je n'ai rien à cacher.

Ils le suivirent le long d'un couloir frais et gagnèrent une vaste cuisine qui donnait sur une petite piscine en forme de haricot avec, au-delà, un bâtiment bas. Sullivan indiqua ce bâtiment du menton.

— Elle avait installé un salon de manucure là-bas. D'après ma femme, elle était très appréciée parmi les expatriées. Elle faisait un bon travail pour pas cher. C'était la cousine de Scarlett, vous savez, celle de *L'Aquarium* qui est morte d'un cancer. Mais vous devez le savoir si vous étiez amie avec elle.

Il indiqua la terrasse d'un geste du pouce.

— Dedans ou dehors ? leur demanda-t-il.

— Dedans, ça ira, monsieur Sullivan, répondit Nick la main posée sur le dossier d'une chaise.

— Asseyez-vous. Vous voulez un verre d'eau ? Ou une bière ? J'ai de la bière locale, elle est pas mauvaise.

Ils acceptèrent un verre d'eau chacun et commencèrent à poser des questions à Johnny Sullivan. Il était très franc et ne paraissait rien dissimuler. Un an plus tôt, sa femme et lui louaient un appartement dans le village en attendant de trouver quelque chose à acheter. Leanne était partie un jour sans prévenir, ce qui avait ennuyé ses clientes qui lui avaient toutes cependant pardonné quand elles avaient appris que sa célèbre cousine était atteinte d'un cancer en phase terminale. Personne ne pouvait contester que c'était une excellente raison pour annuler ses rendez-vous de manucure.

Le plus surprenant, c'était que Leanne n'était jamais revenue. Quelqu'un était passé à la villa pour prendre ses affaires, mais personne n'avait rien vu.

— Les gens ont supposé qu'elle avait décidé de retourner au Royaume-Uni, expliqua-t-il en haussant les épaules. Certaines personnes ont le mal du pays. La nourriture et le climat leur manquent.

Quelques semaines après son départ, la villa avait été discrètement mise en vente. Johnny et sa femme en avaient entendu parler par un réseau de notaires.

— Je ne vais pas vous mentir, on a sauté sur l'occasion. Elle était à un bon prix et ça correspondait exactement à ce qu'on cherchait.

— Vous l'avez achetée directement à Leanne ? demanda Nick.

Stephanie trouvait ça fascinant de l'observer en plein travail. Il posait des questions qui ne lui seraient pas immédiatement venues à l'esprit, à elle, et elle voyait que ces questions étaient soigneusement choisies. Ils étaient tous les deux experts dans l'art d'interroger quelqu'un, mais comme leurs buts étaient très différents, leur façon de faire l'était aussi.

— Justement, c'est précisément ce qui a été le plus bizarre dans cette transaction. La propriété n'était pas au nom de Leanne, elle appartenait à une association caritative.

— Est-ce que cette association s'appelait TOmorrow, par hasard ? demanda Stephanie qui était quasiment sûre de la réponse.

Johnny Sullivan pointa l'index vers elle, comme s'il s'agissait d'un pistolet.

— Exactement. J'ai pensé que c'était une combine pour éviter les impôts. Ça se passe souvent comme ça, dans le coin.

— Est-ce qu'elle a laissé une adresse ?

— Seulement celle du notaire. Elle ne reçoit pas beaucoup de courrier, mais quand ça arrive, on le fait suivre au notaire.

— Est-ce que vous savez si Leanne s'était fait des amis, dans le village ? demanda Nick.

Il se carra dans sa chaise, en affichant un air parfaitement détendu.

— Elle a eu une petite aventure avec Paco. Il tient le bar sur la place. Elle était assez copine avec un couple d'Anglais, Ant et Cat. Ils allaient souvent au bar pour papoter avec Paco. Mais je crois pas qu'ils soient encore en contact avec elle. Ant et Cat se sont mariés au nouvel an et ils lui ont envoyé une invitation par le biais du notaire. Elle n'a jamais répondu, pas envoyé de carte ni de cadeau, rien. Ça les a vraiment vexés.

Ce fut la dernière information utile que Johnny Sullivan leur donna.

Après l'avoir salué, Stephanie dit à Nick :

— Apparemment, Leanne en voulait vraiment à Scarlett ; quitter tout ça juste parce qu'elles s'étaient chamaillées…

Nick se contenta de grogner.

— C'est intéressant, fit-il remarquer. J'ai hâte d'entendre ce que Paco et le couple d'Anglais pensent de tout ça.

Ils n'eurent aucune difficulté à trouver le bar. Mieux encore, les trois personnes qu'ils cherchaient y étaient. C'était un bar de village typique : décor simple, menu basique et atmosphère sympathique. Mais quand ils mentionnèrent Leanne, cela jeta un froid.

— Elle est partie sans rien dire, expliqua Ant.

Il avait les cheveux blond platine et esquissa une moue de dédain. Il croisa les bras pour mettre en valeur ses épaules musclées.

— C'était la meilleure copine de Cat mais une fois qu'elle est repartie là-bas avec ses amis du show-biz, elle nous a oubliés.

Paco hocha la tête tout en essuyant vigoureusement un verre.

Cat, qui se tenait bien droite et avait des cheveux noirs coiffés à la Amy Winehouse, acquiesça.

— Elle a largué Paco comme s'il avait la gale. Elle a même pas envoyé une carte postale ou un texto. Je sais pas combien de messages je lui ai envoyés et j'ai eu aucune réponse.

Ant lui caressa la main.

— Et les messages vocaux, renchérit Paco. Je lui en ai laissé au moins vingt. Je sais qu'elle aime la vie à Londres, mais je pensais qu'elle reviendrait parce qu'on s'entendait bien, dit-il en rangeant le verre. Je l'aime, mais ça sert à rien de s'accrocher.

— T'as raison, Paco, ça sert à rien. Comment on pourrait concurrencer des gens comme Scarlett ? commenta Cat en boudant comme une adolescente.

— Après la mort de Scarlett, vous vous attendiez à ce qu'elle revienne ici ?

— Bien sûr, répondit Ant en croisant les bras. Mais elle a dû trouver un mec qui avait de l'argent et pas trop de jugeote.

— Elle guettait toujours les bonnes opportunités.

Stephanie trouva ce jugement curieux. Vivre dans une petite bourgade espagnole et gagner sa vie en faisant des manucures ne représentait pas à ses yeux une opportunité. Elle avait toujours pensé que Leanne connaissait ses limites et qu'elle s'en satisfaisait. Si elle avait cherché l'argent à tout prix, elle en aurait profité à l'époque où elle vivait à l'hacienda. Elle aurait pu faire chanter Scarlett et Joshu, or ça n'avait pas été le cas. Mais Ant et Cat avaient construit leur histoire comme Stephanie construisait les biographies de ses clients : c'était leur version des faits et elle ne changerait plus.

Ils prirent une deuxième bière mais n'apprirent rien d'autre. Pour Stephanie, il était clair que Leanne avait définitivement coupé les ponts avec sa vie espagnole. Nick lui, envisageait d'autres possibilités.

Et ces possibilités n'étaient pas vraiment réjouissantes.

3

Ils regagnèrent la voiture en silence, chacun perdu dans ses pensées. Nick attendit avant d'allumer le contact et demanda à Stephanie :

— T'as le numéro de Leanne, non ?

— Oui, répondit-elle en sortant son téléphone et en parcourant son répertoire. Le voilà, un numéro de portable espagnol.

— J'aimerais que tu lui envoies un texto.

— Pour lui dire quoi ?

— Que tu prévoies de partir en vacances en Espagne avec Jimmy bientôt et que ça te ferait très plaisir de la voir. Ensuite, on attendra sa réponse.

Stephanie le regarda bizarrement.

— Tu penses qu'elle va répondre quoi ? L'enlèvement de Jimmy a fait la une de tous les journaux britanniques. Ils les reçoivent ici, tu sais. Et c'est partout sur Internet aussi. Si elle avait voulu me contacter, elle l'aurait déjà fait.

— Peut-être. Mais je pense qu'on va recevoir une réponse enthousiaste, du genre : « Super idée, quand est-ce que vous venez ? » Et quand tu lui donneras tes dates, zut alors, ça tombera pile pendant la semaine où elle a prévu de partir pour la Thaïlande avec des amis.

Elle n'était pas bête. Elle comprenait ce qu'il insinuait. Tout à coup, elle sentit son cœur se serrer. C'était la dernière chose qu'elle aurait imaginé découvrir pendant ce voyage.

— Tu penses que c'est quelqu'un d'autre qui a son téléphone. Tu penses qu'elle est morte.

Il lui prit la main.

— Je suis désolé. Je ne vois pas d'autre explication. On sait qu'elle a quitté l'Espagne pour aller voir Scarlett avant sa mort. Après ça elles se sont disputées et elle est partie. Elle était bien intégrée ici. Ça aurait été logique qu'elle y revienne. Mais elle ne l'a pas fait. Elle a claqué la porte de cette maison de l'Essex et n'est jamais revenue.

— Mais Simon lui a parlé au moment du décès de Scarlett. Pour lui demander de venir aux obsèques.

— Vraiment ? Est-ce qu'il l'a vraiment eue au bout du fil ? Ou est-ce qu'il lui a envoyé un texto ? On sait que son téléphone fonctionnait toujours peu de temps après sa disparition. Paco lui a laissé des messages. Si quelqu'un l'a tuée, il serait normal qu'il conserve le téléphone, pour brouiller les pistes. Il aurait très bien pu se faire passer pour elle en rédigeant un texto.

Nick parlait d'une voix douce mais allait droit au but. Stephanie se mit tout à coup à pleurer. Elle commença à trembler et à claquer des dents. Nick la serra contre lui en attendant que ça passe. Quand elle se calma, ses yeux étaient gonflés et son nez tout rouge.

— Je n'arrive pas à y croire, articula-t-elle.

Elle posa une main sur la poitrine de Nick en le regardant droit dans les yeux.

— Tu avais déjà des doutes avant qu'on vienne jusqu'ici, non ?

Il soupira.

— L'idée m'a traversé l'esprit. Quand une femme s'en va en plein milieu de la nuit, il peut lui arriver des mésaventures.

— Tu crois qu'elle s'est fait agresser par un type ? Qu'il l'a emmenée quelque part et qu'il l'a tuée ?

Nick hocha la tête.

— Oui, quelque chose comme ça. Je crois qu'il faudra que je contacte la police de l'Essex quand on rentrera. Ça s'est passé il y a longtemps, mais à mon avis, ils devraient ouvrir une enquête pour meurtre. Si son téléphone est toujours en activité, ça pourrait leur donner un point de départ.

— Pauvre Leanne. Elle était pas très futée, mais elle avait un bon fond.

Tout à coup, Stephanie se redressa.

— Attends une minute. Tu ne me dis pas tout, Nick.

Il parut surpris.

— Comment ça ?

— Tu sais très bien ce que je veux dire. Leanne ne s'est pas fait tuer par un inconnu. Elle a forcément été tuée par quelqu'un de la maison. Parce que sa villa en Espagne a été vendue et que l'argent est allé à l'association caritative, expliqua Stephanie d'un air horrifié. Est-ce que c'était un accident ? Est-ce que Leanne est morte à l'hacienda ?

— Dis donc, répondit Nick en la prenant doucement par les épaules. Tu vas un peu vite en besogne. Il y a d'autres explications qui paraissent beaucoup plus plausibles.

— Je n'en vois pas d'autres.

Stephanie releva le menton, de nouveau maîtresse d'elle-même à présent. Elle voulait des réponses et ne se laisserait pas décourager.

— Quel était le rôle de Leanne auprès de Scarlett ? lui demanda Nick.

— Tu le sais. C'était son double, son sosie.

— Exactement. Pour quelqu'un de complètement obsédé par Scarlett, Leanne pouvait très bien faire l'affaire. Ce quelqu'un a même pu croire que Leanne était Scarlett. Et c'est pas parce qu'un individu est complètement obsédé par une célébrité qu'il ne peut pas agir de façon tout à fait rationnelle dans d'autres domaines. Notre coupable enlève Leanne et la séquestre. Tôt ou tard, il finit par comprendre que ce n'est pas Scarlett. Il se débarrasse d'elle et cherche à effacer ses traces. Il découvre qu'elle vit et travaille en Espagne et se rend compte que si personne ne la voit réapparaître là-bas, quelqu'un va avertir la police. Il y va et prend toutes ses affaires en pleine nuit. Puis il se fait passer pour elle dans des courriers, des e-mails ou des textos et organise la vente de la villa. Il ne cherche pas à savoir à qui la maison appartient ni à qui va l'argent parce que ce n'est pas ça qui l'intéresse. Ce qui l'intéresse, c'est Scarlett.

Stephanie frissonna. Tout ça était terriblement logique. Il y avait eu beaucoup de fans qui traînaient devant l'hacienda. Partout où Scarlett se montrait, les mêmes visages apparaissaient. Parfois, ils s'approchaient trop près et devaient être maintenus à distance. Un ou deux d'entre eux, à l'image de Megan, avaient dépassé les bornes. Mais quid des autres ? Ceux qui réussissaient apparemment à se contrôler mais qui étaient en réalité fous à lier ? La théorie de Nick répondait à toutes les questions soulevées par la disparition de Leanne ; elle était plus plausible que l'idée selon laquelle Scarlett ou un de ses proches puisse être impliqué dans sa mort.

— Tout était tellement confus au moment de la mort de Scarlett que personne n'a prêté attention aux petits détails, dit Stephanie. L'association n'a sans doute pas remarqué la rentrée d'argent provenant de la vente de la villa parce qu'il y a eu beaucoup de transactions à ce moment-là.

— Qui sont les administrateurs de l'association ?

— Simon, Marina et George.

— Il serait peut-être temps de parler à George.

— Dès qu'on sera de retour à Londres. Tu veux quand même que j'envoie un texto sur le téléphone de Leanne ?

— Oh oui. J'ai hâte de voir à quoi ressemble un message rédigé par une femme morte.

4

Il était minuit passé quand ils arrivèrent à l'appartement de Nick. Ils étaient épuisés quand ils se mirent au lit, mais pas au point de ne pas se réconforter un petit peu. Après, quand Nick s'endormit, Stephanie resta éveillée, en proie à une tristesse incommensurable. Elle ne cessait de penser à Jimmy. Elle avait suffisamment d'imagination pour élaborer des scénarios terribles. Même si tout le monde lui répétait que tout ça n'était pas sa faute, elle ne pouvait pas s'empêcher de se sentir coupable. S'ils ne le retrouvaient pas sain et sauf, elle s'en voudrait jusqu'à la fin de ses jours. Elle avait fait une promesse à Scarlett et ne l'avait pas tenue.

Elle finit par sombrer dans un sommeil agité qui passa bien trop vite. Par miracle, les médias n'avaient pas découvert où se trouvait Stephanie. Nick insista pour qu'ils restent à l'appartement et ne fassent rien qui puisse leur mettre la puce à l'oreille. Ça signifiait qu'ils ne pouvaient pas se rendre au bureau de George ni déjeuner avec lui dans ce genre de restaurants où les serveurs avaient les coordonnées personnelles des paparazzis.

— Le pauvre George, il était complètement abasourdi, annonça Stephanie après avoir contacté l'ancien agent de Scarlett. Je lui ai proposé de nous retrouver ici. Il a réagi comme si je lui demandais de se promener dans les quartiers chauds de Los Angeles en agitant un portefeuille rempli de billets.

Nick sourit.

404

— Il t'a dit ok pour le rendez-vous, alors ?

— Oui. Il sera là vers onze heures. Il faudra lui proposer des biscuits.

Nick alla vers le placard de la cuisine d'où il sortit un paquet de cantucci et un sachet de florentins.

— Est-ce que ça ira ?

— Encore une preuve que les hommes viennent de Mars et les femmes de Vénus, répliqua Stephanie. Moi, je n'aurais jamais ça chez moi. Enfin si, je pourrais, mais ils disparaîtraient en un après-midi. Et si j'avais su que tu en avais, ils ne seraient déjà plus là.

— Ok, c'est noté, dit-il en souriant. Au fait, j'ai reçu un mail de Vivian McKuras pendant la nuit. Ils sont dans une impasse, là-bas.

— Avec toute la technologie qu'on a de nos jours, on n'arrive pas à retrouver un type qui s'est enfui avec un enfant ?

— Le problème de la technologie, c'est que les criminels la maîtrisent aussi bien que nous. Alors ils trouvent les moyens de la contourner. Dans un cas comme celui-ci, à moins d'avoir un témoin oculaire fiable, le seul contact qu'ils peuvent avoir avec le coupable, ce sera au moment où celui-ci demandera une rançon ou dictera ses conditions. Sans ça…

Stephanie se mordit la lèvre, abattue.

Nick se frappa tout à coup la cuisse, comme s'il n'en revenait pas d'avoir été aussi stupide.

— Merde ! Comment est-ce que j'ai pu te dire ça… Je suis désolé.

Il lui ouvrit grand les bras. Elle n'avança pas vers lui mais secoua simplement la tête.

— C'est pas grave. Je n'ai pas envie que tu essaies de m'épargner. J'ai besoin de savoir exactement ce qui se passe. C'est dur, mais je préfère ne pas me voiler la face.

— Ok, mais je vais essayer de m'exprimer avec un peu plus de délicatesse à l'avenir. Il y a une bonne nouvelle : j'ai demandé à McKuras de confirmer à mon chef qu'elle avait toujours besoin de moi et je suis donc en mesure de poursuivre nos petites enquêtes parallèles.

À ce moment-là, elle se lova dans ses bras.

— C'est bien. Quand est-ce que tu vas appeler la police de l'Essex ?

Nick leva les yeux vers la vue spectaculaire qui se déployait derrière la fenêtre.

— Je voulais en parler avec toi, justement. Techniquement, je devrais les appeler le plus vite possible. Un meurtre présumé, c'est pas le genre de choses qu'un flic est censé cacher.

— Non, c'est sûr. J'ai l'impression qu'il y a un « mais »…

— L'affaire est ancienne. Ma priorité, c'est de retrouver Jimmy. Comme on n'a pas vraiment de piste pour le moment, je n'ai pas envie de faire quoi que ce soit qui pourrait alerter le ravisseur.

— Tu penses que l'enlèvement et le meurtre sont liés ? Comment ? Ça n'a pas de sens.

Nick s'écarta d'elle pour aller préparer le café.

— Je sais pas. Pour l'instant, c'est très confus. Si ça se trouve, c'est un dingue qui enlève les gens qui étaient proches de Scarlett. Pour avoir un souvenir…

Il frappa du poing sur le plan de travail.

— Appelle ça de la superstition si tu veux, reprit-il. Mais je ne veux pas que les gens qu'on questionne au sujet de l'enlèvement se mettent à flipper au moment où on évoque un meurtre présumé. Il n'y a rien de mieux pour faire taire un témoin.

— Alors tu préfères attendre ? Ne rien dire à la police tant qu'on n'a pas retrouvé Jimmy ?

Elle le vit se raidir et comprit qu'il se préparait déjà à la possibilité de ne pas retrouver Jimmy. Elle aurait préféré ne pas penser ça. Parce qu'elle ne pouvait pas envisager l'espace d'une seconde cette option-là. Il fallait que quelqu'un garde espoir. Et elle le ferait, même si ça devait l'éloigner de Nick.

— Oui, c'est ce que je me dis, répondit-il en se retournant vers elle. On est les seuls à avoir remarqué la disparition de Leanne. Ça ne fera aucune différence qu'on la signale maintenant ou dans un mois.

Nick fut interrompu par la sonnerie du téléphone de Stephanie.

— C'est Leanne ! s'exclama-t-elle en attrapant son portable.

Nick se pencha pour lire le message en même temps par-dessus son épaule.

« Pas 1 bonne idée 2 se voir. Tro triste pr Jimmy&moi. Désolée. L. »

Stephanie sentit son estomac se nouer. Nick avait vu juste.

— T'as raison, dit-elle. C'est pas Leanne qui a écrit ça.

— Mais c'est quelqu'un qui veut nous faire croire que Leanne est toujours en vie. Quelqu'un qui ne sait pas qu'on est allés en Espagne.

— Ça ne nous aide pas beaucoup…

— Si, d'une certaine façon. Ça élimine ses amis espagnols. À l'heure qu'il est, tout le monde là-bas doit savoir qu'on est passés. Si l'un d'eux était responsable de sa mort, il ne répondrait pas à ce texto. Celui qui s'est débarrassé d'elle l'a fait ici, en Angleterre, pas en Espagne.

Avant que Stephanie ne puisse ajouter quoi que ce soit, la sonnerie de l'interphone retentit. Nick appuya sur le bouton et s'approcha de la porte pour aller accueillir George. Ce dernier pénétra dans la pièce, prudent comme un chat découvrant un nouveau territoire. Stephanie s'était placée à côté de la fenêtre afin que George remarque le panorama époustouflant dès qu'il entrerait. Mais il s'avança vers elle sans prêter la moindre attention à la vue. Il lui prit les mains et la regarda d'un air profondément préoccupé.

— Ma chère Stephanie, dit-il de sa voix veloutée. Tu dois être morte d'inquiétude. Quel terrible événement. Je suis sûr que Nick a déjà fait tout ce qu'il fallait, mais si je peux me rendre utile, il suffit de me demander. Je suis à ton service.

Stephanie ferma les yeux pour contenir ses larmes.

— Ah George, tu ne peux pas être un peu moins gentil ? J'ai du mal à résister à la gentillesse en ce moment.

Il gloussa et la serra contre elle.

— Je te reconnais bien là.

Il s'écarta et regarda autour de lui pour la première fois, observant la douzaine de guitares suspendues au mur ou posées sur des supports.

— Dois-je en conclure que vous êtes musicien, inspecteur Nicolaides ?

— Appelez-moi Nick, je vous en prie. Oui, je joue un peu.

Il indiqua à George le canapé qui était le seul meuble de salon qu'il possédait.

— Asseyez-vous. Un café ?

George croisa le regard de Stephanie en levant un sourcil interrogateur.

— Oui, George, tu peux le boire, c'est sans danger.

Nick s'occupa de préparer les biscuits et le café tandis que Stephanie racontait à George l'histoire de l'enlèvement et l'opération désastreuse du FBI contre Pete Matthews. Quand il entendit ce qui était arrivé à Pete, George ne put s'empêcher de se réjouir.

— Bien fait pour lui. Peut-être qu'il aura compris que ça ne vaut vraiment pas le coup de te harceler.

Nick revint et George entra dans le vif du sujet :

— En quoi est-ce que je peux vous aider à retrouver Jimmy ?

— Il faut qu'on parle à tous ceux qui étaient proches de Jimmy ou de Scarlett. Quelqu'un doit forcément savoir quelque chose, même sans s'en rendre compte, répondit Nick. Cet enlèvement a sans doute des causes très profondes. C'est pourquoi nous devons creuser un peu dans le passé.

George gonfla les joues et soupira.

— Je ne suis pas sûr de pouvoir vous aider, dit-il. Pour tout dire, j'ai toujours gardé mes distances avec Jimmy. Je suis de cette génération d'homosexuels pour qui le fait de ne pas avoir d'enfant est une bénédiction. Je n'aime pas beaucoup les enfants. En particulier quand ils sont en bas âge. Scarlett le savait et elle ne m'a jamais imposé son fils. Ni en personne ni par le biais d'anecdotes, précisa-t-il en faisant la moue. Pourquoi est-ce que les gens sont toujours persuadés que les anecdotes concernant leurs enfants sont fascinantes ?

— Pas de problème, George, j'ai vu la tête que tu faisais chaque fois que Jimmy s'approchait de toi, répondit Stephanie. Je sais que tu n'es pas le mieux placé pour avoir remarqué des gens au comportement étrange qui auraient pu le fréquenter. Par contre, il faudrait qu'on parle à Marina et Simon. On peut joindre Simon à la clinique, mais on n'a pas les coordonnées de Marina. Je sais que tu es l'un des administrateurs de TOmorrow, alors j'imagine que tu dois savoir où la contacter.

George esquissa un petit sourire.

— Stephanie, tu es complètement à côté de la plaque. Vous ne trouverez pas Simon à la clinique.

— Ah bon ? Il a changé de poste ?

— De poste et de pays. Il a rejoint Marina en Roumanie. Simon est à présent médecin-chef du projet TOmorrow. Il s'occupe des petits orphelins.

Voyant l'étonnement de Stephanie, il sourit plus largement.

— Tu es surprise, à ce que je vois…

— Stupéfaite. Est-ce que Marina et lui vivent ensemble ?

— Tu me connais, ma chérie, je n'aime pas les ragots… Mais il faut une très bonne raison pour abandonner un poste bien payé dans une clinique privée de Londres au profit de la lointaine Transylvanie, non ?

Stephanie leva la tête vers Nick qui était juché sur un haut tabouret de guitariste.

— Je ne m'en serais jamais doutée, reprit-elle. Ils ont bien caché leur jeu.

— Ils ont passé beaucoup de temps ensemble pendant la maladie de Scarlett.

— Je sais, mais je ne pensais pas que Marina était son genre de femme.

George afficha une expression à mi-chemin entre la malice et le dégoût.

— Certains hommes trouvent les femmes un peu enrobées irrésistibles. J'imagine que Simon n'avait jamais rencontré de femmes comme Marina auparavant. Et c'est une fille intelligente. Elle a étudié l'économie à Bucarest.

Pour la deuxième fois depuis le début de leur conversation, Stephanie tomba des nues.

— Elle n'en a jamais parlé.

— J'imagine que l'occasion ne s'est jamais présentée.

— Elle parlait très peu d'elle, reprit Stephanie qui ressentait le besoin de se justifier pour s'être si peu intéressée à Marina. Je me suis toujours dit qu'elle avait dû faire quelques écarts dans sa vie. Que c'était pour ça qu'elle travaillait si dur ici, pour se racheter.

Elle rougit, gênée de révéler ces pensées un peu ridicules.

— Elle m'a toujours paru très compétente, intervint Nick. Même si je n'ai pas souvent eu affaire à elle.

George leur fit un clin d'œil en ajoutant :

— En tout cas, elle a été très compétente quand il s'est agi de prendre le large avec Simon sans que personne ne s'en aperçoive. Est-ce que vous envisagez d'aller les voir en Roumanie ?

Sa question ramena Stephanie à la réalité et au pourquoi de cette conversation.

— Le FBI est dans l'impasse. On n'a pas une seule piste concrète, George. Marina et Simon sont les seuls à notre connaissance à pouvoir nous aider. Alors oui, on ira là-bas s'il le faut.

— Et Leanne ? Vous lui avez parlé ?

— On est allés en Espagne, répondit Nick. Chez elle, pour s'assurer que Jimmy n'y était pas.

George termina son café avant de se lever en défroissant son pantalon.

— Très bien. En même temps, Leanne n'aurait jamais pu organiser quelque chose d'aussi complexe, dit-il en avançant vers la porte. Je vais demander à Carla de vous transmettre par mail les coordonnées de mes coadministrateurs dès que je reviens au bureau.

— Et l'association, ça marche bien de ce côté-là ? demanda Nick de façon anodine comme s'il faisait simplement la conversation.

— Pour tout dire, je ne m'en occupe pas trop. Je ne suis là que parce qu'il fallait une troisième personne. Ce sont Marina et Simon qui font tout le travail. Quand l'hacienda a été vendue, il y a eu une grosse rentrée d'argent, pas loin de cinq millions, je crois. Ils font un super boulot là-bas et Simon a réuni une équipe de bénévoles pour organiser un nouveau challenge de natation. Ce qui, évidemment, a un impact très positif sur les ventes de livres, Stephanie. Apparemment, ce challenge sportif pourrait devenir un événement annuel. Beaucoup de gens sont intéressés.

— Tant mieux pour eux. Merci d'être passé, George, dit Nick en lui tapant sur l'épaule.

George se retourna pour saluer Stephanie.

— Au revoir ma chérie, donne-moi de tes nouvelles. J'ai un ou deux projets dans les tuyaux qui seraient parfaits pour toi. J'en parlerai à Maggie.

C'était le cadet de ses soucis en ce moment, mais Stephanie savait qu'il faudrait bien se remettre au travail un jour ou l'autre. Il fallait payer les factures et honorer ses obligations.

— Merci George.

La porte se referma et Nick s'y adossa.

— Alors..., dit-il. Simon et Marina. Est-ce que tu penses la même chose que moi ?

Elle prit une profonde inspiration.

— Qu'il ne leur manque qu'une seule chose pour former une parfaite petite famille ?

5

La route de Paddington à l'aéroport de Luton à l'aube : un nombre surprenant de voitures sur le trajet, mais pas de bouchons, pas de moments de stress dus à un ralentissement inexpliqué. Quelques achats à l'aéroport : un petit sac à dos, une bouteille d'eau, une veste imperméable, une paire de baskets et des chaussettes. Trajet Luton-Cluj : trois heures à somnoler inconfortablement sans échanger un mot au cas où quelqu'un les entendrait. Enfin, la voiture de location (une marque dont ni l'un ni l'autre n'avait jamais entendu parler), une page imprimée depuis Google Map, et les voilà en route pour la dernière étape de leur voyage au terme duquel, Stephanie l'espérait, elle allait retrouver Jimmy.

Ils avaient passé l'après-midi et la soirée précédents à échafauder des plans, les mettre de côté, les reprendre, les corriger, les affiner avant d'ébaucher une feuille de route qui, ils en étaient conscients, allait devoir être très flexible. Le plus important, c'était que leur objectif, lui, était clair : il s'agissait de localiser Jimmy. Tout le reste en dépendait.

Et comme Nick pensait qu'il valait mieux mettre toutes les chances de leur côté, ils envoyèrent un nouveau texto à Leanne : « Je comprends complètement, je sais que tu adorais Jimmy. Je pourrais peut-être venir seule ? Tu me ferais les ongles comme au bon vieux temps ? Bisous. » Nick le lut et dit :

— Je te parie que tu n'auras pas de réponse cette fois-ci.

Une fois qu'ils eurent quitté le secteur de l'aéroport et après s'être assurés qu'ils avaient pris la bonne direction (vers les montagnes du Sud-Ouest), ils firent halte dans la première station-service, un bâtiment bas en briques qui semblait rescapé des années cinquante, anachronique comparé aux pompes à essence modernes. Nick entra dans la boutique et en ressortit avec de l'eau, du chocolat, deux paquets de salami en tranches et un paquet de biscuits. Pendant ce temps, Stephanie enfila ses chaussettes et ses baskets. La première phase de leur plan consistait à trouver l'orphelinat et passer devant à pied comme s'ils étaient un couple de randonneurs. Le seul problème, c'était que Stephanie avait pour tout vêtement ce qu'elle avait mis dans sa valise en prévision d'un séjour en Californie. Les robes à bretelles et les shorts étaient parfaits pour aller à Disneyland ou à la plage mais peu appropriés à la randonnée en Transylvanie, même par une belle journée de printemps comme celle-là. D'où un passage obligé par les boutiques de l'aéroport. Vêtue de son seul jean et d'une vieille chemise écossaise appartenant à Nick, elle paraissait presque crédible.

En prenant de l'altitude, l'air de la ventilation se rafraîchit. Le paysage changea : les vertes collines peuplées de moutons cédèrent la place à des terres plus escarpées et boisées, parsemées de pitons rocheux. Il n'était pas difficile d'imaginer comment Bram Stoker avait pu donner vie à Dracula, avec un décor aussi saisissant et désertique. Ils traversèrent quelques hameaux qui se résumaient à une poignée de maisons juchées sur une colline ou à un groupe de chalets bâtis sur un petit plateau. En dehors de ça, rien qui les invitât à faire une pause dans leur périple.

Après une heure et demie de petites routes sinueuses, Stephanie s'aperçut qu'ils approchaient de Timonescu. Elle était à la fois anxieuse et excitée.

— Rappelle-moi le déroulement des opérations, demanda-t-elle à Nick. Je ne suis pas habituée à ce genre de choses. Je ne suis pas une femme d'action, contrairement à toi.

Nick sourit.

— Moi non plus, je ne suis pas une femme d'action.

Elle lui donna un petit coup de poing dans le bras.

— Arrête de faire ton malin. Tu sais bien ce que je voulais dire.

— C'est simple : on va passer en voiture devant l'orphelinat, mais pas trop lentement pour ne pas attirer l'attention. On va continuer un peu jusqu'à ce qu'on trouve un coin discret où laisser la voiture. Ensuite on prendra nos sacs à dos et on repassera devant l'orphelinat à pied en ouvrant l'œil pour trouver d'éventuelles cachettes d'où on pourrait surveiller la propriété.

— Et ensuite on attend ?

— C'est ça. Jusqu'à ce que Simon ou Marina, ou les deux, apparaissent. Après on les suit. Et on verra où ça nous mène.

— C'est pas hyper-précis comme organisation, tu trouves pas ?

Stephanie essayait de cacher son stress. La vérité, c'est que cette idée avait semblé bien moins effrayante quand ils étaient en sécurité dans son appartement ; à présent, ça l'angoissait plus que la perspective de passer du temps dans une salle d'interrogatoire avec Vivian McKuras. Beaucoup plus.

— On va devoir s'adapter. On restera en contact grâce à nos téléphones portables. Au moins, avec ce type de routes, ils ne pourront pas nous semer. En plus, il n'y a pas vraiment de petites routes secondaires où disparaître.

Stephanie poussa un profond soupir.

— Et si on arrive à suivre Simon et que Jimmy et Marina sont avec lui, qu'est-ce qu'on fait ?

Elle lui avait déjà posé cette question et Nick était resté évasif, répondant qu'ils aborderaient ce problème une fois le moment venu. Et ce moment, d'après elle, approchait dangereusement.

— On évaluera la situation et on décidera du meilleur moyen de sortir de là avec Jimmy.

— Pourquoi on ne se contente pas d'appeler la police ?

Nick négocia un virage en épingle puis faillit verser dans le fossé en voulant éviter une charrette tirée par un cheval qui descendait la colline dans la direction opposée.

— Je ne fais pas confiance à la police du coin. TOmorrow apporte beaucoup d'argent à l'économie locale. La police sera encline à les croire eux plutôt qu'un inspecteur de Scotland Yard qui vient empiéter sur leurs plates-bandes sans avoir demandé d'autorisation. Même si ça ne prenait que quelques heures pour prouver notre bonne foi, Simon et Marina pourraient en profiter pour filer avec Jimmy n'importe où en Europe centrale. On doit faire ça tout seuls. Il faut qu'on aille chercher Jimmy nous-mêmes et qu'on le ramène avec nous.

— Et ensuite ? Je n'ai pas son passeport et si Marina a mis la police du coin dans sa poche, comment est-ce qu'on pourra s'enfuir d'ici ?

— On les prendra par surprise. Ils vont s'attendre à ce qu'on se dirige vers l'aéroport. Mais j'opterais pour traverser les montagnes et redescendre jusqu'à Bucarest. On emmènera Jimmy à l'ambassade britannique et ils lui donneront un passeport provisoire. On est les gentils dans cette histoire, après tout. On est les sauveurs.

Stephanie n'était pas rassurée.

— Tu crois qu'ils vont nous laisser prendre Jimmy comme ça ?

— Non, je crois qu'il va falloir les menacer un peu. Simon est le maillon faible. Il est médecin. S'il veut continuer à exercer, il ne peut pas se permettre d'avoir un mandat d'arrêt international au-dessus de la tête. D'après ce que je sais, c'est un type bien élevé de la classe moyenne qui n'a pas l'habitude d'enfreindre la loi. C'est lui qui va flancher, crois-moi, expliqua-t-il avec un petit sourire. Tu n'as jamais vu mon côté obscur, Stephanie, mais n'oublie pas que c'est moi qui ai maté Pete Matthews. Je suis à la hauteur. Je peux réussir à convaincre Simon que c'est dans son intérêt de relâcher Jimmy et lui promettre qu'il n'y aura aucune poursuite judiciaire.

— Tu ferais ça ? Tu le laisserais s'en sortir ?

Nick serra la mâchoire.

— Ça va à l'encontre de mes convictions, mais oui. Je le ferais pour récupérer Jimmy. Cet enfant a besoin de grandir dans un environnement stable qu'il connaît, pas d'être transporté dans un pays étranger avec une nouvelle identité. Parce que c'est ce qu'ils seront obligés de faire. Ils ne pourront pas prendre le risque que Jimmy Higgins réapparaisse. Ils le feront passer pour un orphelin roumain. Alors oui, je ferais ça pour cet enfant. Et pour toi.

— Et si Marina refuse ? Si Simon accepte ton offre, mais qu'elle, elle dit non ?

— Dans ce cas, on sera trois contre une, répliqua-t-il sèchement.

Stephanie comprit qu'il ne lui en dirait pas plus sur le sujet. Il ne voulait pas anticiper une situation qu'il était bien décidé à éviter. Il jeta un œil au compteur kilométrique.

— Si on en croit le compteur, on n'est plus qu'à quelques kilomètres. Regarde bien les panneaux.

Ils traversèrent un nouveau hameau – un ensemble de maisons aux toits pentus regroupé autour d'une bâtisse qui semblait être une auberge – puis la forêt devint plus dense tandis que les virages se faisaient plus serrés sur la route raide. Une fois le dernier virage passé, ils débouchèrent sur un torrent vigoureux qui surgissait du bas-côté pour se perdre dans une prairie. Au milieu de la prairie s'élevait un grand mur entourant un bâtiment austère en pierres. Carré, haut de quatre étages avec douze fenêtres par niveau, il était protégé par des grilles en fer. Le crépi clair et le toit noir avaient l'air en bon état, mais l'endroit n'était guère accueillant. Il y avait une esplanade pavée au bout de l'allée où étaient garées plusieurs voitures mais le reste du terrain était recouvert d'herbe. Nick ralentit et ils franchirent un pont qui enjambait le ruisseau. Un grand panneau annonçait : « Orphelinat Timonescu ».

— C'est grand, commenta Nick, impressionné.

Stephanie se retourna pour continuer d'observer les lieux. De là où ils étaient à présent, elle voyait une aire de jeux qui paraissait bien équipée.

— Et s'ils habitent là ? demanda-t-elle. Jimmy est peut-être coincé là-dedans avec les orphelins, non ?

La route décrivit une large courbe. Sur la droite apparut ce qui ressemblait à une piste forestière. Nick s'y engagea au dernier moment et prit un nouveau virage. Il fit demi-tour et quand il coupa enfin le moteur ils étaient garés à une cinquantaine de mètres de la route, à l'abri des regards.

— Pourquoi est-ce qu'ils auraient choisi de vivre sur place ? S'ils sont allés jusque-là pour se construire une nouvelle vie, j'imagine qu'ils ne passent pas tout leur temps libre dans un orphelinat. Encore une fois, on doit s'adapter, répétat-il en tendant le bras pour lui pincer la main. Il faut garder espoir. Quelqu'un doit se battre pour Jimmy.

Stephanie sourit.

— Bien sûr, je sais pourquoi on est là, mais ça ne veut pas dire que je n'appréhende pas.

— L'appréhension, c'est bien. C'est ce qui t'empêchera de faire des trucs stupides et dangereux.

Nick ouvrit la portière et étira les bras pour se détendre le dos. Stephanie l'imita et, en silence, ils préparèrent leurs sacs. Toujours sans mot dire, ils s'engagèrent sur la piste en direction de la route.

— Il y a un sentier le long du pré, dit Stephanie. Je l'ai aperçu en passant. Je crois qu'on peut y accéder par le pont qui mène à l'orphelinat.

Ils redescendirent donc la route et franchirent le pont. Il n'y avait aucun signe de vie du côté de l'imposant bâtiment situé derrière le mur, pas de cris d'enfants qui jouaient. C'était le début de l'après-midi et Stephanie fut surprise de trouver les lieux aussi calmes.

Ils aperçurent rapidement le petit sentier qui longeait le pré jusqu'à la forêt. C'était tout à fait le genre de chemins que deux randonneurs seraient susceptibles d'emprunter. Ils s'arrêtèrent et Nick fit semblant de consulter la carte.

— Quand on sera arrivés à la lisière de la forêt, on consultera de nouveau la carte et on fera comme si on s'était trompés. On reviendra sur nos pas. Mais dès qu'on aura passé le virage, tu iras te cacher dans la forêt pour surveiller l'orphelinat. Je retournerai à la voiture et j'attendrai que tu me donnes l'alerte.

Il ôta son sac à dos et en sortit une paire de jumelles.

— Tu ferais mieux de les prendre, lui conseilla-t-il.

Ils s'engagèrent sur le sentier d'un pas volontaire en longeant la forêt pendant quelques centaines de mètres. Tout à coup, un brouhaha de cris et de rires d'enfants leur parvint, porté par une légère brise. Un peu plus loin, ils firent demi-tour et revinrent sur leurs pas. Il y avait une ouverture dans le mur d'une vingtaine de mètres, où la pierre avait été remplacée par une haute grille surmontée de piques. À travers la grille, ils aperçurent des enfants qui s'adonnaient à des activités de leur âge : ils jouaient au ballon, à la corde à sauter, se couraient après ou traînaient simplement avec leurs camarades. Certains d'entre eux étaient handicapés mais ils participaient malgré tout, profitant du soleil printanier et de leur liberté. Jimmy ne se trouvait pas parmi eux, Stephanie en était certaine. Trois femmes vêtues de pantalons sombres et de ces tuniques blanches que portent les infirmières étaient assises sur un banc, jambes croisées, occupées à surveiller les enfants tout en fumant frénétiquement et en parlant de façon animée. Elles ne firent pas attention à Nick et Stephanie, qui poursuivirent leur chemin d'un bon pas jusqu'à la route.

— On dirait que les enfants s'amusent bien, commenta Stephanie. Scarlett a fait une bonne action. La première fois qu'elle est venue ici, c'était exactement comme dans les reportages affreux qu'on avait vus, après la chute de Ceauşescu. Des gamins attachés à leurs lits, des bébés laissés dans leurs excréments, des enfants handicapés avec des blessures purulentes. Apparemment, ça a bien changé.

— Raison de plus pour régler ça sans l'intervention de la police. Je ne veux pas salir la réputation de l'association de Scarlett. Les médias s'en donneraient à cœur joie : l'association caritative créée par sa mère est exploitée pour dissimuler l'enlèvement dramatique de Jimmy, répondit Nick en esquissant des guillemets avec les doigts.

Ils continuèrent d'avancer et, une fois parvenus au virage, Stephanie alla se cacher dans les bois. Nick poursuivit sa route, la laissant seule au milieu de la forêt de conifères. Le problème avec ce genre d'arbres, c'était qu'ils n'avaient pas de broussailles derrière lesquelles se cacher. Rien ne poussait sous ces épais branchages. Elle se glissa entre les arbres puis se rapprocha de la route où des fougères poussaient parmi d'autres plantes inconnues. Si elle s'asseyait sur les épines qui tapissaient le sol, elle pensait qu'il serait difficile de la repérer. Elle étala sa veste imperméable par terre et s'installa ; elle savait que l'attente allait être longue. Il était presque seize heures. Elle ne savait pas à quelle heure la nuit tombait, mais elle était bien décidée à tenir bon.

Pour Jimmy, c'était la moindre des choses.

6

Le soleil avait disparu derrière le coteau boisé et la température avait baissé. La chemise écossaise de Nick était une piètre protection contre la fraîcheur de ce début de soirée. Mais si elle enfilait sa veste pour se réchauffer, l'humidité du sol allait rapidement imprégner ses os et elle aurait encore plus froid qu'avant. C'était une situation qui n'offrait pas de solution satisfaisante mais y réfléchir lui permettait de ne pas trop penser à ce qui les attendait.

La porte d'entrée de l'orphelinat s'était ouverte deux fois, attirant immédiatement son attention, et elle avait saisi ses jumelles. La première fois, un homme et une femme étaient sortis, vêtus du pantalon noir et de la tunique blanche qui constituaient visiblement l'uniforme du personnel. L'homme s'était dirigé vers l'une des voitures tandis que la femme s'empressait de descendre l'allée pour déverrouiller et ouvrir le gros portail en fer. L'homme avait franchi le portail au volant de sa voiture puis attendu que la femme le referme. C'était un processus qui prenait du temps, mais ça ne dérangeait pas Stephanie. Dix minutes plus tard, ce fut une femme aux cheveux blancs vêtue d'un imperméable rose qui partait ; elle s'assit à califourchon sur un scooter garé derrière les voitures et répéta les mêmes gestes au niveau du portail.

— Allez, Simon, marmonna Stephanie tandis que le scooter vrombissait dans sa direction.

Pour briser la monotonie, elle appela Nick et lui rapporta ce qui s'était passé.

— Ça prend un petit moment d'ouvrir et fermer le portail, lui expliqua-t-elle. Alors s'il finit par sortir, tu auras quelques minutes pour te préparer.

— Est-ce qu'ils descendent tous la colline vers la route ?

— Non, ils sont allés chacun d'un côté.

— Ok. Alors je ne bougerai pas tant que tu n'auras pas vu quelle direction il prend.

Il n'y avait rien d'autre à dire. Ils n'étaient pas d'humeur à la causette, l'un comme l'autre. Stephanie reprit sa surveillance en croisant les bras pour préserver le peu de chaleur qui lui restait.

À ce moment-là, la porte s'ouvrit de nouveau. Même à l'œil nu, elle reconnut Simon : chemise par-dessus un jean et cette démarche si particulière due aux santiags. Elle crut même entendre ses talons claquer sur les marches en pierre. Il ne referma pas la porte d'entrée derrière lui et s'arrêta au bas des marches en se retournant comme s'il appelait quelqu'un.

Quand Jimmy déboula en courant, Stephanie eut le souffle coupé. Sa poitrine se serra et sa gorge aussi, comme si un sanglot y était enfermé. Le garçon rejoignit Simon qui lui ébouriffa les cheveux, geste qu'elle avait fait elle aussi de si nombreuses fois. Ils avancèrent main dans la main jusqu'à une Mercedes berline dans laquelle ils montèrent. Quand ils parvinrent au portail et que Simon sortit pour l'ouvrir, Stephanie retrouva ses esprits et appela Nick.

— C'est Simon ! Jimmy est avec lui !

— Putain...

Elle entendit Nick enclencher le moteur de la voiture.

— Est-ce qu'il se dirige en haut ou en bas de la colline ? demanda-t-il.

— Je ne sais pas encore. Simon est en train de franchir le portail. Attends...

Elle l'observa, de plus en plus tendue au fil des minutes. Simon s'arrêta pour refermer le portail derrière lui. Il agissait sans se presser, ce qui l'énervait encore plus. Quand il remonta dans la voiture, il mit son clignotant à gauche.

— Il descend ! hurla-t-elle dans son téléphone. Ils vont rejoindre la route. Viens me récupérer !

Dès que les feux arrière de Simon disparurent au coin du premier virage, Stephanie bondit et enjamba les haies pour gagner la route. Elle aperçut les phares de Nick à travers les arbres. Le jour tombait vite à présent ; au moins les phares de la voiture de Simon faciliteraient la filature.

La voiture de Nick déboula du virage et s'arrêta net devant Stephanie. Elle se rua sur le siège passager, surprise de s'apercevoir qu'elle était hors d'haleine. Nick sourit et redémarra. Pour relâcher toute cette tension, il fit une petite blague :

— C'est là que je suis censé te dire : « Élémentaire, mon cher Watson », non ?

Elle rit malgré elle, réaction nerveuse à sa remarque stupide.

— N'oublie pas que c'est l'inspecteur Lestrade, de Scotland Yard, qui est l'imbécile dans les histoires de Sherlock Holmes.

Nick prit les virages aussi vite qu'il pouvait, apercevant de temps en temps les feux rouges scintiller devant lui à travers les arbres. Ils zigzaguèrent un moment avant d'atteindre finalement le hameau. Stephanie tourna la tête pour voir quelle direction avait prise la Mercedes et s'écria tout à coup :

— Là-bas ! Vers l'auberge ! La route qui va vers la forêt. Ils se dirigent par là.

Nick bifurqua brusquement dans un crissement de pneus. Ils dépassèrent à toute vitesse l'auberge et les maisons puis la voiture s'engagea en cahotant sur une piste non goudronnée. Il pressa le frein pour ralentir.

— Merde, jura-t-il tandis qu'il essayait de manœuvrer la voiture inadaptée à ce genre de terrain.

Devant eux, les feux rouges s'intensifièrent quand la Mercedes freina. Puis elle bifurqua à droite. Nick ralentit.

— C'est une propriété privée, s'écria Stephanie. Arrête, Nick !

Il éteignit les phares et parvint à garer la voiture à une cinquantaine de mètres de l'allée privée. Il coupa le contact et, quelques secondes plus tard, ils sortirent de la voiture en laissant les portières ouvertes. Ils coururent vers l'entrée de l'allée où ils se placèrent de chaque côté du chemin.

Stephanie se cacha derrière un gros pilier en pierre surmonté d'un ours dressé sur ses pattes arrière et jeta un œil dans l'allée. La Mercedes s'était arrêtée trente mètres plus loin, dans une petite cour éclairée. La lumière provenait d'un éclairage extérieur situé sur le perron de la maison, mélange entre un pavillon de chasse et un manoir, avec des tourelles à chaque angle. Jimmy et Simon étaient déjà descendus de la voiture et se dirigeaient vers le perron, Jimmy en tête.

La porte s'ouvrit et une femme apparut. Elle descendit les marches pour accueillir le garçon. Elle le prit dans ses bras et le fit virevolter en l'air. Simon s'approcha d'elle et elle s'arrêta pour l'embrasser sur la bouche. C'était l'image parfaite d'une famille réunie après une journée de travail.

Sauf que la femme n'était pas la bonne.

Stephanie secona la tête...
d'un ours dressé sur...
La Mercedes s'était...
petite cour éclairée. La...
nous sint sur le per...
de chasse et un manoir...
Jimmy et Simon échangèrent...
dirigeaient vers la por...
La porte s'ouvrit...
marches pour accueillir...
le fit virevolter en l'air...
pour l'embrasser sur la...
famille réunie après...

7

Les jambes de Stephanie se dérobèrent sous elle. Elle s'effondra par terre en gémissant, incapable de croire ce qu'elle avait sous les yeux. Ses paupières papillonnèrent et, l'espace d'un instant, elle pensa qu'elle allait s'évanouir. Nick s'accroupit à côté d'elle et la réconforta en la prenant dans ses bras.

— Bon sang, t'as vu qui j'ai vu ? lui demanda-t-il. Sur les marches d'une baraque qui ressemble à la résidence secondaire de Dracula ? Est-ce que c'était Scarlett ?

— J'arrive pas à y croire. Je suis restée avec elle jusqu'à son dernier souffle. Je l'ai vue dans son cercueil, dit-elle en secouant la tête comme pour chasser cette scène invraisemblable. Ça ne peut pas être Scarlett.

Tout à coup, elle comprit.

— Réfléchis, Nick. Qui manque à l'appel ? Qui n'est pas là où elle est censée se trouver ?

— Leanne. C'est Leanne, répondit-il avec soulagement.

— Les salauds…, commenta Stephanie sur un ton presque admiratif. Ils ont manigancé ça dès le début, quand Scarlett a annoncé à Leanne que j'allais avoir la garde de Jimmy. Elle s'était attachée à lui. Elle voulait le garder. Et ces deux ordures ont trouvé un moyen de faire ça tout en ayant accès à la fortune de Scarlett, grâce au travail de Simon. Comme c'est lui et Marina qui gèrent les fonds, je parie qu'ils sont bien installés, là, dans leur château au milieu des bois.

Nick se leva.

— Heureusement que j'ai pas contacté la police de l'Essex avec mon histoire de meurtre. Ils se seraient bien foutus de moi. J'aurais été ridicule.

— Ils ont quand même commis un crime, Nick. Ils ont enlevé Jimmy et, comme tu l'as dit, ils doivent se la couler douce en piochant dans les réserves de TOmorrow. On a de quoi les faire arrêter et récupérer Jimmy.

Nick esquissa un petit sourire.

— T'as raison. On y va quand tu veux.

Quinze minutes plus tard, ils s'engagèrent sur la petite allée pavée. Nick avait d'abord proposé d'attendre dans la voiture, portières ouvertes.

— Ne ferme pas la portière. Le bruit d'une portière qui claque, c'est le genre de choses qui résonne dans un endroit pareil. On va leur laisser le temps de se détendre, comme ça quand on sonnera à la porte ils seront pris par surprise.

Ensuite, il eut une meilleure idée :

— On va garer la voiture en travers de l'allée. S'ils essaient de s'enfuir ou d'appeler du renfort, ils seront coincés.

Il desserra donc le frein à main et, presque sans bruit, ils poussèrent la petite voiture jusqu'à ce qu'elle bloque l'accès à la maison. Pour atteindre l'allée, ils durent passer par l'intérieur de la voiture.

Alors qu'ils approchaient de la maison, Stephanie pensa que Nick devait entendre les battements de son cœur tellement ils étaient forts. Elle avait l'impression de pénétrer dans un conte de fées. La maison avait été récemment rénovée ; les volets étaient tout neufs, les peintures impeccables, le fer forgé intact. Des jardinières remplies de fleurs étaient disposées sur le rebord des fenêtres et sur les balustrades. Les volets du rez-de-chaussée laissaient filtrer une lumière douce. C'était comme si les frères Grimm avaient participé à une émission de décoration.

Ils gravirent les quatre marches du perron en faisant le moins de bruit possible. Puis, sans se soucier de la sonnette, Nick frappa à la porte du bout de sa lampe torche. La porte en bois était si épaisse qu'ils n'entendirent pas de bruit de pas de l'autre côté. Et soudain, elle s'ouvrit. La femme qui se tenait devant eux ne les regardait pas ; elle tournait la tête derrière elle en riant à une remarque lancée par quelqu'un à l'intérieur.

Stephanie eut envie de vomir.

La femme leur fit face. Son visage se figea et devint tout blanc. L'épouse de Loth avait dû afficher la même expression, songea Stephanie de façon complètement incongrue. Le temps sembla s'arrêter tandis qu'elle tentait de comprendre ce qui se passait sous ses yeux.

— Salut, Scarlett, dit Stephanie.

Elle entendit Nick émettre un petit hoquet de surprise.

— Tu nous invites pas à entrer ?

8

Les paroles de Stephanie tirèrent Scarlett de sa léthargie. Elle tenta de leur fermer la porte au nez, mais Nick fut plus rapide qu'elle. Il tendit le bras et appuya de tout son poids sur la porte. Scarlett fut forcée de céder. Elle recula. Nick et Stephanie pénétrèrent dans la maison.

— Comment est-ce que tu as pu…, lâcha Stephanie dans un murmure.

Ils entendirent des bruits d'ustensiles provenant d'une pièce bien éclairée puis Simon lança :

— Qui c'est, ma chérie ?

Stephanie avança jusqu'à la cuisine où il faisait chaud. Simon était en train d'émincer des oignons sur une épaisse planche en bois. En la voyant, il s'arrêta, lâcha le couteau et ouvrit la bouche comme un poisson paniqué. Au même moment, Jimmy vit Stephanie et descendit de sa chaise pour accourir vers elle.

— Stephanie ! s'écria-t-il joyeusement. Je t'aime !

Il se serra contre sa jambe en riant et en poussant des cris de joie.

— Est-ce qu'on va bientôt rentrer à la maison ? demanda-t-il sans remarquer les mines horrifiées qui l'entouraient.

— Steph est simplement venue nous rendre visite, pour être sûre que tu es bien installé, répondit Scarlett en dépassant Stephanie pour prendre Jimmy dans ses bras avant de le tendre à Simon. Va jouer là-haut avec Simon et tes Lego. Je dois parler avec Stephanie.

Son sourire était aussi bluffant qu'un postiche d'octogénaire.

— Je les accompagne, dit Nick en suivant Simon.

— Stephie ! réclama Jimmy en tendant les bras vers elle tandis que Simon l'emmenait hors de la cuisine.

— Plus tard, lui dit Scarlett avant de fermer la porte derrière eux.

Pour une morte, elle paraissait drôlement en forme. Elle était légèrement bronzée, avec les yeux brillants et la peau lisse. Ses cheveux avaient repoussé et sa longue chevelure épaisse aux différentes nuances de blond indiquait des visites régulières chez un bon coiffeur. Probablement pas dans le village du coin. Ils étaient simplement attachés par une barrette argentée. Elle prit Stephanie dans ses bras.

— Je suis vraiment désolée, Steph. T'imagines pas à quel point ça m'a fait de la peine de te cacher tout ça.

Stephanie fut désarçonnée par ce témoignage d'affection, mais ne tomba pas dans le panneau. Le sang lui battant les tempes, elle eut du mal à trouver ses mots puis finit par articuler :

— Comment est-ce que tu peux me dire ça ? Après tout ce que Jimmy a traversé ? Comment est-ce que tu peux faire comme si rien ne s'était passé ?

Scarlett sortit une bouteille de prosecco du gros réfrigérateur américain et la déboucha calmement.

— Jimmy va bien. Tu l'as vu par toi-même.

Elle prit deux flûtes à champagne dans un placard vitré. Tout en les remplissant, elle secoua la tête comme pour signifier qu'il y avait eu plus de peur que de mal.

— Tu sais mieux que n'importe qui que ma vie était devenue impossible, surtout après le cancer. Je pouvais pas sortir, je pouvais rien faire sans avoir un cortège de journalistes derrière moi. Je pouvais plus vivre comme ça. Personne aurait pu. J'en avais jusque-là, Steph. Le stress me rendait malade. Littéralement, ça m'a presque tuée.

Stephanie sentit la sueur lui coller la nuque. Elle avait du mal à savoir quel ton adopter pour cette conversation. Scarlett parlait de façon tellement terre à terre. Presque désinvolte. Rien à voir avec le discours d'une femme prise en flagrant délit, qui avait à la fois orchestré sa propre mort et enlevé son fils à l'autre bout du monde. Stephanie oscillait entre le soulagement de voir que son amie était toujours en vie et la colère provoquée par ce qu'elle avait fait.

— T'aurais pu te retirer de la vie publique, partir à l'étranger où personne ne te connaissait, lâcha-t-elle avec un petit rire amer. En Transylvanie, par exemple. Je parie que tu peux faire du shopping tranquille, ici.

Scarlett tendit un verre à Stephanie, qui le refusa. Elle le posa sur le plan de travail.

— Oui c'est vrai, je suis tranquille. On a pensé partir à l'étranger, mais c'était compliqué. Un médecin comme Simon ne gagne pas beaucoup d'argent en Roumanie. Et même si la vie ici n'est pas chère, ça nous a quand même coûté une fortune de rénover cette maison. Et puis il y a d'autres choses qui ne sont pas données : Internet, les chaînes de télé, ce genre de choses. Dès que tu veux la moindre option, tu raques. Alors il fallait qu'on continue d'avoir des rentrées d'argent. J'ai le droit d'avoir une vie décente, Steph. Mais ces putains de journalistes m'en empêchaient.

Scarlett n'éprouvait pas la moindre honte et ça avait quelque chose de choquant.

— Alors t'as mis en scène ta propre mort et organisé un challenge de natation pour être sûre que ton association caritative continuait de percevoir les fonds qui te permettraient de maintenir le niveau de vie auquel tu t'étais habituée ?

N'importe qui d'autre aurait été blessé par le sarcasme de Stephanie, mais Scarlett se contenta d'esquisser un sourire en faisant mine de trinquer avec son ancienne amie.

— En gros, oui. Évidemment, l'orphelinat en touche une grosse part. Sinon, ils n'auraient aucune raison de rester dans la combine. C'est Marina qui sert d'intermédiaire. Elle fait en sorte que tout le monde soit content. Et Simon leur offre ses services pour trois fois rien, ce qui est une bonne affaire quand on a autant d'enfants handicapés à soigner. Tu donnes l'impression qu'on arnaque tout le monde, Steph, mais on fait de bonnes actions, ici.

— Tu as fait semblant d'être morte, répliqua Stephanie.

Le choc initial avait désormais cédé la place à la colère.

— J'ai pleuré pour toi. J'ai tenu ton fils dans mes bras pendant qu'il pleurait toutes les larmes de son corps parce qu'il avait déjà perdu son papa et qu'il venait de perdre sa maman. Est-ce que tu as une idée du chagrin que tu as causé à ceux qui t'aimaient ?

Scarlett fit une petite moue qui aurait presque pu être interprétée comme de l'embarras.

— Vous étiez pas si nombreux à m'aimer. À me connaître vraiment. Les seuls dont je me souciais, c'était toi, Jimmy et George. Simon et Marina étaient dans le coup, alors ils ont juste fait semblant. Écoute, je t'ai dit que j'étais désolée, et je le suis. Si j'avais pu faire autrement, je l'aurais fait, crois-moi. Mais j'étais obligée de te mentir. Il fallait bien que quelqu'un soit triste pour de vrai. Pour que Simon et Marina sachent comment réagir.

Stephanie resta sans voix. L'idée que son chagrin n'avait été aux yeux de Scarlett qu'une donnée dans une expérience psychologique était quelque chose qu'elle ne pouvait pas comprendre. Comment pouvait-on traiter un être humain de cette façon, surtout quand il s'agissait de votre meilleure amie ?

— Espèce de salope, dit-elle d'une voix étranglée.

Scarlett vida son verre et le remplit de nouveau.

— Il y avait de gros enjeux à la clé, pour moi, Steph. J'ai toujours fait ce qu'il fallait pour obtenir ce que je voulais. Ne sois pas surprise. Tu as écrit le bouquin, après tout.

Stephanie avait l'impression de revenir peu à peu à la réalité après s'être enfoncée dans un bourbier de mensonges.

— Je t'ai vue morte. Je t'ai vue dans ton cercueil.

Scarlett sourit comme un champion de poker enfin autorisé à montrer ses émotions et, tout à coup, Stephanie comprit.

— Oh mon Dieu, murmura-t-elle.

Elle posa la main devant sa bouche comme si, en empêchant les mots d'être formulés, elle pouvait effacer l'affreuse réalité qu'ils décrivaient.

Scarlett hocha la tête.

— Elle était insupportable, putain, tu le sais bien. Elle voulait la garde de Jimmy, elle voulait que je lui donne la baraque en Espagne, elle voulait un salaire. Elle aurait rien eu, de toute façon, même si j'avais été vraiment mourante, dit-elle en secouant la tête d'un air de dégoût. Cette petite conne a même essayé de me menacer en disant qu'elle allait tout raconter.

— Si elle avait tout raconté, ça aurait fait la une des journaux pendant une semaine, point final, Scarlett. Ça aurait été sa parole contre la tienne. À ce moment-là, tu étais devenue la femme courageuse qui avait bravé le cancer. Le fait que tu aies utilisé Leanne comme un double pour sortir en soirée aurait même joué en ta faveur !

L'amertume de Stephanie était perceptible dans chacun de ses mots. Scarlett, elle, semblait plus étonnée que fâchée.

— C'était pas pour ça que je m'inquiétais. C'était pour Joshu.

9

Stephanie eut l'air surpris.

— Pour Joshu ? Pourquoi ?

— Leanne était au courant pour la morphine, répondit Scarlett en levant les yeux au ciel comme si elle avait affaire à une interlocutrice particulièrement stupide.

— C'est-à-dire ? insista Stephanie.

— Joshu n'a pas volé la morphine. C'est Simon qui lui en a donné. Il lui a fait croire qu'il était sympa avec lui pour que Joshu me laisse tranquille, en contrepartie. Mais il avait changé les étiquettes. Joshu a cru qu'il s'injectait une faible dose alors qu'en fait, c'était la dose la plus élevée disponible sur le marché. Leanne avait surpris Simon dans la cuisine en train de trafiquer les étiquettes et, quand Joshu est mort, elle a fait le rapprochement. Au début, elle a cru que c'était Simon qui essayait de se débarrasser de Joshu pour me mettre le grappin dessus. Elle savait pas qu'on était déjà fous amoureux l'un de l'autre à ce moment-là.

Scarlett sourit affectueusement en disant cela, comme si ça effaçait l'horreur de sa révélation.

— Tu... tu as piégé Joshu en sachant que les doses de morphine allaient le tuer ?

— Qu'est-ce que t'aurais fait à ma place ? Ce type était un vrai cauchemar, tu le sais bien. Il était défoncé la plupart du temps et si j'étais morte il aurait voulu garder Jimmy avec lui et il aurait complètement gâché ses chances. Je pouvais pas risquer ça, Steph. T'as vécu avec Jimmy, tu sais qu'il est adorable. Je ne pouvais pas le laisser dans les mains de Joshu. J'ai tout essayé pour le dissuader mais il ne voulait rien entendre. J'avais pas le choix.

Stephanie prit le verre de prosecco et le vida d'un trait. Scarlett éclata de rire.

— J'aime mieux ça ! C'est comme au bon vieux temps, Steph.

Elle lui remplit son verre et lui pinça le bras. Stephanie sursauta et retira son bras, ce qui n'eut pas l'air de déranger Scarlett. Stephanie savait que Scarlett était déterminée, qu'elle avait fait preuve d'une grande ténacité pour passer d'une enfance sans avenir à la célébrité. Mais elle avait du mal à comprendre comment ça avait pu la mener à des actes aussi impitoyables, commis de sang-froid.

— Tu as tué Joshu pour protéger Jimmy. Et ensuite tu as tué Leanne pour te protéger, toi.

Scarlett a eu l'air vexé.

— Hé bien, ça n'aurait arrangé personne que Leanne aille tout raconter, si ? On aurait été ridiculisés et l'avenir de Jimmy aurait été ruiné. Et Leanne s'en serait tirée indemne alors qu'elle était aussi coupable que les autres.

— Comment tu peux dire que Leanne était coupable ?

Elle haussa les épaules.

— Elle a vu des trucs et elle n'a rien dit aux flics à l'époque. Plus tard, elle a essayé de me faire chanter. Pour moi, ça la rend tout aussi criminelle. Elle avait pas le droit de s'en tirer et de partir avec mon fils en prime. Et je dois dire que sa dernière intervention en tant que double nous a évité de nous demander ce qu'on allait bien pouvoir mettre dans le cercueil, dit-elle en souriant.

— Mais Leanne est censée être rentrée en Espagne des semaines avant sa « mort », répliqua Stephanie en esquissant des guillemets pleins de mépris. Vous l'avez retenue prisonnière ou quoi ?

— Ça n'a pas été difficile. Simon avait des sédatifs. Il l'a droguée et l'a gardée dans le dressing où il était censé dormir. Elle a perdu du poids, ce qui a rendu les choses encore plus crédibles. Et puis quand j'ai été prête pour ma grande scène finale, il a augmenté la dose. Elle a rien senti. On peut dire qu'elle a plané pendant tout ce temps. Il y a des gens qui paient cher pour être dans cet état, Steph.

Si elle essayait de faire de l'humour, Stephanie ne comprit pas la blague.

— Et le texto que j'ai reçu ce matin, soi-disant de Leanne ? C'était toi, non ?

Scarlett afficha un air satisfait.

— Bien sûr que c'était moi. J'ai dû réagir vite sur ce coup-là.

— Mais t'as pas été assez rapide. On savait déjà que Leanne n'était pas en Espagne. On a rencontré le gentil monsieur à qui tu as vendu sa maison.

Scarlett eut l'air légèrement déconcertée. Stephanie continua sur sa lancée :

— Et Jimmy ? Ça rimait à quoi cette histoire d'enlèvement ? Tu m'as fait vivre un enfer pendant toute cette semaine. J'ai été morte d'inquiétude. J'ai à peine fermé l'œil. J'ai eu très peur pour lui.

Pour la première fois, il est apparu que Scarlett était peut-être capable d'éprouver des regrets.

— Ouais, je m'en suis voulu pour ça, Steph. Si j'avais pu m'y prendre autrement, je l'aurais fait. Mais je pouvais pas simplement te demander de me le rendre, tu comprends ? Il aurait fallu que tu donnes une explication aux services sociaux et ils risquaient de penser que tu l'avais tué ou vendu... Alors je te l'ai enlevé. On a fait ça aux États-Unis pour détourner l'attention. C'est Simon qui y est allé. Il s'est déguisé et a mis d'autres chaussures pour qu'on reconnaisse pas sa démarche. Il est allé jusqu'au Canada avec Jimmy, ils ont traversé la frontière avec deux faux passeports roumains et ensuite ils ont pris l'avion à Toronto. Fastoche.

— Mais pourquoi ? Pourquoi faire un truc si compliqué ? Pourquoi tu n'as pas simplement confié la garde de Jimmy à Simon ? Ou à Marina, puisqu'elle était dans le coup ?

Pour la première fois, Scarlett évita son regard.

— Ça aurait fait jaser. Les journaux se seraient jetés dessus. Ils se seraient demandé pourquoi la nounou roumaine avait obtenu la garde de l'enfant de Scarlett Higgins et pourquoi elle l'emmenait vivre en Roumanie. Ou pourquoi Jimmy allait vivre avec un docteur ; ils se seraient demandé si c'était pas mon amant et pourquoi il l'emmenait vivre au pays de Dracula, soupira-t-elle. Ils auraient pas arrêté de poser des questions. Je veux pas paraître méchante, Steph, mais toi, t'étais l'option la plus simple. Ma copine, mon nègre, celle qui était là quand Jimmy est né, qui a plus ou moins vécu avec nous pendant mon cancer. T'es sa marraine, ça paraissait logique que je te demande de t'occuper de lui.

— Et c'est ce que j'ai fait, répliqua Stephanie sur un air de défiance. Comme si c'était le mien. Tu veux tout savoir, Scarlett ? J'ai l'impression que c'est le mien. Encore plus depuis une semaine, depuis que tu me l'as arraché.

Scarlett hocha la tête.

— Je suis contente que tu dises ça. Mais maintenant, j'ai besoin qu'il revienne ici, avec moi. Je suis désolée. Quand je t'ai demandé de t'occuper de lui, je ne pensais pas que ce serait temporaire. J'étais convaincue que je pouvais vivre sans lui. Je me suis dit qu'il serait mieux sans moi, avec toi.

Elle était sérieuse à présent. Elle parlait avec plus d'émotion, contrairement au ton léger qu'elle avait adopté pour évoquer les meurtres.

— Qu'est-ce qui t'a fait changer d'avis ?

Scarlett fit tourner le pied de sa flûte, agitant les bulles du prosecco. À l'extérieur, il s'était mis à pleuvoir et le vent projetait de grosses gouttes contre les carreaux. Stephanie avait l'impression d'être dans un décor de cinéma. Elle avait du mal à croire qu'elle vivait réellement cette scène étrange. D'une minute à l'autre, Nick allait débouler avec Simon et Jimmy pour lui dire que tout ça n'était qu'un canular.

— Qu'est-ce qui m'a fait changer d'avis ? répéta Scarlett en soupirant. On pensait qu'on aurait d'autres enfants, Simon et moi. Abandonner Jimmy... je l'avais accepté, à condition qu'on ait des enfants ensemble. Mais comme, au bout de quelques mois ici, rien n'est arrivé, Simon m'a fait passer quelques examens. Il se trouve que la chimio m'a cramé les ovaires. J'ai plus de chances de voyager sur la lune que de concevoir un nouvel enfant.

— Alors t'as voulu récupérer Jimmy. Puisque tu ne pouvais pas le remplacer, tu t'es dit que t'allais simplement le reprendre.

Elle croisa les bras.

— Il est à moi, après tout, Steph. Pas à toi.

— Non, il n'est pas à moi. Mais pas à toi non plus. Ce n'est pas un objet. C'est un petit garçon dont on a le devoir de s'occuper. On devrait d'abord penser à lui et faire ce qu'il y a de mieux pour lui.

Scarlett esquissa ce sourire narquois dont elle avait l'habitude et qui charmait toujours ses interlocuteurs. Mais pas cette fois.

— Et c'est bien ce que j'ai l'intention de faire à partir de maintenant. J'ai commis une erreur en l'abandonnant. Je l'ai réparée. Il va vivre ici avec moi, Stephanie. Tu vas devoir l'accepter.

Le ton assuré et glacial de Scarlett la fit frissonner. Son regard trahissait une menace implicite. Cette femme avait perpétré deux meurtres de sang-froid pour parvenir à ses fins. Ses paroles sous-entendaient que la même chose arriverait à Stephanie si elle refusait de laisser ce garçon qui, après tout, n'était pas son fils. Personne n'en saurait rien.

Sauf Nick, bien entendu. Nick, si honnête, passionné et inopportun.

Comme si elle voulait rendre sa menace un peu plus explicite, Scarlett ajouta :

— Vous allez être obligés de dormir ici. Les routes sont dangereuses dans le coin. Même les locaux ont souvent des accidents mortels. Si vous prenez la route en pleine nuit avec cette tempête, Nick et toi, ce sera à vos risques et périls.

Stephanie songea qu'ils étaient prisonniers dans un conte des frères Grimm. Dont la plupart se terminaient mal, si sa mémoire était bonne. S'ils restaient dormir là, est-ce qu'ils seraient encore vivants le lendemain matin ? Est-ce que leur nourriture serait empoisonnée ? Est-ce qu'ils se feraient égorger dans leurs lits pour être ensuite jetés en pâture aux animaux sauvages qui rôdaient dans la forêt ? Elle était sûre qu'il y avait des loups, ou au moins des sangliers. Or tout le monde savait que les cochons mangeaient tout et n'importe quoi. Pourquoi est-ce que les sangliers seraient différents ?

Ou alors, peut-être que Scarlett et Simon les drogueraient, les enfermeraient dans la voiture avant de la pousser au bord d'un ravin. Ce serait une véritable tragédie. Tout ça parce qu'ils étaient venus parler à cette gentille nounou et ce docteur si serviable qui avaient bien connu le garçon qui s'était fait enlever. Simon avait tellement bien dupé Stephanie qu'il n'aurait aucune difficulté à faire de même avec la police locale qui, elle, n'en doutait pas, devait entretenir des liens privilégiés avec l'orphelinat et ses bienfaiteurs.

Jusque-là, Scarlett n'avait reculé devant aucun obstacle pour atteindre son but. Elle était allée au plus simple, sans la moindre pitié. La seule façon de survivre à cette soirée, c'était peut-être de lui faire croire que tout se déroulait comme elle l'avait prévu. Stephanie baissa les yeux.

— Ok, dit-elle en essayant d'avoir l'air abattu. On partira demain matin.

— Tu crois que tu peux convaincre Nick de garder le secret au sujet de Jimmy ? On n'a pas besoin de lui raconter le reste, après tout.

Comme s'il n'était pas assez futé pour le deviner tout seul. Stephanie réussit à esquisser un faible sourire.

— Il fera ce que je lui dis. Il n'est pas ici de façon officielle. Il n'a aucune autorité dans ce pays.

Scarlett sembla accepter ce qu'avait dit Stephanie, mais cette dernière vit que son regard était perçant. Scarlett maintenait le statu quo, rien de plus. Nick et elle n'étaient pas en sécurité. Bien au contraire. Ils étaient comme Damoclès, assis à table, attendant que le crin tenant l'épée suspendue au-dessus de sa tête casse. Ce qui était certain, c'était que tôt ou tard, ils allaient mourir.

Maintenant que Stephanie savait tout, il était hors de question pour Scarlett de les laisser en vie.

10

— Ça marche, dit Scarlett en remplissant les deux coupes. Cette fois-ci, Stephanie trinqua avec elle.

— T'imagines pas à quel point tu m'as manqué, Steph. Ce qui est cool maintenant, c'est que tu vas pouvoir venir me rendre visite. Il y a même une petite cabane pour les amis, avec un poêle à bois. Tu pourrais t'y installer pour écrire, si t'en as envie.

Elle avait cette même expression joyeuse sur le visage que Stephanie lui avait toujours connue.

— Ça pourrait être marrant, répondit-elle.

Mais c'était plus que bizarre, songea-t-elle tout en cherchant désespérément un moyen de sortir d'ici vivante, avec Nick et Jimmy. Elle n'arrivait pas à trouver une bonne idée. Même s'ils s'en allaient sans lui, ils ne se sentiraient plus jamais en sécurité. Scarlett était habile, intelligente et impitoyable. Quant à Simon, il paraissait être complètement à sa botte. Stephanie et Nick allaient vivre en se demandant sans arrêt quand elle allait se débarrasser d'eux. La seule chose dont ils seraient certains, c'est qu'elle le ferait, un jour ou l'autre.

Mais Stephanie avait été sincère en disant qu'elle se préoccupait avant tout de Jimmy. Et elle devait s'assurer que cet enfant ne grandisse pas dans une famille où le meurtre était la solution à tous les problèmes. Il fallait qu'ils s'enfuient d'ici avec Jimmy. Elle supposait que si elle disait ça à Scarlett, cette dernière allait rigoler et répondre : « Il faudra me passer sur le corps. »

Hé bien, peut-être qu'elle pouvait lui passer sur le corps.

Stephanie, qui n'avait jamais rien fait de plus violent qu'installer une tapette à souris, repensa aux moments les plus dramatiques des films qu'elle avait vus et des livres qu'elle avait lus. Scarlett lui tourna le dos pour ouvrir le frigo.

— Je suis sûre qu'on a des olives et du fromage là-dedans. On pourra grignoter pendant que Simon finit de préparer le dîner. Vous devez avoir faim.

Stephanie savait qu'elle allait devoir agir sans réfléchir. Lentement, elle saisit le couteau que Simon avait utilisé pour les oignons et s'approcha de Scarlett. De la main gauche, elle attrapa son épaisse chevelure puis tira fermement vers elle. Scarlett lâcha un cri de surprise en penchant la tête en arrière, exposant sa gorge à la lame affûtée que Stephanie fit glisser de gauche à droite. Le couteau était tellement aiguisé que ni l'une ni l'autre ne sentit quoi que ce soit.

Un jet rouge vif jaillit et éclaboussa le contenu du frigo ainsi que les parois d'un blanc éclatant. Stephanie poussa Scarlett et recula d'un pas. Cette dernière tomba par terre, le sang qui s'écoulait de sa blessure formant immédiatement une flaque autour d'elle. De l'air s'échappait en même temps que le sang, produisant un affreux gargouillement que Stephanie entendrait pour toujours dans ses cauchemars. Le corps de Scarlett fut agité de spasmes et ses mains se tordirent en essayant de se poser sur la blessure.

Stephanie lâcha le couteau. Puis toutes les séries télévisées qu'elle avait vues lui revinrent en mémoire et elle le reprit pour le mettre dans l'évier. Elle saisit un torchon pour essuyer le manche avant de le passer sous l'eau chaude. Il serait identifié comme l'arme du crime mais ne porterait pas ses empreintes. Elle fit de même avec le verre de prosecco. Elle ne pensait pas avoir touché autre chose, mais elle garda le torchon à la main. Elle avait l'impression d'être extérieure à elle-même, comme si elle regardait ces mouvements sans vraiment les effectuer.

Elle jeta un œil à ses vêtements mais n'y vit aucune tache de sang. Le sang avait jailli de la blessure sans l'éclabousser.

Elle prit une profonde inspiration avant de revenir à Scarlett. Le sang s'écoulait lentement, à présent. C'était impressionnant la rapidité à laquelle on pouvait se vider de son sang. Et quel bazar ça pouvait créer.

Elle se dirigea vers la porte en enjambant soigneusement la flaque. Elle l'ouvrit à l'aide du torchon puis la referma soigneusement. Devant elle, un grand escalier en bois menait à l'étage ; Stephanie s'y engagea précautionneusement. Elle se souvenait qu'elle s'était déjà sentie dans cet état-là, la seule fois où elle avait fumé de la drogue. Son corps paraissait sans vie. Elle avait l'impression d'être à l'intérieur d'un robot qu'elle pilotait.

Sur le palier, de la lumière et du bruit s'échappaient d'une porte ouverte. Elle avança d'un pas hésitant et s'efforça de sourire.

— On dirait que vous vous amusez bien, commenta-t-elle.

Jimmy et les deux hommes étaient en train de finir la construction d'une voie ferrée en Lego ; ils vérifiaient les moteurs des trains et les manettes qui contrôlaient l'aiguillage.

— Je me suis pas amusé comme ça depuis des années, répondit Nick qui paraissait sincère.

— Je suis désolée de devoir vous interrompre, reprit Stephanie. Jimmy, il faut qu'on rentre à la maison. Si tu veux prendre des affaires, fais-le maintenant parce qu'il faut vraiment qu'on y aille.

Nick fut le premier à réagir. Il se leva d'un bond, prit Jimmy et le souleva en l'air.

— Qu'est-ce que tu en dis ? Est-ce qu'il y a des jouets dont tu ne peux pas te passer ?

— Attendez une minute, répliqua Simon qui eut du mal à se mettre debout vu qu'il était coincé entre la construction en Lego et un coffre à jouets.

Jimmy regarda autour de lui en fronçant les sourcils.

— Ma DS, annonça-t-il en indiquant la petite console Nintendo posée sur le lit.

Nick la ramassa et quitta la pièce. Stephanie se posta devant la porte pour bloquer la sortie.

— Attendez une minute, répéta Simon en se précipitant vers eux.

Mais Stephanie ne bougea pas et comme Simon ne voulait pas frapper une femme, Nick et Jimmy en profitèrent pour filer. Il la prit fermement par les bras pour essayer de la faire bouger, mais Stephanie résista.

— Qu'est-ce que t'as fait, espèce de cinglée ? Où est Scarlett ? Scarlett ?

Finalement, il la poussa de tout son poids et elle céda. Il se précipita dans l'escalier en criant le nom de Scarlett. Les cris s'arrêtèrent subitement quand il ouvrit la porte de la cuisine. Stephanie, qui avait retrouvé l'équilibre, était déjà au pied de l'escalier. Simon était à genoux par terre, dans la flaque de sang, la tête de Scarlett posée sur ses cuisses.

— Elle ne m'a pas laissé le choix, dit Stephanie. C'était elle ou moi. Tu le sais.

Simon ne tourna même pas la tête.

— Mon amour, répéta-t-il d'une voix brisée.

Se déplaçant toujours comme si elle était en transe, Stephanie gagna la porte d'entrée puis la voiture. Elle n'était rien qu'un fantôme, après tout. Elle n'avait jamais mis les pieds ici. Une seule pensée tournait en boucle dans sa tête : *On ne peut pas tuer quelqu'un qui est déjà mort.*

On ne peut pas tuer quelqu'un qui est déjà mort.

REMERCIEMENTS

L'écriture est un apprentissage permanent. Chaque livre m'enseigne quelque chose sur le monde et sur l'art d'écrire.

Je remercie :

Jon et Ruth Jordan à qui je dois trop de choses pour pouvoir toutes les énumérer ; cette fois, ils m'ont mise en contact avec quelqu'un sans qui ce livre n'aurait jamais démarré. Merci de m'avoir encouragée, Timm.

Linda Watson-Brown et Michael Robotham pour avoir partagé avec moi leurs expériences comme nègres littéraires.

Kelly Smith pour Detroit.

Le professeur Sue Black pour www.millionforamorgue.com

Paula Tyler pour m'avoir donné accès à ses connaissances encyclopédiques en matière de droit familial.

Ce livre ne s'est pas fait tout seul. Merci aux gens enthousiastes chez Gregory & Co, Little Brown, Grove Atlantic et HarperCollins Canada qui jouent un rôle crucial et s'assurent que tout fonctionne correctement. Je suis particulièrement reconnaissante envers Jane Gregory, Stephanie Glencross, Anne O'Brien et David Shelley dont la passion nous inspire tous.

Enfin, un grand merci à ma famille et mes amis, dont le soutien est extrêmement précieux. Merci d'être à mes côtés envers et contre tout.

CET OUVRAGE
A ÉTÉ ACHEVÉ D'IMPRIMER
SUR ROTO-PAGE
PAR L'IMPRIMERIE FLOCH
À MAYENNE EN FÉVRIER 2015

N° d'édition : L.01ELHN000327.N001. N° d'impression : 88094
Dépôt légal : mars 2015
Imprimé en France

Cet ouvrage a été mis en page par IGS-CP
à L'Isle-d'Espagnac (16)

Cet ouvrage a été mis en page par IGS-CP
à L'Isle-d'Espagnac (16)